D0866074

Best-Sellers n°545 • thriller

Dans l'ombre du bayou - Lisa Jackson

Lorsque Eve Renner accepte en pleine nuit le mystérieux rendez-vous fixé par Roy, son ami d'enfance, dans un cabanon du bayou, non loin de La Nouvelle-Orléans, elle n'imagine pas qu'elle met le pied dans un véritable guet-apens. Car elle découvre son ami poignardé, le chiffre 212 tracé sur un mur en lettres de sang. Pis encore : Cole, son fiancé, se trouve sur les lieux du crime et tente de la tuer elle aussi…Trois mois plus tard, Eve se remet difficilement de la trahison de Cole, qu'elle aime depuis toujours. Devenue amnésique, elle ne comprend pas ce qui a pu se passer lors de cette nuit de cauchemar. Jusqu'à ce qu'un mystérieux courrier l'incite à chercher dans ses souvenirs d'enfance. Et c'est là que se dissimule non seulement le secret du meurtre de Roy, mais aussi la clé d'autres mystères, plus troubles, plus dangereux encore…

Best-Sellers n°546 • thriller

Face au danger - Brenda Novak

Traumatisée par la violente agression dont elle a été victime trois ans auparavant, Skye Kellermann a mis du temps à surmonter ses angoisses. Ce n'est que depuis peu qu'elle reconstruit son existence autour de l'association d'aide aux victimes qu'elle a créé en Californie avec deux amies. Mais quand elle apprend que son agresseur est sur le point d'être libéré pour bonne conduite, bien avant la fin de sa peine, toutes ses peurs ressurgissent brutalement : comment oublier que c'est son propre témoignage qui a permis d'envoyer cet homme derrière les barreaux ? Lui n'a certainement pas oublié qu'il a tout perdu par sa faute. Le temps presse et Skye n'a qu'une solution : faire ce qu'il faut pour qu'il ne sorte pas de prison, en commençant par prouver son implication dans trois affaires de meurtres survenues à l'époque de son agression, et qui n'ont jamais été résolues... Heureusement, elle peut compter sur l'aide et le soutien inconditionnel de l'inspecteur David Willis, qui est venu la trouver. Car lui aussi en est convaincu : Burke n'en restera pas là.

Best-Sellers n°547 • roman

Le secret d'une femme - Emilie Richards

Lorsqu'elle arrive à Toms Brook, le village natal de sa mère, en Virginie, Elisa Martinez sait que ce qu'elle est venue chercher ici pourrait bien bouleverser sa vie à tout jamais. Aussi courageuse que farouche, elle a appris à cacher derrière une apparente réserve les lourds secrets de son passé. Un passé qui l'a toujours contrainte à fuir de ville en ville, à changer de nom, à taire tout ce qui pourrait la trahir. Pourtant, quand Sam Kincaid lui propose de travailler avec lui, elle sent qu'il lui sera difficile de ne pas ouvrir son cœur à cet homme séduisant et attentionné. Bientôt prise au piège de son attirance pour Sam, Elisa se retrouve déchirée entre la nécessité de protéger ses secrets et le désir de vivre cet amour qu'elle n'attendait plus – un amour qui pourrait bien être la promesse d'une vie nouvelle…

Best-Sellers n°548 • roman

Un si beau jour- Susan Mallery

Vivre enfin ses rêves. C'est le souhait le plus cher de Jenna lorsqu'elle retourne s'installer à Georgetown, dans sa famille, après un divorce douloureux et une vie professionnelle décevante. Aussi, sur un coup de tête, décide-t-elle de lancer un concept innovant : une boutique dans laquelle elle proposera à la fois des accessoires et des cours de cuisine. Une entreprise qui s'avère rapidement être un véritable succès. Mais à peine Jenna retrouve-t-elle sa sérénité et sa joie de vivre, qu'un couple de hippies, Serenity et Tom, débarque dans son magasin et se présente comme ses parents naturels. Bouleversée, Jenna s'insurge contre cette arrivée intempestive. D'autant plus que celle qui prétend être sa mère ne tarde pas à se mêler de sa vie privée. C'est ainsi qu'elle lui présente Ellington, un ostéopathe, certes séduisant, mais qu'elle n'a nullement l'intention de fréquenter ! Et pour couronner le tout, son ex-mari tente désormais de la reconquérir... Submergée par ses émotions, Jenna doute : peut-elle croire à une seconde chance d'être heureuse ?

Best-Sellers n°549 • historique

La rebelle irlandaise - Susan Wiggs

Irlande, 1658.

Lorsque John Wesley s'éveille sous un soleil brûlant, sur le pont d'un bateau voguant au beau milieu de la mer, il peine à croire qu'il est vivant. Autour de son cou, il sent encore la brûlure de la corde... Il aurait dû être exécuté pour trahison, alors pourquoi l'a-t-on épargné ? C'est alors qu'une voix s'élève au-dessus du vacarme des flots : Cromwell, l'homme qui a ordonné son exécution avant de lui offrir un sursis inespéré... Aussitôt, John comprend que son salut ne lui a pas été accordé sans conditions : s'il veut rester en vie et récupérer sa fille de trois ans que Cromwell retient en otage, il doit se rendre en Irlande et infiltrer un clan de rebelles pour livrer leur chef aux Anglais. Une mission simple en apparence, à condition de ne pas tomber sous le charme de la maîtresse des rebelles, la ravissante Catlin MacBride...

Best-Sellers n°550 • historique

Les amants ennemis - Brenda Joyce

Cornouailles, 1793

Fervente opposante à la monarchie, Julianne suit avec passion la tempête révolutionnaire qui s'est abattue sur la France. Et de son Angleterre natale, où les privilèges font loi, elle désespère de voir la société évoluer un jour. Aussi se réjouit-elle quand, au beau milieu de la nuit, un Français blessé débarque au manoir familial de Greystone et lui demande son aide. Julianne ne tient-elle pas là l'occasion rêvée d'apporter sa modeste contribution au mouvement qu'elle soutient ? Et puis, elle rêve d'en apprendre davantage sur le fascinant étranger qui l'a envoûtée dès le premier regard. Mais Julianne est loin de se douter que l'arrivée du mystérieux Français à Greystone ne doit rien au hasard...vivre sous son toit pendant trente jours...

Composé et édité par les

éditions **HARLEQUIN**

Achevé d'imprimer en France (Malesherbes)
par Maury-Imprimeur
en janvier 2013

Dépôt légal en février 2013
N° d'imprimeur : 178425

Nuit enchantée

Un désir sans fin

JO LEIGH

Nuit enchantée

Passions extrêmes

éditions HARLEQUIN

Collection : PASSIONS

Titre original : CHOOSE ME

Traduction française de EMMANUELLE SANDER

HARLEQUIN®
est une marque déposée par le Groupe Harlequin

PASSIONS®
est une marque déposée par Harlequin S.A.

Photo de couverture
Couple : © ANNA POWLALOWSKA/FREE/OREDIA
Réalisation graphique couverture : M. GOUAZE

83-85, boulevard Vincent-Auriol, 75646 PARIS CEDEX 13.
Service Lectrices — Tél. : 01 45 82 47 47
www.harlequin.fr
ISBN 978-2-2802-8253-6 — ISSN 1950-2761

- 1 -

Facebook

« Modifier le profil » :

Bree Kingston

Assistante de rédaction chez BBDA, Manhattan

Etudes : Mode et communication à l'université de Case Western

Vit à Manhattan. Célibataire Originaire de l'Ohio

Née le 22 mars

Bree Kingston était arrivée à New York exactement cinq mois et douze jours plus tôt. Bien loin de son Ohio natal, Manhattan l'avait immédiatement conquise. Tant de frénésie, tant d'énergie électrisaient la ville ! Elle avait décroché son poste d'assistante de rédaction chez *BBDA* si rapidement qu'elle ne pouvait s'empêcher d'y voir un heureux signe. Certes, elle ne connaissait pas encore grand monde, et la vie était chère à New York. Mais, qu'à cela ne tienne, elle était là pour prendre sa vie en main.

Bree s'était inscrite dans un club culinaire réservé aux femmes, qui se réunissait régulièrement au sous-sol de l'église St. Mark. C'était la troisième fois qu'elle se rendait à l'une de ces réunions. En compagnie de seize autres femmes, elle participait à un programme consistant à échanger des plats cuisinés maison. Chacune mitonnait ses recettes préférées et les faisait partager aux autres. Bree avait été invitée par Lucy Prince, une jeune femme rieuse qui occupait le canapé-lit de la colocation depuis un an. A peine Bree avait-elle sympathisé avec Lucy que cette dernière avait fait sa valise pour Buffalo, où elle allait rejoindre son fiancé Le loyer du deux-pièces que Bree partageait avec trois autres filles n'en serait que plus cher. Sept cents dollars par mois, c'était exorbitant… Et rien ne marchait dans leur appartement. La gazinière, notamment, ne fonctionnait plus depuis la nuit des temps.

Bree avait donc été autorisée à venir cuisiner dans le sous-sol de l'église la veille des soirées rassemblant le club. Cette semaine, elle avait réalisé seize portions de lasagnes végétariennes et de chili, soigneusement conditionnées dans des barquettes spéciales pour micro-ondes, prêtes à l'emploi.

La première fois qu'elle avait entendu parler de ces échanges de plats, Bree avait eu du mal à cacher son étonnement, puis, très vite, en avait saisi l'utilité. Car elle aussi souffrait des deux principaux maux qui touchaient la plupart des habitantes de Manhattan : elle n'avait pas de petit ami et pas d'argent non plus.

Cette vie ne l'avait pas prise au dépourvu. Cela faisait vingt-cinq ans qu'elle préparait son voyage vers la Grande Pomme. Elle avait lu tous les articles, blogs et livres sur le sujet, elle avait économisé le maximum d'argent pendant ses années d'université, et elle possédait même un compte épargne bien garni en cas de coup dur.

Aujourd'hui, elle mesurait sa chance de pouvoir être membre de ce club. Parmi les seize participantes, quatorze étaient célibataires comme elle, et travaillaient dans le quartier d'East Village. Elles savaient où trouver les meilleurs Happy Hours de la ville, les pressings les moins chers, les opérateurs de téléphone mobile les plus efficaces, et tous les endroits à éviter absolument lors d'un rendez-vous. A condition d'en avoir un, bien sûr.

Mais, chose précieuse entre toutes, Bree venait de se faire ses premières véritables amies à New York.

La petite pièce du sous-sol de St. Mark bruissait de rires et de conversations passionnées depuis quelques minutes lorsqu'une femme se leva et réclama le silence.

— Mesdames, mesdames, votre attention s'il vous plaît ! lança Shannon Fitzgerald.

La jolie rousse portait une magnifique robe bustier cintrée à la taille. Une copie d'un grand couturier que Bree avait aussitôt remarquée. Shannon dut crier pour obtenir un semblant de silence. A présent, elles se tenaient toutes autour des tables, face aux plats délicieux qu'elles se partageraient bientôt. Elles formaient ainsi une chaîne élégante de jeunes femmes actives et débrouillardes. Sans s'être donné le mot, elles avaient toutes opté pour un vêtement noir, qui une robe, qui un jean moulant, en accord avec le froid de ce mois de décembre. Toutes sauf Bree, qui avait choisi une jupe écossaise jaune et noire avec une veste jaune assortie, qu'elle avait confectionnée elle-même en s'inspirant d'un modèle vu sur les podiums de mode. Cet ensemble aurait été parfait sur Shannon, songeait-elle en observant la jeune rousse.

— Chut ! cria de nouveau cette dernière.

En une seconde, la pièce fut plongée dans le silence.

— Merci, mes amies. J'ai quelque chose à vous annoncer, ou, plus exactement, j'aimerais vous exposer une idée.

Bree tendit l'oreille. Ce n'était pas une simple phrase, lancée de manière désinvolte. Pas de la façon dont elle avait été prononcée. Non. Tous les mots auraient pu s'écrire en lettres majuscules, comme dans les gros titres d'un journal. Shannon avait appuyé sur le dernier mot avec un sourire : une « idée ». Vu son ton, cette idée ne pouvait qu'être bonne… Voilà qui était excitant ! Et bien plus séduisant qu'une énième recette de cuisine.

— Pour celles qui sont nouvelles, déclara Shannon en faisant un signe à Bree, sachez que ma famille possède une imprimerie. Fitzgerald & Sons, à l'angle de la Xe Avenue et de la 50e Nord.

Bree hocha la tête. Elle connaissait l'entreprise. Une imprimerie immense.

— Nous fabriquons des cartes, reprit Shannon. Vous savez, ces cartes ludiques que l'on échange, souvent à l'effigie de joueurs de football. Aujourd'hui, tout le monde veut ce genre de cartes. Les artistes les utilisent comme cartes de visite, idem pour les agents immobiliers. Nous en avons fabriqué sur le thème de *Twilight*, *Harry Potter*, *Hunger Games* et nous venons d'en imprimer une quantité énorme sur le hip-hop.

Shannon s'arrêta pour balayer la pièce du regard. Puis elle sourit.

— En revanche, il y a un type d'échange auquel personne n'a pensé… Et pourtant…

Shannon marqua une pause avant de s'exclamer :

— Des cartes pour échanger des hommes !

Interloquée, Bree cligna des yeux et lança un regard en biais à Rebecca, son amie la plus proche, qui lui retourna le même air éberlué. Bree remerciait le ciel d'avoir sympathisé avec elle lors de sa première soirée au club, malgré leurs différences manifestes. Si elle-même avait grandi dans une petite ville de l'Ohio dans une grande famille issue de la classe moyenne, Rebecca, pour sa part, était avocate, fille unique d'une famille new-yorkaise huppée, à la tête d'une des plus grandes fondations de charité au monde. Et, pourtant, à peine s'étaient-elles rencontrées qu'elles avaient prévu de se revoir. Elles avaient échangé leurs numéros de téléphone et, à la fin de la soirée, elles étaient devenues amies sur Facebook et LinkedIn. Elles se parlaient parfois pendant des heures au téléphone.

— Voilà qui paraît alléchant ! s'enthousiasma l'une des participantes.

Bree sortit de sa rêverie et se concentra de nouveau sur l'incroyable *idée* que venait d'esquisser Shannon.

— Dis-nous-en un peu plus, lui demanda une autre.

La charmante rousse ne se fit pas prier.

— Il y a trois semaines, je suis allée à un rendez-vous organisé par mon cousin qui voulait me présenter à l'un de ses collègues de travail. Vous voyez ce que je veux dire… Le garçon était formidable, vraiment. Nous sommes allés chez Monterone, qui sert le meilleur risotto qui soit. C'était un homme qui présentait bien, il avait un travail sérieux, il était sorti avec une fille, mais il avait rompu plusieurs mois auparavant. Le rendez-vous avec cet homme que je ne connaissais pas s'est passé idéalement, ou, en tout cas, c'est le meilleur qui m'ait été donné depuis des années… Sauf qu'il n'y a pas eu de déclic, soupira-t-elle. Pas d'alchimie. En revanche, j'ai immédiatement su que Janice et lui s'entendraient à merveille.

Tous les regards se tournèrent vers Janice. Bree l'avait déjà rencontrée, mais c'était l'une des rares participantes qu'elle ne connaissait que de loin. Grande, les cheveux châtains, très maquillée, elle avait le contact facile et était plutôt jolie.

Janice offrit son plus beau sourire à l'assemblée.

— Nous sommes sortis déjà trois fois ensemble, et il est charmant. Je n'arrive toujours pas à y croire.

D'un air à la fois complice et secret, elle confessa à ses amies :

— Vendredi, il me présente à sa mère…

Un long cri admiratif résonna dans la pièce.

— Oui, je sais, répondit Janice en redressant fièrement la tête.

Elle rayonnait comme si elle venait d'être sélectionnée pour la grande finale d'un concours de mannequins.

— Nous connaissons toutes des hommes gentils, mignons, avec un emploi stable, commenta Shannon. Qui ne sont ni gays, ni mariés, ni dirigistes. Grâce à l'imprimerie de ma famille, voilà ce que nous pouvons obtenir…

Bree avait l'impression d'assister à un spectacle sur Broadway. Elle retint son souffle, attendant la révélation de Shannon dans toute sa gloire.

La jolie rousse leva les bras. Elle tenait dans chaque main une carte. Une magnifique carte en papier glacé. Digne des vainqueurs de la Coupe du monde de football.

— Sur une face, expliqua-t-elle, vous avez la photo de l'homme en question. De l'autre, des informations importantes. Les chiffres qui comptent.

— Comme quoi ? intervint Bree, surprise de s'entendre parler.

— Tout d'abord, les détails les plus importants,

répondit Shannon. Que recherche cet homme : une épouse, une cavalière pour sortir ou une aventure d'un soir.

Toutes les femmes hochèrent la tête d'un air entendu. Mieux valait savoir où l'on mettait les pieds, en effet. Combien de souffrances pouvaient être épargnées si l'on savait qui était qui. Chacune y trouverait son compte. Bree ne serait jamais intéressée par un homme souhaitant se marier. D'un homme pour sortir, pourquoi pas ? A voir. Mais une aventure d'un soir… Oh ! oui ! Et, avec un homme trié sur le volet, le tableau était parfait. Un avant-goût du paradis pour une femme moderne vivant à Manhattan.

— On mentionne également son restaurant préféré, continua Shannon.

Sa remarque fut de nouveau saluée par des cris approbateurs.

— Pour ma part, j'adore manger dans le pub en bas de ma rue, mais certains préfèrent les restaurants japonais, et ça, c'est toujours bon à savoir. Vous pouvez ensuite consulter la liste de ses hobbies ou passions.

Un grand silence suivit cette dernière rubrique, mais Shannon prit son temps pour leur donner toutes les explications utiles.

— Vous savez aussi bien que moi que les hommes aiment parler d'eux et de leur passion. En dehors du sexe, évidemment. Le foot, la bourse, l'iPad ou les films étrangers. Au moins, vous saurez à quoi vous en tenir. Et enfin, dit-elle en prenant une pause théâtrale, sur cette dernière ligne figure… son principal défaut ! Elément capital ! Par exemple, les ronflements ne me dérangent pas, moi, mais pour d'autres c'est rédhibitoire. L'alchimie entre deux personnes est quelque chose de mystérieux, c'est entendu. Pourtant, nous méritons toutes de connaître l'absolue vérité sur l'homme qui nous intéresse, non ? Et vous ne trouverez pas tout sur Google, n'est-ce pas ?

De nouveau, le silence enveloppa la pièce. Ce n'est pas que l'assemblée était perplexe, au contraire. La beauté de *l'idée* de Shannon se déversait sur elle, prenait forme et s'épanouissait doucement comme une rose en plein hiver. Dans un même élan, les jeunes femmes du club applaudirent à tout rompre.

Les cartes des hommes les plus sexy de New York venaient de naître.

Après un rapide coup d'œil vers le chasse-neige qui manœuvrait dans la 72e Rue, Charlie Winslow fit rouler son fauteuil vers l'ordinateur numéro trois de son bureau, un Mac. Au total, dix machines équipées chacune de leur système d'exploitation affichaient des vues différentes de son groupe de communication, *Naked New York*. Charlie possédait des équipements similaires dans un appartement du Queens, un bungalow à Los Angeles, un loft à Londres et un bureau à Sydney. Son immense demeure de Delaware hébergeait quant à elle toute une armada de serveurs.

Naked New York était un animal avide et réclamait une attention constante. Ce qui avait commencé par un simple blog sur Manhattan en 2005 s'était scindé en dix blogs distincts avec plus de deux cents millions de visiteurs par an, et, plus important encore, presque trente millions par an de recettes publicitaires. *NNY* était un conglomérat qui ne produisait pas d'objets manufacturés mais des idées, des avis, des conseils, des photographies et des commérages. Il fallait s'adapter chaque jour, se tenir au courant des moindres nouveautés, sous peine d'être aussitôt dépassé.

L'ensemble des bénéfices provenait de la publicité, et, même si Charlie s'appuyait sur une petite équipe d'employés à plein-temps et sur un large éventail de contributeurs, il considérait chaque blog comme son bébé, qu'il se rapporte aux stars, à la finance, au sport, à la technologie, aux jeux ou même aux femmes. Charlie avait recours à des pigistes de confiance pour rédiger le contenu, même si c'était son nom qui s'affichait en haut de chaque page.

Cette signature avait fait de lui une célébrité, du moins dans les grandes villes. Il aimait cet aspect de son métier même si ce n'était pas le but recherché à l'époque où il avait rédigé son premier business plan. Mais il fallait le reconnaître, il y avait pire dans la vie que d'être invité à tous les événements importants, entouré de superbes femmes. Charlie ne jouait peut-être pas dans la même cour que George Clooney, n'empêche que, en l'espace de six ans, sa détermination à rester célibataire, qui faisait autrefois l'objet de maintes plaisanteries, était devenue une légende.

Lorsque son téléphone portable sonna, il décrocha grâce à l'oreillette Bluetooth qu'il vissait contre son oreille dès sa sortie de douche.

— Naomi. Comment vas-tu, ma beauté ?

— Génial, comme d'habitude, répondit son assistante avec son accent nasillard de Brooklyn et son ton aussi sec qu'un champagne brut.

— Des changements ? demanda Charlie en souriant.

— Non. N'oublie pas que le tailleur vient à 11 heures. Ne le fais pas attendre, comme la dernière fois. Même si tu es à mes yeux aussi précieux qu'un diamant, la liste de ses clients te ferait trembler.

— Tu cultives toujours à merveille mon ego, ma belle, répliqua Charlie en lorgnant vers le téléphone de son bureau qui sonnait.

Il reconnut le numéro de sa cousine Rebecca. Bizarre, songea-t-il, elle essayait rarement de le joindre en semaine.

— Je dois te laisser, annonça-t-il à son assistante.

Naomi raccrocha aussitôt, mais Charlie manqua l'appel de sa cousine. Que pouvait bien avoir à lui dire Rebecca ? Ce n'était pas sa coutume de l'appeler ainsi au travail, encore moins dès le matin. Charlie s'empara de son portable et composa un SMS.

> Qu'est-ce qu'il y a ? Pas de mauvaises nouvelles j'espère ? CW.

Quelques secondes plus tard, son téléphone bipa avant d'afficher la réponse.

> Tout va bien. J'ai juste un petit cadeau pour toi.

Charlie poussa un soupir de soulagement, fit de nouveau rouler son siège et vérifia les chiffres de l'un de ses derniers clients. Ses publicités tournaient sur cinq blogs et les chiffres étaient bons sur quatre d'entre eux.

> Quel genre de cadeau ? CW.

> Un rendez-vous.

La réponse de sa cousine provoqua en lui un petit gloussement. Il fit voler ses pouces sur le clavier en riant.

> Tu plaisantes. CW.

Rebecca était sa cousine préférée, ce qui voulait tout dire tant était grande sa famille. Ses parents avaient chacun cinq frères et sœurs, qui avaient eux-mêmes donné le jour à une ribambelle d'enfants. Charlie avait pour sa part trois frères et sœurs, mais un seul à ce jour s'était risqué à procréer.

Au lieu du bip annonciateur de l'arrivée d'un message, son téléphone sonna. Charlie décrocha.

— Sérieusement, déclara aussitôt Rebecca. Je pense que tu vas l'adorer. Elle est… différente. Elle sort de l'ordinaire. Complètement. Toi qui me dis que je m'habille toujours en noir, tu verras : elle, elle porte toujours des vêtements de couleur ! Je t'assure… Elle est intelligente, drôle et fascinée par les gens célèbres. Elle va se pâmer devant toi. Tu vas adorer : tes chevilles enfleront tellement que tu ne pourras plus te chausser.

— Ah, Rebecca ! Je ne savais pas que tu te souciais autant pour moi. Cette fille me semble parfaite.

— Je parie que tu n'as encore rien prévu pour la Saint-Valentin.

Charlie soupira longuement.

— Ne sois pas ridicule. Je ne fais jamais de projets à si long terme.

— Eh bien, pas ce coup-ci.

Charlie se détourna de l'écran de son ordinateur. La voix de sa cousine était taquine, comme toujours, mais teintée cette fois d'une pointe de défi. Et Charlie n'avait jamais reculé devant les défis. Aucun doute, Rebecca était maligne. Très maligne.

— Parfait, lança-t-il.

— On reste en contact.

— Comment s'appelle-t-elle ?

— C'est important ?

Il inspira profondément en survolant des doigts son clavier.

— Non.

Charlie raccrocha. Deux minutes plus tard, il était absorbé par une longue conversation téléphonique. La Saint-Valentin et toutes les intrigues de Rebecca lui étaient définitivement sorties de l'esprit.

Bree avait préparé un curry de poulet aux petits pois. Mais, comme tout le monde dans la petite salle de St. Mark, elle n'était pas venue pour la nourriture.

Aujourd'hui, c'était le Grand Jour des Cartes.

Au cours de leurs dernières soirées d'échanges au club, ce sujet était au centre de toutes les discussions. L'ensemble des participantes, à une exception près, avaient proposé au moins deux hommes à inscrire sur la liste des fameuses cartes. Elles avaient fourni des photographies ainsi qu'un brouillon du texte à écrire. Les premiers rendez-vous devraient se tenir dans un endroit très fréquenté et recommandé par les différentes femmes du club, afin d'éviter toute mauvaise surprise. Shannon avait ensuite réalisé les maquettes des cartes et les avait modifiées deux fois jusqu'à ce que leur conception lui convienne. L'impression n'avait pas pris beaucoup de temps, et tout était allé très vite depuis ce jour de décembre où l'idée avait été approuvée. Un mois et demi plus tard, le projet avait pris forme. Et il existait une possibilité, aussi infime fût-elle, que Bree trouve une carte où figurerait l'homme de ses rêves, désireux de passer simplement une nuit éblouissante avec elle.

Mais, dans le fond, elle ne méritait pas vraiment de

trouver l'âme sœur, songeait-elle. Elle était la seule autour de la table à n'avoir proposé aucun homme. Rien. *Nada*. Elle connaissait bien quelques garçons célibataires qui travaillaient dans la même agence de communication qu'elle, mais elle n'était sortie avec aucun. Non que personne ne se soit jamais proposé. Mais elle envisageait de gravir les échelons de la société aussi vite que possible, et ne voulait se lier avec personne. Pas avant d'avoir passé au moins un an à ce poste. Elle avait beau venir de l'Ohio, elle n'était pas tombée de la dernière pluie.

Car Bree avait des projets. Et, plus particulièrement, un plan dont l'objectif final était de devenir consultante de mode, auteure et présentatrice de télévision connue. Ce plan était le phare qui la guidait dans la folie de Manhattan. Et sa pierre angulaire était de ne se lier à aucun homme, sous aucun prétexte. Bien sûr, elle n'était pas de bois. Elle avait accepté plusieurs rendez-vous depuis son arrivée à New York, mais rares étaient ceux qui s'étaient soldés par une nuit d'amour. D'autant que personne jusque-là n'avait su la faire vibrer… Alors, oui, l'idée d'un homme sélectionné sur des critères de rêve, un homme qui ne chercherait qu'une aventure d'un soir, avait souvent trotté dans sa tête depuis le mois de décembre.

Il était effrayant d'avoir si peu d'amis dans une ville comme New York. Mais excitant, aussi. Les hommes qu'elle avait rencontrés étaient différents de ceux qu'elle avait connus chez elle. Ici, les règles lui paraissaient plus… souples. Et les enjeux plus importants.

Heureusement, grâce à ce club culinaire, Bree s'était fait des amies et avait pu participer à cet échange de cartes, même si, de son côté, elle n'avait personne à proposer.

L'entrée de Shannon dans la pièce fut saluée par un brouhaha général. Les petites barquettes cuisinées furent abandonnées sans même un regard tandis que toutes les femmes convergeaient autour d'une table vide. Shannon, qui aimait donner aux événements une tournure théâtrale, leva une boîte en carton au-dessus de sa tête avant de la renverser sur la table en une cascade de possibles rencontres, toutes imprimées sur un petit rectangle en papier glacé. Des cartes aux proportions idéales, qu'elles pourraient glisser dans leur portefeuille en s'y reportant à loisir, telle une balise vers tous leurs rêves.

Les yeux écarquillés et le cœur battant, Bree parcourut du regard l'amas de cartes à la recherche d'un homme gentil, mais pas trop. D'un homme agréable.

Rebecca vint alors se placer près d'elle et lui donna un petit coup de coude dans les côtes. Bree lui lança un regard contrarié puis reporta rapidement son attention vers le tas. Soudain, son cœur s'arrêta de battre. L'une d'elles avait glissé de la pile dans sa direction. Et l'image qui s'étalait sous ses yeux lui coupa le souffle.

Non, ça ne pouvait pas être vrai. Ce n'était pas possible. La voix de ses amies s'estompa derrière un bourdonnement sourd tandis qu'elle avançait une main tremblante vers le petit rectangle en carton.

Charlie Winslow. *Le* Charlie Winslow. C'était sans doute une blague. Cet homme avait déjà toutes les femmes à ses pieds. Pourquoi le proposer dans le sous-sol de cette église ?

— Je pensais que tu le reconnaîtrais, murmura son amie.

Bree détacha à regret son regard de la carte pour contempler de nouveau Rebecca. Son sourire était aussi large que si elle s'apprêtait à gravir les marches au festival de Cannes, mais Bree ne put s'empêcher de fixer encore et encore la carte, comme pour s'assurer qu'elle n'avait pas disparue. Pas de doute, c'était bel et bien Charlie Winslow.

— Comment est-ce possible ? bafouilla-t-elle.

— C'est mon cousin, répondit platement Rebecca.

— Ton cousin ! répéta Bree complètement hébétée.

— Oui, et Dieu sait qu'il est célibataire.

— Il peut avoir toutes les femmes qu'il veut.

— Oui, mais quand on mange du homard et que l'on boit du champagne tous les soirs, ça peut devenir ennuyeux, tu ne crois pas ?

— Pas le moins du monde. Même si, maintenant, je comprends mieux pourquoi tu fais partie de ce club. Nous sommes le thon que tu mélanges à ton caviar quotidien, n'est-ce pas ?

Rebecca roula les yeux, mais ne releva pas la pique.

— Fais-moi confiance. Il s'ennuie. Et il a besoin d'une cavalière pour la Saint-Valentin.

Déstabilisée, Bree recula d'un pas.

— Moi ? Je…

Les mots moururent sur ses lèvres tandis qu'elle contemplait la femme qu'elle croyait connaître. Elles étaient sorties ensemble plusieurs fois pour boire un verre, et elles avaient découvert qu'elles s'entendaient très bien. Elles avaient beaucoup ri. Rebecca avait deux ans de plus qu'elle, elle était vive, intelligente, riche comme Crésus, mais elle gardait les pieds sur terre. Et elle était très douce. Et, pourtant, elle ne croulait pas sous les invitations d'hommes célibataires et séduisants, ce qui restait aux yeux de Bree l'un des grands mystères de New York. C'était cependant bien la vérité.

— Qu'en penses-tu, Bree ? Je ne sais pas où il va t'emmener, mais je suis certaine que la soirée sera des plus glamour.

— Je suis originaire de l'Ohio, répondit Bree d'un air bougon. Je me fais tous mes vêtements. Pour moi, prendre le métro est *glamour.* Dès qu'il m'aura vue, il éclatera de rire.

Rebecca posa une main sur l'épaule de Bree.

— Ne joue pas à ce jeu-là, s'il te plaît, cela ne te ressemble pas. Si je te le propose, c'est que tu peux faire l'affaire. Je connais Charlie depuis toujours. Il est drôle, intelligent. Vous allez bien vous entendre. Et, par-dessus tout, aucun de vous ne veut d'une relation à long terme. Dans ces conditions, tu n'as rien à perdre.

— Mais il est en quelque sorte le roi de Manhattan. De quoi vais-je bien pouvoir lui parler ?

— Dis-lui qu'il est le roi de Manhattan et il t'aimera jusqu'à la fin de ses jours.

— C'est beaucoup trop long. En revanche, si des gens me voient avec lui, ne serait-ce qu'une fois, ils se souviendront peut-être de moi.

— On prendra des photos de vous deux, répliqua Rebecca en reportant son attention vers le tas de cartes. On prend toujours des photos de Charlie.

— Et toi ? demanda Bree. Tu vois quelque chose qui t'intéresse, ici ?

Rebecca s'empara d'une carte. Le gars avait l'air mignon, mais, lorsqu'elle lut le descriptif, son enthousiasme retomba aussitôt.

— Il est intéressé par une aventure d'un soir, déclara-t-elle en reposant la carte.

— Mais ce n'est peut-être pas le cas, renchérit Bree. C'est peut-être ce qu'il *pense* vouloir.

Bree tenait la carte de Charlie serrée entre ses doigts. Si jamais une autre femme la voulait, il faudrait lui passer sur le corps pour qu'elle la lâche.

— J'ai là un musicien, ajouta-t-elle. Il est violoniste dans l'orchestre philharmonique de New York. Impressionnant. Et il ne t'a pas encore rencontrée.

Rebecca sourit en rejetant ses longs cheveux fauves en arrière.

— Serais-tu prête à changer d'avis et à vouloir soudain te marier et avoir des enfants après un seul rendez-vous avec Charlie ? demanda Rebecca.

— Non, répondit Bree en riant. Mais cela ne veut pas dire que cette éventualité ne puisse pas s'appliquer à d'autres personnes.

— Ne t'inquiète pas pour moi, Kingston. Je trouverai quelqu'un. Mais occupons-nous d'abord de vous deux, pour la Saint-Valentin. Je vais tout organiser. Je te tiendrai au courant dès que possible.

— Oh ! mon Dieu ! s'écria Bree en regardant honteusement sa tenue, réalisée sur sa Singer dans un coin de sa chambre.

Elle portait une jupe kaki avec un chemisier de soie imprimée qu'elle avait déniché dans un dépôt-vente. Pour seuls accessoires, elle avait choisi des collants noirs opaques, des chaussures noires à talons et avait accroché un ruban dans ses cheveux sombres coupés très court. Le seul élément de valeur était ses chaussures, un modèle d'occasion. Que ferait-elle si Charlie décidait de l'emmener dans un club huppé ? Tout le monde verrait aussitôt qu'elle n'était personne et qu'elle n'avait rien de convenable à se mettre.

— Grâce à tes petits doigts, tu as plus de style que toutes ces femmes réunies. Allons, Bree. C'est pour ça que tu es venue à New York. C'est le moment de saisir ta chance. Tu peux le faire, j'en suis sûre.

A ces mots, Bree reprit confiance.

— Très bien. Le pire qui puisse m'arriver, c'est de me ridiculiser. Et cela m'est déjà arrivé plein de fois. Appelle Charlie et dis-lui qu'il va bientôt rencontrer une femme bien différente de celles qu'il a l'habitude de côtoyer, s'exclama-t-elle d'une seule traite.

Rebecca éclata de rire avant de lui tapoter l'épaule.

— Tu peux respirer, Bree, dit-elle sur un ton rassurant. Je suis sûre que tu t'en sortiras merveilleusement.

- 2 -

Facebook

« Modifier profil » :

Charlie Winslow

Rédacteur en chef/PDG du groupe de communication Naked New York

Etudes : Commerce/Marketing, Université de Harvard

Vit à Manhattan. Célibataire Originaire de Manhattan.

Bree leva les yeux vers la tour de quarante-deux étages située au 15 Central Park West, qui figurait parmi les plus récents immeubles de luxe donnant sur le parc. A quelques pas du prestigieux Dakota Building, du Majestic et du San Remo. En faisant abstraction du froid mordant, Bree avait l'impression d'être au cœur d'un rêve très réaliste. Elle avait dépensé une fortune pour sa tenue et s'était payé le luxe de prendre un taxi. En chemin, elle avait mis à profit chaque seconde pour ne pas céder à une crise de panique. Mais, manifestement, ses efforts n'avaient pas vraiment porté leurs fruits… Son rendez-vous avec Charlie Winslow était sur le point de commencer et ses jambes refusaient obstinément de lui obéir.

Elle n'arrivait toujours pas à y croire. Si elle ne

connaissait pas mieux Rebecca, elle aurait même fini par penser que ce rendez-vous n'était qu'une plaisanterie très sophistiquée. Car pourquoi diable Charlie Winslow voudrait-il sortir avec elle ? Evidemment, Bree avait interrogé son amie un million de fois. Comment était Charlie ? Qu'aimait-il ? Pourraient-ils vraiment s'entendre ? Elle avait obtenu de Rebecca des réponses très variées mais qui, en résumé, convergeaient toutes vers cette idée : ils passeraient une belle soirée ensemble.

Une belle soirée…

Bree était incapable de bouger, et le vent glacial la faisait trembler. Son châle rétro, chiné dans le quartier de Park Slope, agrémentait parfaitement sa tenue, mais il ne la protégeait en rien du froid. Sa grosse doudoune aurait mieux fait l'affaire, pétrifiée comme elle l'était à l'angle de Central Park West et de la 72e Rue.

Dire que la soirée la plus incroyable de sa vie allait bientôt commencer ! L'album photo de ses rêves qu'elle réalisait depuis huit ans, et dans lequel figuraient les plus belles vues de New York, contenait des images de ce coin de rue. Et, si Charlie Winslow n'y était pas, c'était que son optimisme ne l'avait jamais menée si loin.

Non, elle ne devait pas utiliser son nom complet, *Charlie Winslow*, comme s'il s'agissait d'un acteur de cinéma ou d'un personnage historique. Elle s'était entraînée. Debout devant le miroir de la salle de bains, elle avait répété son prénom une bonne centaine de fois, parfois en riant, parfois avec une moue timide, d'un air réservé, sophistiqué, sage ou indigné. Elle savait très bien dire « Charlie », mais elle avait du mal à ne pas l'accoler à son nom de famille. Elle avait lu tellement d'articles rédigés de sa plume ou parlant de lui, et aucun ne mentionnait « Charlie » ni le gratifiait d'un « monsieur Winslow ».

Bree se força à avancer. Si elle attendait plus longtemps, elle risquait d'être en retard, et il partirait sans elle. L'idée lui parut presque tentante. Elle n'aurait pas ainsi à faire *vraiment* sa connaissance. Mais ce n'était pas le but recherché et, bon sang, elle était courageuse. Oui, elle l'était. Elle avait fait ses valises, quitté son Ohio natal, pris l'avion toute seule, elle était partie à New York sans connaître personne, s'était retrouvée livrée à elle-même dans Manhattan. Est-ce que ce n'était pas du courage, cela ?

Et, ce soir, elle allait en avoir besoin. Oui, elle surmonterait cette épreuve car, à l'instar de son installation à New York, Charlie Winslow s'inscrivait parfaitement dans le plan quinquennal qu'elle avait élaboré :

1. Emménager à New York.
2. Trouver un emploi dans la communication et la mode.
3. Continuer à se former dans l'univers de la mode.
4. Se frayer un chemin dans cet univers fermé.
5. Assister régulièrement à tous les événements liés à la mode.
6. ? ? ? ?
7. Etre publiée.
8. Connaître le succès ! ! ! ! ! !

Elle n'avait qu'à voir comment elle avait avancé ! Elle était sur le point de passer directement à l'étape numéro quatre alors qu'elle n'était à Manhattan que depuis six mois ! Rencontrer Charlie Winslow était une aubaine. La partie la plus facile, en fait.

Non, elle avait tort. Tandis qu'elle se dirigeait vers

le portier, en haut-de-forme et livrée s'il vous plaît, la vérité lui sauta brutalement aux yeux. Rencontrer Charlie Winslow revenait à rencontrer le président des Etats-Unis, ou Johnny Depp, ou Dolce & Gabbana.

Il ne fallait pas qu'elle cède à la panique. Le grand homme aux mains gantées lui ouvrit la porte et lui sourit en s'inclinant légèrement devant elle. Bree pénétra dans un hall magnifique où régnait une chaleur agréable. Certes, le bâtiment n'était pas le Dakota Building, mais il était tout aussi luxueux. La réception où elle déclina son identité avait la taille de son appartement. Tout le monde avait le sourire. Le premier gardien, le second gardien, et même la femme près de l'ascenseur en tailleur blanc, avec un diamant au doigt si gros qu'elle devait avoir du mal à lever la main.

Mais aucun Charlie Winslow en vue.

Bree souffla doucement.

— Qui dois-je annoncer ? demanda le gardien assis derrière le magnifique comptoir en chêne bruni.

— Bree Kingston pour Charlie Winslow, déclara-t-elle après s'être raclé la gorge.

L'homme en uniforme la dévisageait avec insistance. Cela signifiait certainement quelque chose. Mais quoi ? Elle jeta un regard inquiet vers sa robe, constata que tout était en ordre. Sauf qu'elle se sentait nerveuse. Extrêmement nerveuse.

Le gardien soulevait le combiné quand sa main s'arrêta à mi-chemin. Puis il hocha la tête en regardant par-dessus l'épaule de Bree.

Elle sentit une boule se nouer dans son ventre. Très lentement, elle pivota en retenant son souffle, priant pour ne pas avoir l'air d'une idiote. Car il était là, dans le hall, fidèle aux photos qu'elle avait de lui. Mieux encore, même.

Il était grand, même si pour elle, en raison de sa petite taille, tout le monde l'était. Les cheveux foncés savamment ébouriffés, comme dans les magazines, coupés avec une telle précision qu'il devait se réveiller le matin déjà coiffé. Il portait un costume noir parfaitement taillé avec une chemise blanche cintrée, sans cravate. Yves Saint Laurent ? Paul Smith ? Ou peut-être ses chers Dolce & Gabbana qu'elle admirait tant ?

Ses vêtements étaient certes splendides, mais Bree fut surtout captivée par son visage. Il était beaucoup, beaucoup plus beau que sur les photos. Avec de grands yeux bruns, très grands. Et une bouche généreuse et sensuelle. Bree concentra son attention surtout sur ses yeux et la façon dont il la regardait, comme s'il venait de découvrir quelque chose de merveilleux et d'intéressant… Et c'était elle qu'il regardait ! Avec un immense sourire, rien que pour elle.

Charlie avançait vers elle, lentement. Il semblait prendre son temps, comme pour la détailler des pieds à la tête. Mon Dieu, et dire qu'elle portait une robe de sa propre confection, si simple, alors qu'elle se trouvait face au roi des tendances new-yorkaises… Tandis qu'il s'approchait d'elle, Bree crut voir son regard s'attarder plus longuement sur sa poitrine.

Elle se sentit frémir. Ce n'était pas la première fois qu'un homme la scrutait de cette façon. Sauf qu'aujourd'hui, c'était différent. Comme si elle passait une audition. Elle sentait son cœur tambouriner dans sa poitrine et une chaleur envahir lentement ses joues puis l'ensemble de son visage. Charlie planta de nouveau son regard dans le sien et elle rougit de plaisir en y lisant une expression inattendue, une expression qu'elle n'aurait jamais espérée… Une expression de bonheur, oui, de bonheur… Il faisait peut-être semblant, certes, et même très probablement. Mais quelle importance ! Leur rencontre ne devait durer que le temps d'une soirée après tout et, déjà, la réalité dépassait mille fois ce qu'elle avait pu imaginer. C'était tout bonnement fantastique.

— Bree, dit Charlie d'une voix grave et vibrante, pleine de promesses.

— Bonjour… Charlie.

D'un geste assuré, il s'empara de sa main gauche et la resserra entre ses doigts. De sa main libre, Bree triturait désespérément l'ourlet de son châle.

— Rebecca m'avait dit que tu étais jolie, mais c'est la première fois que j'entends un pareil euphémisme.

Bree rougit violemment même si elle savait que ce n'était que de belles paroles. Mais, s'il voulait continuer dans cette veine le reste de la soirée, elle n'y voyait aucun inconvénient.

— Très aimable, répondit-elle.

— Pas vraiment, rétorqua-t-il.

Sans lâcher sa main, Charlie regarda par-dessus son épaule.

— Pouvez-vous appeler la voiture, George ? demanda-t-il.

— Elle est déjà prête, monsieur Winslow.

— Merci, répondit-il en se tournant de nouveau vers elle. Rebecca t'a dit où nous allions ?

— Non, mais elle a affirmé que cela me plairait.

— Je l'espère.

Charlie la conduisit à l'extérieur et ne lâcha sa main que lorsqu'ils arrivèrent à la porte. Il maintint le battant ouvert et passa un bras autour de ses épaules. Sans même s'en apercevoir, Bree était assise à l'arrière d'une limousine noire conduite par un authentique chauffeur, avec casquette et uniforme. Charlie se glissa ensuite près d'elle.

Tout paraissait si merveilleux ! Ne nageait-elle pas en plein rêve ? Etait-ce vraiment sa vie ? Dans son lycée, ils avaient été plus de deux cents à passer le baccalauréat avec elle. Sept ans plus tard, tous ses amis étaient mariés, et la plupart avaient déjà un enfant. Elle, de son côté, partait dans la nuit pour une destination mystérieuse, avec l'un des hommes les plus célèbres de New York, le jour de la Saint-Valentin !

Charlie ne mettait jamais de champagne au frais dans sa limousine. Cela ne lui était arrivé que deux fois. La première, le jour où son invitée avait été une reine. Une vraie reine, avec du sang bleu dans les veines. La deuxième, lorsqu'une amie avait touché le fond à la suite d'une rupture douloureuse. Elle avait sangloté sur son épaule, complètement ivre, et Charlie avait roulé sans but dans la ville avec elle, pour passer le temps et lui donner le courage d'affronter une aube nouvelle.

Mais, pour cette soirée, Charlie avait commandé du Dom Pérignon Œnothèque Rosé. Il savait que tout remonterait aux oreilles de Rebecca dans les moindres détails. Et il voulait impressionner sa chère cousine qui le tenait encore pour l'adolescent terrible qu'il était à ses treize ans.

Sauf que, maintenant qu'il avait fait la connaissance de Bree, il n'était plus certain que Rebecca mérite qu'il ouvre une bouteille aussi coûteuse. Bree était jolie, c'était vrai. Elle était mince et son visage était doux. Elle avait une coupe de cheveux digne d'un lutin et un joli petit corps. Il devinait en elle quelque chose de… différent qui lui avait échappé au premier regard. Quclque chose dans son attitude, dans sa tenue… Oui, Bree n'était pas comme les autres, Rebecca ne lui avait pas menti. Mais de là à sortir avec elle ! Comment cette idée avait-elle pu traverser l'esprit de Rebecca ! Sa cousine était pourtant une femme intelligente et elle le connaissait très bien. Elle savait que les femmes avec lesquelles il sortait avaient des jambes interminables, ne portaient que les plus grandes marques de vêtements, faisaient la couverture de *Vogue*, et pas celle de *Modes et travaux*.

Alors que Bree…

Bree, sans être juvénile, faisait toute petite… elle était minuscule. Tout chez elle était miniature. Il y avait quelque chose de vraiment attirant dans ses yeux en amande, son visage en forme de cœur, sa peau pâle et sa lèvre supérieure légèrement avancée. Mais, là où ils allaient, Bree risquait de se sentir comme un poisson hors de l'eau.

Charlie avait presque peur de lui adresser la parole. Il ne savait pas quoi lui dire. D'autant qu'il se sentait idiot : il avait aimé le regard écarquillé de Bree lorsqu'elle l'avait vu pour la première fois, la façon aussi dont elle avait tremblé à son approche…

Mais non, il s'imaginait des choses, ce n'était sans doute que le froid. Cette bouffée d'émotion ne pouvait pas durer, après tout. Un peu de champagne les aiderait tous les deux.

Bree détourna son regard de la fenêtre lorsqu'il fit sauter le bouchon.

— Je ne savais pas que ça pouvait vraiment exister, dit-elle. Du champagne dans une limousine !

— C’est décadent et stupide mais bon, c’est le jour de la Saint-Valentin. En plus, nous ne conduisons pas. Pourquoi nous priver ?

— En effet, mais je dois te prévenir, je ne tiens pas bien l’alcool.

— Nous devrons faire attention à ce que tu bois ce soir, alors. Mais nous pouvons boire un verre pour inaugurer le début de cette soirée, non ?

Bree contempla la flûte en cristal qu’il tenait dans la main.

— Oui, merci, avec plaisir.

— Tu trouveras toujours du soda ou des jus de fruits où que nous allions, même si l’alcool coule à flots.

Charlie remplit avec précaution son verre en faisant attention aux coups de frein de la voiture.

— Si tu me dis quelle est ta boisson préférée, je m’assurerai de t’en trouver.

— Du jus d’ananas, s’exclama-t-elle en prenant la flûte entre ses doigts fins et délicats.

Ses ongles coupés court brillaient d’un éclat pâle, comme deux petits galets polis.

— Dans ce cas, ce sera du jus d’ananas, déclara-t-il en se servant à son tour.

Puis il s’adossa contre la banquette et leva sa flûte vers la sienne.

— Aux rendez-vous surprises.

Le sourire de Bree illumina agréablement son visage. Il était clair qu’elle n’avait pas appris la retenue, qu’elle ne savait pas afficher ce mélange de cynisme et de sophistication qui caractérisait le milieu branché de

New York. Cela faisait longtemps que Charlie n'avait pas vu un sourire aussi franc. Pas d'aussi près.

— Aux choses extraordinaires, répondit-elle en trinquant doucement avec lui.

Le champagne était excellent, à la bonne température et juste assez sec.

— Parle-moi de toi, Bree, dit-il en se calant dans l'angle de son siège.

Surtout, ne pas se tenir trop près d'elle. Surtout ne pas l'embarrasser. Ils avaient une longue soirée devant eux, et il voulait vraiment qu'elle passe un bon moment. Rien d'extravagant, naturellement. L'expérience lui avait appris qu'il valait mieux afficher une certaine sobriété avec les inconnus, quels qu'ils soient. Depuis le succès de *Naked New York*, il avait dû réapprendre à naviguer en public.

Sa célébrité aurait pu être difficile à porter, mais cela n'avait jamais été le cas, pas même au moment où son entreprise avait atteint le sommet. Charlie avait œuvré pour se faire un nom et être reconnu par le milieu de la mode. Néanmoins, il n'était pas à proprement parler une star : il n'était pas de ceux que l'on reconnaît facilement dans la rue.

En revanche, on le considérait comme un phénomène nouveau. A Manhattan, il était plus connu que le maire en personne.

Financièrement, c'était ce qui pouvait lui arriver de mieux. Mais sur le plan personnel… l'expérience avait été… à la fois intéressante et rude. On ne créait pas un tel empire impunément.

Bree baissa ses beaux yeux émeraude sur sa flûte, absorbée dans la contemplation des bulles.

— Je suis rédactrice, répondit-elle. Chez *BBDA*. Une

rédactrice débutante, ce qui veut dire que je m'occupe de tout et de rien, que je prends beaucoup de notes, que je tape beaucoup de mémos. Mais le travail me plaît. Les personnes avec lesquelles je travaille sont réactives et créatives, et elles ne sont pas assoiffées de sang. Du moins, pas plus que la moyenne.

— *BBDA* est une grande entreprise. Beaucoup de ses clients font de la publicité sur mes blogs.

Bree hocha la tête et poursuivit.

— Dix-sept d'entre eux, pour être exact. *Naked New York* est vraiment un espace de choix pour cibler les 18/34 ans, précisa-t-elle.

Elle se mordit la lèvre. Zut ! Elle avait parlé un peu trop vite. Elle se tut quelques secondes avant de reprendre plus calmement.

— Peu importe. Revenons à moi… J'ai décroché mon master à l'université de Case Western l'année dernière. J'ai toujours voulu venir habiter à New York, et c'est ce que j'ai fait, une fois mon diplôme en poche.

— Cette ville est-elle comme tu l'avais imaginée ?

— Encore mieux. Mais je l'aimais déjà avant cette soirée.

Charlie rit doucement.

— Allons, continua-t-elle, tu sais bien que cette soirée dépasse pour moi l'imaginable. Tu es *Charlie Winslow* et nous nous rendons dans un lieu mystérieux. Et, même si je ne sais pas exactement ce que nous allons faire, je suis certaine de vivre la soirée la plus excitante de ma vie.

Charlie ne put s'empêcher de faire la grimace.

— La plus excitante ? s'étonna-t-il. Tu places la barre un peu haut.

Bree fronça légèrement les sourcils puis le dévisagea à travers ses longs cils.

— Vraiment ? Tout ceci, dit-elle en désignant l'intérieur luxueux de la voiture, est démentiel. Il s'agit peut-être de ton quotidien, mais certainement pas du mien.

Bree trempa ses lèvres dans sa flûte puis ajouta :

— Rebecca ne m'a rien dit. Chaque fois que je lui ai demandé pourquoi tu avais accepté de sortir avec moi ce soir, elle s'est contentée de sourire d'un air énigmatique et, chaque fois, j'ai eu envie de la houspiller.

Charlie lui retourna son sourire.

— C'est une envie que je connais bien ! Tu sais, j'ai souvent dû me contrôler pour ne pas mettre ce plan à exécution…

— Tu comprends alors ma frustration. Et pourquoi j'ai envie de te poser directement la question. Pourquoi faire tout cela ? Pourquoi avec moi ? Je ne peux pas m'empêcher de croire que tout cela n'est qu'une vilaine plaisanterie de la part de Rebecca. Que, quel que soit l'endroit où nous allons, les projecteurs seront braqués sur moi juste au moment où je vais renverser mon verre sur ma robe, ou m'étaler par terre en public. Reconnais que ce serait une expérience horrible.

Charlie ne put réprimer un éclat de rire. D'accord. Cette fille l'amusait. Point très positif dans la colonne des « Plus ». Et, maintenant qu'elle avait avoué ses craintes, elle semblait se détendre. En l'étudiant plus attentivement, il aimait la façon dont sa robe sans manches révélait la femme plus que l'habit. Il aimait le fait qu'elle ne porte pas de bijoux. Ce choix était audacieux, mais il attirait son attention vers son cou long et fin, qui était séduisant au-delà de l'ordinaire.

Sa peau, son menton, la finesse et l'élégance de sa clavicule, avaient quelque chose de spécial. Et jamais il ne s'était attendu à nourrir de telles pensées vis-à-vis d'une femme comme elle.

— Rebecca n'est pas du genre à faire ce type de plaisanterie, dit Bree d'une voix plus douce, comme si elle se parlait à elle-même.

Elle prit une inspiration et poursuivit :

— Je ne la connais pas depuis très longtemps, mais mon intuition me trompe rarement.

Bree parlait de nouveau avec ses mains, exposant à son regard un poignet délicat, très féminin.

— Un soir, nous sommes allées toutes les deux au Caracas avec notre amie Lilly, qui est professeur de musique. Au début, c'était un peu bizarre, car nous nous connaissions uniquement par le biais de ce club culinaire. Puis nous avons commencé à parler et le contact est aussitôt passé, surtout entre Rebecca et moi. Lorsque je leur ai avoué à quel point je voulais vivre à Manhattan, elles m'ont toutes les deux comprise. Elles n'ont pas hurlé lorsque je leur ai confié que cela m'était égal de payer une fortune pour vivre dans un taudis avec quatre autres filles que je connaissais à peine, de ne pas avoir d'argent pour me payer le cinéma, sans même songer au pop-corn ! Elles m'ont souri et nous avons trinqué. Je me suis alors sentie comme chez moi.

Bree ferma les yeux quelques secondes puis, sans raison apparente, se raidit de nouveau.

— Ça faisait longtemps que je n'avais pas vécu cela.

Soudain… Charlie se surprit à l'apprécier. Comme ça. Non, elle n'était pas son genre de femme, pas même de loin. Mais il aimait le rythme de son discours, sa façon de parler avec les mains, le fait qu'elle soit nerveuse, mais pas intimidée. A partir de cet instant, entre Columbus Avenue et la 61e Rue, pour lui, la soirée prit un autre tournant.

Charlie toucha le bras de Bree. Sa peau était douce et chaude, et elle tressaillit légèrement à son contact, masquant sa surprise derrière un sourire.

— Non, reprit-il enfin. Ce n'est pas une mauvaise blague. Rebecca pense que nous pouvons nous entendre. Elle et moi, nous avons grandi ensemble. Nous avons fréquenté les mêmes écoles privées, nous avons partagé nos premiers rendez-vous, nos premiers bals de promotion, et beaucoup trop d'horribles fêtes de famille.

Charlie frissonna en songeant à tous ces Noëls épiques, ceux où une moitié de la famille n'adressait pas la parole à l'autre, où les querelles s'entretenaient à coups de baisers envoyés en l'air et de couronnes de houx. Toute cette agressivité latente qui passait par du caviar Beluga et des truffes.

— Rebecca me connaît mieux que personne. Et elle n'a encore jamais essayé de me caser.

— Qu'est-ce que ça signifie, alors ?

Charlie réfléchit quelques secondes. Excellente question.

— Je ne sais pas, finit-il par répondre.

Au lieu d'insister, Bree tourna gracieusement la tête vers lui.

— Où allons-nous ? demanda-t-elle.

— Tu ne veux pas avoir la surprise ?

Le regard qu'elle lui lança lui donna envie de combler toutes ses attentes, même les plus farfelues.

— Je suis stupéfaite depuis le moment où tu as pris ma main.

Stupéfaite ? s'étonna Charlie.

— Tu t'attendais à quoi ?

— Je ne sais pas, répondit-elle en haussant les épaules. Je m'attendais à autre chose. Ce n'est pas le portier, ni la limousine, ni ta merveilleuse eau de toilette qui m'ont surprise, car je m'attendais secrètement à tout cela. Mais je n'ai jamais côtoyé de près des stars. J'en ai aperçu quelques-unes depuis mon arrivée, notamment Woody Allen et Jennifer Lopez. Ils m'ont tous paru extraordinaires, au sens littéral du terme. Comme si l'air autour d'eux était chargé d'étincelles. Ces stars-là pourraient être affublées d'un sac à patates que l'on trouverait ça formidable ! Ils peuvent tout se permettre. Mais, toi qui es célèbre, tu es différent.

— Dois-je le prendre pour un compliment ?

Elle acquiesça.

— Oui. Si tu avais été du genre « bobo », tu aurais porté à merveille le sac à patates toi aussi ! En revanche, je pense que tu te serais ennuyé à mourir avec moi.

— Tu sais combien il faut de « bobos » pour visser une ampoule ?

Drôle de devinette ! Elle lui sourit en attendant la chute.

— Non, combien ?

— La réponse est nulle, je te préviens… Eh bien, il en faut bobo-coup !

Bree partit dans un éclat de rire franc et naturel qui charma Charlie. Un rire féminin, délicat et cristallin, mais qui se termina soudain dans un reniflement inattendu. Aussitôt, elle ouvrit des yeux horrifiés et plaqua la main sur sa bouche — mais un autre reniflement lui échappa. Mortifiée, elle devint rouge d'embarras.

D'accord, Rebecca méritait bien plus qu'un simple vin pétillant. Mais, si jamais elle réclamait un Krug Clos d'Ambonnay cuvée 96, il devrait y réfléchir à deux fois.

- 3 -

Bree sentait bien qu'elle rougissait, ses joues lui brûlaient, mais c'était incontrôlable. Et, vu comme Charlie lui souriait, le problème ne serait pas réglé de sitôt.

Elle avait tellement hâte qu'ils arrivent ! Oh ! qu'importe le lieu, mais qu'elle puisse enfin mettre un peu de distance entre eux, ne serait-ce qu'un instant… Un cabinet de toilette ferait très bien l'affaire, un lieu à l'abri des regards où elle pourrait laisser libre cours à ses émotions, crier, sauter, danser même ! Parce que, waouh ! Charlie Winslow, plus son sourire, plus la limousine, plus le champagne, tout cela ajouté à sa réputation de séducteur, lui dont les rendez-vous allaient toujours au-delà du simple baiser sur la joue… Bree était sur un petit nuage. Où qu'ils aillent, cette soirée s'annonçait vraiment au mieux.

C'était comme si quelqu'un avait eu accès à ses rêves, avait éliminé les plus bizarres et les plus convenus, décidé qu'ils n'étaient pas assez ambitieux, et lui avait donné à vivre *ça*. Bree aurait voulu qu'une caméra filme chaque seconde de la soirée, afin de ne rien oublier de ce moment incroyable. Elle aurait pu ensuite repasser le film chez elle, jusqu'à épuisement.

Un rapide coup d'œil par la vitre mit brutalement fin à ses rêveries.

— C'est le Lincoln Center, dit-elle d'une voix tendue.

— En effet, lui répondit Charlie.

Elle n'en revenait pas. Pourtant, et même si elle ne parvenait pas à détacher ses yeux du spectacle qui s'offrait à elle, elle avait perçu distinctement l'amusement dans la voix de Charlie.

— C'est le Lincoln Center, répéta-t-elle, et c'est la Fashion Week.

— Hum… oui, reprit Charlie avec espièglerie, c'est bien ça.

— C'était dans le blog, ce matin. Je l'ai lu. Il s'agit de la soirée organisée par Mercedes-Benz et *Vogue*.

Bree aurait aimé ouvrir la fenêtre et sortir la tête pour crier à tue-tête, cheveux au vent, comme les stars qu'elle voyait à la télévision et dans les magazines. Mais sa gorge se noua soudain. Elle, une star ? Allons, elle débarquait juste de l'Ohio, et elle cousait elle-même ses vêtements… Alors, elle aurait tout aussi bien pu s'accrocher un panneau autour du cou estampillé « plouc ». Malgré elle, ses mains tremblaient, sa respiration s'était accélérée. Elle aurait aimé qu'on la pince pour s'assurer que tout ce qui était là, sous ses yeux, était bien réel.

— Je croyais que tu avais deviné où nous allions, dit Charlie avec un sourire dans la voix, mais sans aucun sarcasme.

— Non, pas du tout. C'est beaucoup trop, comment dire… trop beau… trop fou… enfin, le paradis, quoi. La Fashion Week, c'est un rêve de toujours pour moi, un rêve que je croyais inaccessible, tu comprends ?

Bree se tourna vers lui, les yeux brillants. Il la

regardait avec un air qui fit accélérer les battements de son cœur, un air à la fois tendre et malicieux. Le sourire qu'elle avait deviné sur ses lèvres était bien là.

— J'ai toujours été passionnée de mode... Je couds depuis l'âge de douze ans, expliqua-t-elle dans un balbutiement.

Elle reporta de nouveau son attention sur les projecteurs, sur tous ces gens beaux et célèbres en tenue de gala magnifique. Des paillettes, du satin, de la soie, du velours. Des robes somptueuses aux coupes les plus chics ou les plus extravagantes, des chaussures de luxe... Ils étaient là, ses héros et ses héroïnes. Près d'une barrière gardée par la police se tenaient trois, oui, trois grands couturiers. Des couturiers qu'elle adorait. Dire qu'elle, Bree Kingston, allait se trouver dans la même pièce, à la même fête que Tommy Hilfiger et Vivienne Westwood !

Elle se tourna brusquement vers Charlie et faillit renverser sa flûte de champagne. Se confondant en excuses pour sa maladresse, elle lança, légèrement anxieuse :

— C'est à cette soirée que nous allons, n'est-ce pas ?

— Exactement, lui répondit Charlie d'une voix calme, c'est bien là.

— Oh merci ! Merci, merci, mon Dieu. Cela aurait été nettement plus embarrassant si nous étions allés à un concert, ou à une exposition, ou à je ne sais quoi !

Charlie éclata de rire avec un naturel si charmant qu'il la fit frémir. Un rire merveilleux, et pourtant bien réel. Non, elle ne rêvait pas, c'était bien elle qui vivait tout *ça*.

La limousine suivait une longue file de voitures. Apparemment, il leur faudrait patienter un peu avant que n'arrive leur tour de descendre. Elle allait encore devoir prolonger le tête-à-tête avec Charlie. Elle s'adossa contre le siège en cuir et se tourna vers lui.

— Tu sais, j'ai lu un article sur la Fashion Week l'année dernière, commenta-t-elle. Il me semble que tu t'étais bien amusé…

Il acquiesça.

— En effet, si l'on considère que cela fait partie de mon travail. Mais nul doute que, cette année, ce sera encore mieux…, ajouta-t-il.

Il s'exprimait d'une manière désinvolte, comme s'il parlait d'aller faire ses courses au supermarché du coin. Comme s'ils se connaissaient depuis longtemps, aussi. Désinvolte, mais sans être blasé. Pour lui, cette soirée s'annonçait aussi riche qu'excitante, mais ne l'angoissait en rien : c'était une soirée professionnelle de plus, avec ses codes et ses surprises. Bree, en revanche, se sentait de plus en plus paniquée.

— C'est la Fashion Week et je ne ressemble à rien ! se désola Bree. Cette robe toute simple que je porte, je l'ai faite moi-même… Et mon châle…

Il lui avait coûté cinquante centimes dans un dépôt-vente, mais Charlie n'avait pas besoin de le savoir.

— Oh ! mon Dieu, murmura-t-elle d'une voix blanche.

Charlie l'observait en souriant. Mais comment savoir s'il la trouvait délicieusement décalée ou ridicule à en mourir ? Elle se sentit désemparée jusqu'à ce qu'il lui demande d'approcher de lui. Comme s'il s'apprêtait à lui faire une confidence.

— La mode n'est qu'une question d'originalité et de talent. Tout le monde va te regarder, toi et ta robe, en se demandant quel nouveau couturier l'a créée. Penses-y.

Bree aurait dû en rire, mais elle ne parvenait pas à se détendre.

— Merci pour le conseil, répondit-elle en lui effleurant le dos de la main.

Mais à peine l'eut-elle touché qu'elle réalisa à quel point ils étaient proches l'un de l'autre. Elle sentait son souffle sur sa joue, la chaleur de son corps qui s'insinuait dans chaque fibre de sa peau. Elle prit une grande inspiration et, recouvrant un semblant de calme, relança la conversation.

— Je ne suis pas certaine de pouvoir garder un air tranquille tout au long de la soirée, déclara-t-elle à brûle-pourpoint.

— Prends un air ennuyé, lui répondit du tac au tac Charlie. C'est ça, la clé. Agis comme si tu étais ailleurs, et tout le monde croira que tu es le dernier phénomène à la mode !

— Prendre un air ennuyé, répéta-t-elle pensivement. Ça peut se faire.

Elle se recula légèrement car la proximité de Charlie faisait battre son pouls beaucoup trop vite.

— En fait, non, ajouta-t-elle, je ne peux pas, pas ici. Je ne suis pas une bonne actrice. Mais j'aime bien observer autour de moi, ce qui revient presque à prendre un air blasé.

Charlie eut un petit sourire.

— Parfait, tu seras donc une observatrice. Mais souviens-toi que personne ne doit t'intimider. De toute façon, tu ne rencontreras sans doute pas les stars les plus impressionnantes.

Bree était admirative. Il était si doué ! Il n'avait pas besoin de se forcer pour être charmant et agir avec tact. Ses manières étaient impeccables. Il arrivait à la mettre à l'aise tandis qu'elle avait l'impression de toucher au paradis, ce paradis inaccessible dont elle osait à peine rêver… Tout cela était absolument merveilleux. Mais, attention, il ne s'agissait pas de perdre pied. A cette altitude, toute chute pouvait lui être fatale. Voyant que la limousine n'était toujours pas arrivée, elle se tourna vers Charlie et relança la conversation.

— J'ai lu un article l'autre jour, qui parlait d'une femme passionnée de cinéma, avança-t-elle. Elle a fini par trouver un emploi dans le milieu. Mais le moins qu'on puisse dire, c'est que ses conclusions étaient un peu tristes. Ce qu'elle aimait, au fond, c'était l'illusion, les images, les personnages, la fantaisie… Mais, dès qu'elle est passée de l'autre côté du miroir, plus rien n'a été pareil.

Charlie vida sa flûte et la posa à côté du seau à champagne, lentement, comme s'il prenait le temps de réfléchir à ce qu'elle venait de dire.

— Je comprends très bien. Les gens les plus brillants que j'ai connus sont aussi les plus angoissés. Pas tous, mais la plupart.

— Moi, je ne crois pas que je serais déçue, répliqua Bree en haussant les épaules. Je suis consciente que tout n'est qu'illusion, mais cela me plaît bien. Parce que j'ai déjà eu mon content de banalité, dans la vie ! Et, la banalité, je ne suis pas faite pour ça !

— Où as-tu grandi ? demanda Charlie.

— Dans une toute petite ville de l'Ohio, dans une grande et merveilleuse famille. Très équilibrée. Mes parents ont beaucoup de frères et sœurs, j'ai moi-même beaucoup de frères et sœurs, et tout le monde dans ma famille veut se marier, s'ils ne le sont pas encore, et avoir des tas d'enfants, sans trop s'éloigner les uns des autres. Nous sommes une relique des anciens temps, avec des rebellions timides et des rêves modestes. Tu ne peux pas savoir à quel point je détestais tout ça. Pas ma famille, elle est formidable, mais cette vie. La routine, savoir à l'avance tout ce qui va se passer, puisque rien ne change jamais. Les repas du dimanche, le bain des enfants, le fait de connaître tout le monde quand on sort faire ses courses, et de ne plus avoir à regarder le menu au restaurant. Je voulais m'évader.

Elle inspira profondément, s'imprégnant de l'atmosphère ouatée de la limousine.

— Je veux de l'imprévisible, s'écria-t-elle, vivre au milieu de millions de gens qui courent dans tous les sens. Je veux sortir dans les clubs et rester dehors jusqu'à 4 heures du matin, même si je dois aller travailler à 8 heures. Je veux manger des plats dont je ne connais même pas le nom, et je veux avoir le cœur brisé par des hommes insensibles qui portent de magnifiques costumes !

Elle se tut soudain, rouge de confusion. Mais d'où lui venait donc cette grande tirade ridicule ? Gênée, elle détourna les yeux. Elle en avait déjà trop dit. Mais comment ne pas se sentir nerveuse dans de telles circonstances ? Bree jeta un regard autour d'elle. La file des limousines, avec ses passagers secrets, était toujours impressionnante.

— Je pense que tu te plairas au Lincoln Center, répondit Charlie d'une voix qui ne manifestait aucune surprise, mais plutôt de la gentillesse. Ce sont toutes des divas, ajouta-t-il en souriant, et à quoi pense une diva ?

— A dépouiller les autres ? fit Bree avec malice.

Charlie éclata de rire.

— Peut-être bien, oui, mais surtout elles pensent

à *elles*. Elles seront beaucoup trop occupées pour se concentrer sur toi. Quant à moi, elles ne me remarqueront que parce qu'elles savent que je pourrais leur être utile. Alors détends-toi, amuse-toi, c'est la seule chose qui compte.

Bree n'avait jamais connu pareille sensation de plénitude. Et voilà, alors même qu'ils n'étaient pas encore descendus de la voiture, que Charlie lui promettait une soirée encore plus folle ! Oui, finalement, elle allait s'amuser. Et pas question de trébucher ou de renverser son verre sur elle ! Après tout, elle n'était pas si maladroite que ça. Et puis elle ne mangerait rien qui puisse se coincer entre ses dents. Et elle ne se soûlerait pas.

Sur ces dernières considérations, elle vit Charlie se pencher en avant pour attirer l'attention du chauffeur.

— Nous en avons pour quelques heures, Peter. Vous pouvez partir. Je vous préviendrai lorsque nous serons prêts à rentrer.

— Très bien, monsieur Winslow. Merci.

Quand Bree était arrivée à New York, elle s'était préparée à rencontrer une certaine brutalité chez les gens, du cynisme et de l'impatience. Mais la réalité l'avait détrompée. Certes, parfois, son chemin avait croisé celui de sombres idiots, mais assez rarement, en fait. Chaque fois qu'elle avait eu à demander son chemin, ou à faire la queue chez Starbucks, tout le monde avait été très poli. Aimable même. Les New-Yorkais pouvaient se montrer un peu brusques, mais ils lui avaient toujours paru soucieux de l'aider, même lorsqu'elle ne demandait rien. Bien sûr, c'était son expérience des gens ordinaires, pas des personnalités comme Charlie. A en croire les émissions de télévision, les gens comme lui, les riches de Manhattan, se comportaient mal. Et Charlie aurait donc dû être un véritable goujat.

Au lieu de cela, il l'emmenait à la Fashion Week... Déjà adolescente, Bree se considérait comme une *fashion victim*. Un jour, elle s'était amusée à découper des images de mode dans les magazines, chaussures, robes, chapeaux, blousons, et avait décoré les murs de sa chambre avec ses créations... Elle avait contemplé le tout avec fierté, se jurant de toujours se rappeler qu'elle courait après autre chose qu'un rêve. Elle avait un but.

Son amour pour l'écriture était arrivé plus tard et, associé à sa passion pour la mode, son destin ne faisait plus de doute : elle deviendrait rédactrice de mode, elle dicterait les tendances, elle serait une déesse, tant par sa beauté que par ses créations et son influence. Et là, ce soir, elle était au côté de Charlie Winslow... Non, aucun mot au monde ne pouvait décrire ce qu'elle ressentait.

Comme s'il sentait la joie et l'émotion qui l'animaient secrètement, Charlie pivota pour lui faire face.

— Ça a dû être un choc culturel de venir à New York, dit-il. Beaucoup de gens ne trouvent rien d'autre que des ennuis à Manhattan.

— Cela ne me gênerait pas d'en trouver quelques-uns, avoua-t-elle en rougissant.

Comme par réflexe, elle posa la main sur son sac. A l'intérieur se trouvaient un string, sa brosse à dents et un préservatif. Le kit parfait pour une aventure d'un soir. Rebecca n'avait pas trahi directement ses intentions, mais c'était inutile. Les habitudes de célibataire de Charlie étaient légendaires.

Soudain, la musique du film *Mission impossible* résonna dans son sac et Bree sursauta.

— Je crois savoir qui c'est, déclara Charlie.

Bree ouvrit son sac discrètement. Hors de question qu'il voie ses petites affaires ou, pis encore, sa carte personnelle échangée au club ! Elle saisit à la hâte son téléphone. Elle avait reçu un message de Rebecca.

Vous êtes arrivés ?

Bree sourit malgré elle.

! ! ! ! ! ! ! !

Je savais que ça collerait entre vous.

On en reparle demain. Merci pour tout !

De rien. Tu vas les éblouir !

Charlie se tordait le cou pour essayer de lire les messages et elle tourna l'écran vers lui.

A son tour, il sortit son téléphone de sa veste. Evidemment, l'objet était superbe. Ce devait être un iPhone de dernière génération, ou bien un modèle exotique introuvable pour le grand public. Contrairement à son BlackBerry d'occasion déjà obsolète.

Charlie jouait des pouces avec une dextérité et une rapidité incroyables. Son message devait être positif car son visage rayonnait. Son sourire avait complètement changé. Il n'arborait plus cet air doux de réflexion. A cet instant, il ressemblait à un petit garçon dans un parc d'attractions, la tête penchée sur le côté, les sourcils levés dans une expression de surprise ou alors de ravissement. Ou peut-être quelque chose de totalement différent. Mais n'était-ce pas le moment idéal pour rêver ?

Avant de ranger le téléphone dans son sac, Bree se

tourna rapidement vers Charlie : il fallait absolument qu'elle prenne une photo de lui ! Sinon, elle allait regretter toute sa vie de n'avoir rapporté pour souvenir de cette soirée que les ampoules qu'elle aurait aux pieds en rentrant ! Des ampoules dues à ses escarpins neufs.

Mais, juste au moment de rengainer son appareil, la vérité lui sauta aux yeux avec l'éclat de la foudre. La vérité, ou exactement la raison pour laquelle Rebecca lui avait donné la carte de Charlie.

En fait, son amie lui rendait un *service.*

Elle se souvint… La première fois qu'elle était sortie en compagnie de Rebecca, elle avait exposé à cette dernière le contenu de son plan quinquennal. Ses rêves professionnels, les étapes à franchir, son obsession… A ce moment-là, Rebecca ne lui avait pas dit que Charlie faisait partie de sa famille. Elle n'avait même pas l'air d'être au courant que c'était la Fashion Week. Petite rusée…

Bree sentit sa gorge se nouer. Mieux valait être lucide. Elle ne vivait pas un véritable rendez-vous avec Charlie. On lui rendait un *service.* Ce n'était pas la même chose. Et un rendez-vous ne se terminait pas de la même façon qu'un simple arrangement entre cousins. Les « services » ne franchissaient jamais le seuil d'une chambre à coucher.

Alors que Charlie rangeait son téléphone, celui de Bree sonna de nouveau.

— Il y aura foule à cette fête, expliqua-t-il. Je viens de t'envoyer mon numéro. Si jamais nous sommes séparés, envoie-moi un SMS. Je te retrouverai.

Quoi ? Elle avait le numéro de téléphone de Charlie Winslow ! Génial ! Et le fait qu'on lui rende un service ne voulait pas dire que ce n'était pas pour autant le plus grand jour de sa vie. Tout de même, elle était en droit de se sentir excitée, non ? Même si elle ne se servait qu'une seule fois de ce numéro en or.

— Tout va bien ? demanda Charlie.

— Oh ! à merveille, lui répondit-elle dans un large sourire. Il y a des risques que l'on se perde ?

— Non, si je peux l'éviter. Voilà, nous arrivons.

La portière à côté d'elle s'ouvrit soudain et Charlie la débarrassa de sa flûte. Dans un moment digne d'un conte de fées, Bree s'avança sur le tapis rouge. Elle ne se pavana pas, ne trébucha pas et essaya de ne pas garder la bouche ouverte pendant que les flashes crépitaient autour d'eux dans une lumière aussi aveuglante qu'excitante.

Charlie lui prit le bras et elle se laissa guider avec reconnaissance tant elle était assaillie par les flashes. Autour d'eux, elle entendait crier « Par ici ! Là ! », encore et encore. Quelle cacophonie assourdissante ! Elle ne s'était pas attendue à autant de bruit. Quand la télévision transmettait ce genre d'images, on entendait juste les commentaires d'une voix off…

Charlie pressa doucement sa main en la guidant vers la grande tente blanche qu'elle reconnut comme l'entrée de la Fashion Week à Damrosch Park. Damrosch Park était un lieu immense, avec des salles de réunion et de presse, des podiums sur lesquels on défilait du matin au soir, des salons où se tenaient des cocktails, des dîners…

Bree était déjà venue au Lincoln Center, mais par « la petite porte », celle des badauds et des gens simples comme elle, côté fontaine et escaliers magiques. Tandis que ce soir… Ce soir, elle pénétrait pour de bon dans ce grand complexe richement décoré, et c'était pour elle le signe d'une fabuleuse avancée.

Elle remerciait le ciel de pouvoir tenir la main de Charlie pour se calmer. Quel paradoxe ! Et pourtant, oui, celui qui la réconfortait le plus à cet instant précis, c'était bien lui, l'impressionnant Charlie Winslow ! Elle ne savait même plus si elle tremblait d'excitation ou de froid.

Bree regarda autour d'elle. La queue s'étendait loin devant eux. Charlie lui avait bien expliqué que le portique de sécurité filtrait les entrées de manière drastique. Tout le monde avançait à pas de tortue, mais personne ne semblait piaffer : visiblement, ces gens-là étaient accoutumés à ce genre d'attente. Bree en profita pour essayer de se calmer. Cette soirée s'annonçait tellement différente pour elle !

Soudain, elle manqua de suffoquer en tournant la tête. Tout près d'eux se trouvait l'un des plus grands créateurs de mode ! Un créateur qu'elle adulait ! Alors qu'elle se concentrait sur le smoking en velours du Maître de la mode, elle sentit le souffle chaud de Charlie caresser son cou. Sa peau s'embrasa. Son dos, puis son ventre s'animèrent d'un doux frisson. En entendant le son de sa voix, grave et suave, son cœur manqua un battement. Dans quelques minutes, elle connaîtrait le programme de la soirée, mais, en attendant, il ne fallait pas qu'elle s'évanouisse au contact de Charlie ou à cause du grand couturier que le monde s'arrachait et qui était debout à quelques mètres d'elle. Le plus dur était de choisir quoi ou qui regarder : les robes, les strass ou les créateurs ? Oh ! mon Dieu, elle venait d'apercevoir le mannequin qui était en couverture du *Elle* cette semaine, et, oh ! son actrice préférée dans la série *Les Experts*. Un vertige la saisit, elle sentit la tête lui tourner : comme elle était heureuse de pouvoir s'accrocher au bras de Charlie !

— Tu ne verras jamais un tel gaspillage de nourriture qu'à cette fête, commenta Charlie à voix basse, sur le même ton intime que celui qu'il avait adopté dans la limousine. Je crois même que ces gens-là ne mangent jamais. En revanche, ils mâchent beaucoup de chewing-gum. Pour masquer leur mauvaise haleine. Je doute que l'on en parle dans *Vogue* ou dans *W*. Les gens qui ne mangent pas sont sans doute formidables sur papier glacé, mais leur haleine pourrait tuer un bison. Te voilà prévenue.

Bree pouffa de rire. Les personnes qui composaient les deux files serpentant sous la tente étaient certes d'une minceur et d'une plastique parfaites, mais la plupart d'entre elles mâchaient effectivement du chewing-gum, ou se tenaient en retrait pour ne pas avoir à supporter l'haleine de leur voisin.

Par ricochet, Bree songea aussitôt à la sienne avec inquiétude. L'excitation lui avait coupé l'appétit, pourvu que…

— Tout va bien, lui chuchota Charlie dans un souffle légèrement mentholé, comme s'il avait deviné ses pensées. Ne t'inquiète pas.

Elle lui sourit d'un air complice tandis qu'ils progressaient à pas de tortue.

— Je ne cache pas très bien mes origines rustiques, n'est-ce pas ?

— De quoi parles-tu ?

— Je vais redoubler d'efforts pour avoir l'air blasé, rétorqua-t-elle en chuchotant.

— Ne le fais pas pour moi, répondit-il en se plantant

devant elle. J'aime le fait que tout ceci soit magique pour toi.

— Je dois changer de ton quotidien, n'est-ce pas ?

— Ça, sans aucun doute. Mais c'est un changement agréable. J'aimerais que tu me racontes quelle était ta vie avant d'arriver à New York. Je suis né ici et j'ai été élevé de telle sorte que, pendant très longtemps, j'ai cru qu'il n'existait rien en dehors de la Californie et de cette ville. Je ne suis jamais allé dans l'Ohio, même si je suis certain de pouvoir le situer sur une carte. C'est en bas du lac Erié, n'est-ce pas ?

— Bravo ! Oui, oui, en effet ! Je suis impressionnée..

— Et comment s'appelle la ville de l'Ohio où tu as grandi ?

Bree, de nouveau mal à l'aise, pivota pour voir s'ils approchaient du portique de sécurité.

— Oh ! c'est si petit… Tu n'en as jamais entendu parler, éluda-t-elle.

Lorsqu'elle se retourna vers lui, Charlie arborait un petit sourire en coin qu'elle ne sut comment interpréter.

— Et… Cette nourriture que tu as évoquée, dit-elle pour combler le blanc qui s'était installé subitement. Elle circule sur des plateaux ? Il s'agit d'un buffet ? Ou d'un dîner assis ?

— Un buffet, avec des plateaux qui circulent. Il y aura aussi des places pour s'asseoir à des tables un peu partout, mais je vais te livrer un secret. Regarde bien comment se tiennent les gens, ceux qui sont assis, ceux qui au contraire restent debout, et tu pourras deviner la position sociale de chacun.

Bree écarquilla les yeux. Ce n'était pas la première fois qu'elle surprenait une gentillesse toute particulière dans le regard de Charlie. C'était comme s'il lui avait donné un Pass VIP pour les coulisses d'un spectacle. Et, même si elle savait que son amabilité avait beaucoup à voir avec Rebecca, il restait au plus profond d'elle-même une lueur d'espoir qui l'incitait à croire que Charlie l'appréciait. Ne serait-ce qu'un tout petit peu.

Mais mieux valait ne pas trop s'emballer et profiter plutôt de l'instant présent. Trop en demander reviendrait à défier le destin.

- 4 -

Charlie n'arrivait pas à détacher ses yeux de Bree. Qu'est-ce que Rebecca avait donc vu en elle pour deviner que ce rendez-vous monté de toutes pièces allait fonctionner ? Et qu'il fonctionne si bien était pour le moins… étrange. Jamais il n'aurait imaginé trouver *ravissante* une inconnue vantée par sa cousine.

D'ordinaire, personne ne correspondait selon lui à cet adjectif.

Bree avait une fraîcheur qu'il avait presque oubliée. En observant la jeune femme, Charlie retrouvait un peu de son enthousiasme de jeunesse. Lui aussi, autrefois, avait eu ses héros. Contrairement à Bree, en revanche, lui n'avait jamais été attiré par le glamour. Dans le milieu où il avait grandi, le contraire eût été étonnant. Sa famille appartenait à cette classe riche et xénophobe de New York, ce cercle fermé qui faisait du mépris et du rejet des autres un art de vivre. Par réaction, ses héros personnels étaient ceux qui n'appartenaient pas à ce milieu : les sportifs, les musiciens indiens qui ne s'intégreraient jamais, les scientifiques farfelus et les hackers. Ah, les hackers ! Ces derniers l'avaient beaucoup aidé à des moments clés de sa vie.

— Oh ! mon Dieu, murmura soudain Bree en tirant sur le revers de sa veste. C'est Mick Jagger.

Charlie suivit son regard. Le chanteur était entouré d'une nuée de gens auxquels il n'accordait pas un regard ou presque. Et personne, ni sous cette tente, ni dans cette ville, n'aurait osé l'interpeller pour lui faire remarquer qu'il venait de doubler tout le monde.

— Il vaudrait mieux que tu t'y habitues, répliqua Charlie, amusé par le regard éberlué de Bree.

Pour lui, croiser des stars était certes agréable mais n'avait rien d'incroyable. Ces dernières années, d'ailleurs, les attraits du milieu s'étaient peu à peu estompés. Charlie se contentait d'observer ce petit monde d'un œil professionnel : savoir qui méritait d'être interviewé, qui devait être surveillé de près, qui tomberait d'ici peu dans l'oubli. Dévoiler ces secrets à Bree était très amusant. Et elle avait raison sur un point : elle ne trichait pas — quelqu'un de blasé n'aurait pas eu ces yeux émerveillés.

— Contrairement à ce qu'on pourrait croire, toutes ces stars sont assez petites, continua-t-il en se rapprochant d'elle. Surtout les hommes. Pas les mannequins, évidemment, ce sont des girafes, mais les acteurs, les musiciens. Tous sont d'ailleurs plus petits que moi.

— Ou, plutôt, c'est toi qui es grand, objecta Bree.

Au sourire qu'elle lui décocha, il eut l'impression d'être un géant.

— Moi, je suis ridiculement petite, déclara-t-elle en baissant la voix. C'est affreux.

— Pourquoi affreux ?

Son sourire changea d'un coup et elle rougit jusqu'aux oreilles.

— J'ai vingt-cinq ans, ajouta-t-elle, mais, quand on me regarde, on m'en donnerait douze. Parce que je suis petite, tout le monde me trouve « mignonne ». Et inoffensive. Comme un chaton. Il y a même des gens qui me tapotent la tête. C'est vraiment agaçant…

— Ça ne me viendrait jamais à l'esprit, répliqua-t-il du tac au tac.

Pourtant, maintenant qu'elle en parlait, il avait presque envie de faire ce geste… Mais Bree ne le regardait plus, elle lorgnait Mick Jagger, les yeux écarquillés.

— J'aimerais tellement le prendre en photo, confia-t-elle dans un murmure.

— Eh bien, fais-le.

— Et qui pourrait croire que je suis une jeune créatrice blasée, après ça ? Cela crève déjà assez les yeux que je n'appartiens pas à ce monde. J'aimerais pouvoir faire semblant, ne serait-ce qu'un peu…

Charlie se tourna vers la personne derrière lui, un jeune homme qui avait tout l'air d'un journaliste.

— Pouvez-vous garder notre place ? demanda-t-il. Nous revenons dans une minute.

L'homme hocha la tête et Charlie, la main toujours posée sur le bras de Bree, s'avança vers l'autre file, tout droit vers le groupe qui entourait la rock star.

— Salut, Mick, dit-il en le saluant de la main. Charlie Winslow. Puis-je prendre une photo de vous avec ma charmante compagne ?

La star du rock serra la main de Charlie et adressa à Bree un grand sourire. Deux secondes plus tard, il posait avec Bree, un bras autour de ses épaules, pendant que Charlie les prenait en photo avec son téléphone.

Bree frémissait de la tête aux pieds, tout en tâchant de n'en rien laisser paraître. Quel rêve ! Elle était avec Mick Jagger, oui, Mick Jagger en personne ! Cette soirée la rendrait folle si cela continuait ainsi… Allons, du calme, il fallait qu'elle paraisse blasée, avait dit

Charlie. Mais, intérieurement, Bree était sur un petit nuage. Comment aurait-il pu en être autrement ? C'était si fabuleux. Tout ce qu'elle vivait ce soir, elle le devait à Rebecca. Elle ne la remercierait jamais assez.

Hélas, la séance photos prenait déjà fin et Charlie et elle regagnèrent leur file d'attente.

— Laisse-moi voir les photos, murmura Bree en appuyant fébrilement sur les boutons de son téléphone.

Charlie l'observa du coin de l'œil pendant qu'elle s'extasiait en contemplant les clichés. Elle frissonnait d'excitation. Jamais il n'aurait imaginé que cela puisse lui faire un tel effet. Sur le moment, alors qu'elle se trouvait à côté d'une des plus grandes stars de la planète, Bree avait paru parfaitement détendue. Mais, à présent, ses yeux brillaient d'excitation. Un large sourire illuminait son visage et elle battait des mains comme une enfant face au Père Noël. Mais cette soirée, dans le fond, n'était-ce pas le plus beau des Noëls, pour elle ?

Alors qu'il se faisait ces considérations, ils arrivèrent enfin au portique de sécurité où des gardes avenants les accueillirent. Puis ils traversèrent un long couloir froid avant de pénétrer sous la tente principale. Dans le grand pavillon, la musique, le bruit des conversations et les rires des invités se mêlaient à une multitude d'effluves de parfum. Les femmes portaient des robes plus coûteuses qu'une voiture et faisaient étalage de leur peau nue et de leurs dents blanches comme des perles. Leurs visages étaient d'une telle finesse qu'ils paraissaient avoir été sculptés. Et Bree se crut bien arrivée au Pays des Merveilles.

Charlie et elle se frayaient un chemin à travers la foule. Sur la scène, un chanteur célèbre présentait son dernier tube sous le crépitement des photographes.

Charlie se tourna vers un serveur et lui commanda un verre de jus d'ananas. Lorsqu'il lui tendit le verre, elle ne put s'empêcher de le contempler d'un air perplexe.

C'était trop beau pour durer, songeait-elle. D'ici à quelques minutes, forcément, Charlie cesserait d'être ainsi aux petits soins. N'était-il pas là avant tout pour travailler ? Presque la moitié des invités voulaient que leurs noms figurent sur son blog dès le lendemain.

Habituellement, Charlie pouvait faire son travail les yeux fermés. Mais, ce soir, tout était différent. Il désirait que Bree profite pleinement de la fête, mais il voulait aussi la présenter aux invités, et s'assurer qu'elle puisse rencontrer toutes les personnes qu'elle reconnaîtrait. A dire vrai, il brûlait d'observer ses réactions. Il sentait par avance que Bree réagirait de manière inattendue, déroutante. La curiosité le rongeait.

Et puis, il se sentait attiré par Bree. C'était un sentiment agréable, délicieux même, qu'il n'avait plus éprouvé depuis très longtemps. Le plus étrange, c'est qu'il ne comprenait pas pourquoi. D'où lui venait cette sensation si douce ? S'il ne se ressaisissait pas rapidement, il allait finir par penser davantage à Bree qu'à glaner les potins croustillants sur les invités les plus prestigieux de la soirée.

— Quelque chose ne va pas ? demanda Bree, qui perçut comme une inquiétude dans le regard de Charlie.

Il la rassura d'un sourire et lui fit signe de le suivre. Après avoir navigué dans la salle, envoyé des baisers en l'air, serré des mains et décoché des sourires à tout-va, ils trouvèrent un endroit aussi éloigné que possible des enceintes. Mais, même à côté des toilettes, Bree devait crier pour se faire entendre.

— Alors, lui demanda Charlie, tu t'amuses bien ?

— Oui, même si je suis toujours sous le choc. Tout est si merveilleux ! s'exclama Bree.

— Tant mieux, tant mieux… Beaucoup de gens veulent attirer l'attention, tu as vu.

— Je comprends mieux ce que tu disais tout à l'heure à propos des gens qui restent assis ou debout, dit-elle en se rapprochant doucement de lui.

Une vague de chaleur envahit Charlie. Bree s'approcha encore de lui et il glissa une main autour de sa taille. C'était la première fois qu'il serrait une fille aussi petite, songea-t-il. C'était drôle de se sentir si… protecteur.

— C'est comme si, ici, chaque chaise était un trône, continua Bree d'un air tranquille, un trône exclusivement réservé aux rois et aux reines.

— Certains ont même un fauteuil qui leur est réservé à vie, mais ils sont rares. Pour la plupart d'entre eux, la gloire ne dure qu'un temps.

— Tu es assez célèbre pour y avoir droit toi-même, n'est-ce pas ?

— Non, pas moi. Je suis ici pour travailler. Certains savent qui je suis, mais mon métier consiste à mettre en lumière les vraies célébrités. Au petit matin, je dois écrire mes articles et, si je me trompe, je reçois des dizaines d'appels, de SMS et de mails d'agents de relations publiques furieux ! Ils me menacent, me disent que je suis tombé en disgrâce et que je ne pourrai jamais plus travailler dans cette ville.

Un serveur s'avança vers eux, avec un plateau chargé de coupes de champagne. Bree effleura le bras de Charlie.

— J'aimerais en avoir une, s'il te plaît.

— Tu es sûre ?

— Oui, c'est la soirée idéale pour boire du champagne.

— Même si tu n'as rien avalé ? Mon Dieu, tu dois être affamée.

— Je suis trop excitée pour manger. Dire que j'ai serré la main de Tim Gunn !

— Je sais, et il a aimé ce que tu portais.

— Non ! s'écria Bree, si surprise qu'elle faillit renverser son verre. Il t'a dit quelque chose ?

Puis elle ferma les yeux et anticipa sa réaction.

— Non, ne dis rien. Ta réponse ne serait que pure politesse.

Charlie ne put réprimer un petit sourire gêné.

— Oui, c'est vrai, il ne m'a rien dit, je l'avoue. Mais, s'il t'avait regardée une minute de plus, il aurait aimé ta robe. Tu es éblouissante.

Bree soupira longuement.

— Je ne m'attendais pas à ce que les choses se passent ainsi. En toute franchise, je ne sais pas quoi penser de tout ça.

— Que veux-tu dire ?

— Je sais que je ne suis pas du tout ton genre de femme. Hier, j'ai vu une photo de toi avec Mia Cavendish. Puis je l'ai vue, elle, à Times Square, sur une affiche pour Victoria's Secret. Rebecca m'a fait une faveur que je n'oublierai jamais, mais toi tu fais plus encore : tu es en train de transformer cette soirée en un moment absolument magique. Mes rêves sont devenus réalité… Je ne sais même pas…

Charlie ne s'attendait pas à ça. Ni dans la limousine ni dans la file d'attente il n'aurait pu croire que, quelques minutes plus tard, il ne rêverait que d'une chose : serrer Bree dans ses bras et l'embrasser jusqu'à lui faire perdre la tête.

Ce que, pourtant, presque malgré lui, il s'empressa de faire.

Incroyable ! Bree se pétrifia sur place. Charlie Winslow était en train de l'embrasser… Il prenait son temps, lentement, comme pour mieux goûter cette première rencontre. Il la taquinait du bout de la langue, attendant sa permission pour aller plus loin.

Elle la lui accorda.

Même là, il se comporta en parfait gentleman. Il ne la brusquait pas, prenant soin de s'accorder à elle. Sa langue glissa dans sa bouche doucement afin de lui laisser le temps de s'habituer à lui. De le savourer. Elle s'attendait à retrouver l'arôme du champagne, mais les lèvres de Charlie avaient un goût de menthe.

Il posa la paume de sa main sur son épaule nue, l'attirant plus près de lui. Un frisson embrasa sa peau, et toute résistance en elle s'évanouit. Ses sens s'abandonnèrent à la bouche voluptueuse qui l'embrassait avec avidité. Elle ne pouvait penser à rien d'autre qu'à ce baiser intense. Charlie inclina la tête sur le côté tandis qu'ils s'exploraient l'un l'autre. Bree sentit peu à peu ses épaules se détendre. Elle reprit son souffle puis revint vers lui, lui en demandant encore et encore. C'était comme une vague qui l'emportait.

La main de Charlie glissa de son épaule vers son dos, réchauffant chaque partie de son corps. Il ne faisait pas froid dans la pièce bondée, mais les caresses de Charlie étaient brûlantes. Les basses de la musique faisaient vibrer la salle, mais Bree tremblait pour d'autres raisons. Elle avait l'impression d'embrasser un dieu.

Ce baiser, c'était la cerise sur le gâteau de cette soirée déjà extraordinaire…

Jamais elle n'oublierait ce moment : l'air que l'on jouait, le pincement de son cœur en entendant Charlie gémir. C'était enivrant, sur tous les plans. Et, soudain, l'idée que cette soirée pouvait être davantage qu'un simple service rendu par Rebecca devint tangible.

Charlie s'écarta un peu d'elle, les yeux brillants. Il se pencha vers elle et lui dit doucement, comme à regret :

— J'aimerais rester ici avec toi, vraiment, mais je dois travailler. Je préfère te prévenir : les personnes que nous allons rencontrer risquent de ne pas te prêter beaucoup d'attention.

— Cela m'est égal, répondit-elle franchement.

Bree n'attendait rien de cette foule, contrairement à Charlie. Pour l'instant, elle était obsédée par ses sensations. Elle sentait ses lèvres gonflées, comme celles d'une adolescente après son premier baiser. Et Charlie avait une bouche si sensuelle qu'elle se retenait à grand-peine de la croquer comme un fruit. Ce baiser dépassait toutes ses attentes. Rien n'avait obligé Charlie à l'embrasser, s'il l'avait fait, c'est juste qu'il en avait eu envie ! A cette pensée, elle vacilla, le souffle court.

— Il va nous falloir plusieurs heures pour faire le tour de la salle, déclara-t-il en balayant la pièce du regard. Avant toute chose, je veux que tu ailles te chercher quelque chose à manger. Je ne pourrai pas t'accompagner d'aussi près que je le voudrais tout à l'heure, et il ne faudrait pas que tu fasses un malaise. Dès que tu en auras l'occasion, grignote quelque chose, va te servir au buffet. Je garderai mon téléphone allumé, je t'entendrai si tu m'appelles.

— Entendu, monsieur Winslow, répliqua-t-elle

d'un air mutin. Allez, vas-y. J'ai hâte de voir ta magie à l'œuvre. J'ai toujours lu avec beaucoup d'intérêt tes blogs sur la Fashion Week. C'était comme si j'y étais.

— Vraiment ?

— Enfin, maintenant que j'y suis, pas exactement, mais c'est assez approchant. Ne le dis à personne, mais je préfère tes articles à ceux de *W*.

— Tu me flattes, répondit-il en souriant.

— Non, dit-elle avec une main sur le cœur. Je pense chacune de mes paroles.

— Alors viens. Allons rencontrer quelques-unes de ces stars…

Bree fut tentée de l'attirer vers elle pour un dernier baiser, s'assurer que tout ça était bien réel, mais elle n'osa pas. En revanche, elle s'imaginait très bien dans le hall de l'immeuble de Charlie, puis dans son ascenseur. Mais ses considérations furent interrompues brusquement. Devant ses yeux, une foule d'icônes se promenait, allait et venait.

Elle eut l'impression d'être un Lilliputien dans le monde de Gulliver, avec Charlie pour guide. Ils naviguèrent entre des tables, des sculptures de glace dégoulinantes, des bouchons de champagne qui explosaient, et toujours, partout, l'intrusion des caméras. Chaque chaîne de télévision couvrant l'événement avait défini son territoire et la lumière des projecteurs se reflétait sur la tente d'un blanc immaculé, créant un halo lumineux tout autour de l'arène.

Ils ne pouvaient pas faire deux pas sans qu'une célébrité s'approche de Charlie. Bree allait de surprise en surprise. Bizarrement, aucun de ces personnages familiers ne ressemblait aux photos ou aux images qu'elle avait vues d'eux. Ils étaient soit plus beaux, soit plus petits, plus maigres, plus blonds que sur les photos qui paraissaient dans *People* ou à la télévision.

Bree était douée pour le maquillage. Vraiment. Elle avait mis un point d'honneur à apprendre les bonnes techniques dans une école d'esthétique près de son université, mais les visages qu'elle croisait évoquaient plus que la simple beauté : ils véhiculaient quelque chose d'irréel, de magique. Et que dire des vêtements…

Les boutiques les plus pointues de Manhattan n'avaient aucun secret pour elle. Elle avait arpenté les rayons de D&G, évidemment, mais aussi de quelques maisons de haute couture qui confectionnaient des costumes et des robes élégants et cousus main, sans oser toucher le moindre bouton. Et, maintenant que ces créations s'étalaient sous ses yeux, elle y voyait de la poésie. Et aussi de l'art. Le style de chaque couturier était aussi personnel qu'un tableau de Picasso ou de Rembrandt.

Face à tant de luxe, Bree se sentit gênée. Elle baissa les yeux. Elle avait conscience de sa tenue modeste et de ses faibles moyens. Pour se consoler de la robe à cinquante mille dollars qu'elle ne pouvait même pas toucher, elle alla grappiller quelques hors-d'œuvre. Des crevettes, des sushis, du filet mignon, tous servis dans de délicates verrines ou de petits plateaux décorés. Si elle n'avait pas été éduquée et si elle ne s'était pas trouvée entourée de toutes ces stars, elle s'en serait donné à cœur joie car tout était délicieux. Le champagne était frais, mais elle allait devoir repasser rapidement au jus d'ananas car, même le ventre plein, l'alcool lui donnait le tournis.

Lorsque Bree se tourna vers Charlie, elle découvrit qu'il avait disparu comme par magie. Elle fit un tour complet sur elle-même, faisant une pause devant chaque petit groupe de célébrités. Ou peut-être devait-elle dire « un cortège de célébrités ? Une « immense superficie de célébrités » ? Non, une « *superficialité* de célébrités » était le mot juste, songea-t-elle en pouffant.

Elle se décida à sortir son téléphone, chercha le numéro de Charlie et lui envoya un SMS.

Je ne te vois pas.

Il pouvait être n'importe où. Elle décida de partir à sa recherche. Et par la même occasion de trouver une bouteille d'eau.

Où es-tu ? CW.

Près d'une des jumelles Olsen. Mais laquelle ?

Je ne les vois pas. Tu n'as rien plus de précis, stp ? CW.

Si. Stella McCartney et sa cour.

OK. J'arrive au plus vite. 10 min… CW.

OK, je te laisse travailler.

Bree allait ranger son téléphone lorsqu'il vibra de nouveau.

Face à moi, 3 personnes qui veulent être dans mon blog. 2 y seront peut-être, mais 0 plaisir sans toi. CW.

Elle rougit d'émotion, mais tâcha de garder la tête froide. Allons, ce n'étaient que des mots en l'air. Peu importe, jamais elle ne supprimerait ce message. Elle pianota frénétiquement sur son portable afin de relire les mots de Charlie. Puis, elle entra dans l'onglet

« envoyer un message ». Ses doigts nerveux couraient sur les touches. Et, alors qu'elle appuyait sur la touche « OK », elle aperçut avec horreur ce qu'elle venait d'envoyer à Charlie.

♥.

Oh non… Elle lui avait envoyé un cœur pour le remercier de sa gentillesse. Un cœur. Mais pas… Oh non ! il allait croire que… Elle pianota à la hâte.

Oups, je voulais dire merci.

… CW.

Bree poussa un soupir de soulagement, toujours un peu paniquée. Puis elle bascula dans le menu vers ses contacts.

Rebecca, j'ai tout gâché !

Comment ça ?

Je lui ai envoyé un ♥

Tu lui as envoyé un ♥ ! ! T'inquiète, c'est parfait !

Mais…

Stop. Fais-moi confiance et souris.

Un nouveau bip annonça l'arrivée d'un autre message. C'était Charlie.

Reste près de Stella. J'arrive dans 2 min. CW.

Bree décida de se fier à Rebecca et sourit. Tout bien réfléchi, son cœur avait été une grossière erreur, rien de plus. Et encore… Un ♥ ne voulait rien dire d'important.

Elle s'en servait avec ses amis tout le temps, et aucun ne croyait qu'elle mourait d'amour pour eux.

Enfin, elle ne pouvait pas se cacher qu'elle était nerveuse. L'ambiance, le rendez-vous avec Charlie. Les sœurs Olsen.

Et ce qui allait peut-être suivre.

D'ailleurs, qu'est-ce qui allait suivre ?

Le baiser volé de Charlie était lourd de promesses et il était évident qu'elle, elle appréciait Charlie. Plus que de raison ?… Après tout, comme c'était lui qui en avait pris l'initiative, c'est bien qu'il ne la trouvait pas repoussante, n'est-ce pas ? Un bon point pour elle. Pourtant, à l'idée de se retrouver de nouveau seule avec lui, elle se sentait fébrile et, pour être honnête, complètement terrifiée. Coucher avec un homme, quel qu'il soit, pour la première fois, était une expérience forcément angoissante. Avec un potentiel d'échec très élevé.

Bree ne connaissait que trop les erreurs que l'on pouvait commettre dans une chambre à coucher. Mais ce n'était pas le moment de songer à ses précédents déboires, songea-t-elle une boule au ventre. Mieux valait partir à la recherche de Charlie, et savourer chaque instant passé dans ce salon qu'elle ne reverrait sans doute jamais, avec cet homme qui déclenchait en elle des frissons d'excitation intense.

Les jumelles Olsen n'étaient plus à côté d'elle, mais Stella McCartney était entourée d'une foule enthousiaste, et il était aisé de comprendre pourquoi. Bree n'entendait pas ce que disait la créatrice, et ne distinguait pas son visage, mais ceux qui l'entouraient étaient tout ouïe et tout sourires. Des sourires d'enfant aux yeux grands ouverts. Le genre de sourires qui vous donnent envie de savoir ce qui se dit. Visiblement, la petite cour prenait un véritable plaisir à écouter la créatrice.

Dans son champ de vision, Bree captura soudain le visage de Charlie. Lui aussi souriait.

Mais il lui souriait… à elle. Elle.

Ce sourire, c'était quelque chose. Bree n'était pas dupe, c'était un sourire de circonstance, mais pourtant, sans savoir pourquoi, elle crut y déceler une pointe d'authenticité. Elle lui répondit avec chaleur. Il y avait dans la salle une foule d'hommes qui faisaient la couverture des magazines. Il y avait aussi beaucoup de mannequins. Mais Charlie tirait son charme de la sincérité de son visage, sillonné par de minuscules rides que l'on aurait gommées sur une affiche revue par Photoshop, mais qu'elle trouvait adorables. Elles lui donnaient du caractère et beaucoup de douceur. C'étaient des rides d'expression creusées par les sourires, et Bree ne pouvait s'empêcher d'y voir un bon signe. Le roi de Manhattan ne cherchait pas à tricher.

Charlie avait trente et un an. Tant mieux. A vingt ans, les hommes avaient quelques… problèmes. Bree, elle, n'était pas encore trentenaire, mais les hommes mûrissaient moins vite que les femmes. C'était une réalité. Charlie serait un merveilleux amant, songea-t-elle en se dirigeant vers lui, à mi-chemin du buffet de desserts. Le baiser qu'il lui avait donné n'était qu'un amuse-bouche. Et le repas s'annonçait des plus délicieux.

— Tu m'as l'air saine et sauve, s'exclama Charlie. Ça m'étonne !

— Pourquoi cela ?

— Tout homme normalement constitué aurait dû se jeter sur toi.

— Arrête.

— Pourquoi ? Je le pense vraiment. Je te le répète ; ça m'étonne qu'on ne t'ait pas enlevée ! Pourquoi crois-tu que je me sois dépêché de te retrouver… même si je sais que tu es une grande fille capable de se défendre ?

— Et sur quoi fondes-tu ces affirmations ?

— Sur ce que j'ai pu observer. Toi avec Mick Jagger, par exemple.

Charlie glissa une main en bas de son dos. Bree ferma les yeux une seconde sous l'effet de la caresse.

— Alors, que veux-tu voir maintenant ?

— Ma foi, la vue que nous avons ici me convient parfaitement.

La musique cessa momentanément et Bree entendit Charlie soupirer. Les musiciens sur la scène avaient fini leur prestation et un DJ s'apprêtait à passer une play-list.

— On fait un autre tour ? proposa Charlie. Je te promets de ne pas traîner en chemin… En revanche, tu pourras t'arrêter où et quand tu voudras.

— Merci, c'est trop aimable, dit-elle d'un ton espiègle.

— C'est que je suis d'humeur magnanime, répondit Charlie en jouant le jeu.

Il appela un serveur.

— Jus d'ananas ? Champagne ? Pâtisserie ?

Elle montra sa bouteille d'eau.

— J'ai déjà tout ce qu'il me faut.

Charlie resserra son étreinte autour de sa taille et ils avancèrent lentement au milieu de la foule. Bree avait vraiment le sentiment d'être une princesse. Naturellement, elle l'enlaça à son tour et, alors qu'ils arrivaient au niveau de la grande sculpture de glace représentant le *David* de Michel-Ange, elle posa la tête sur son épaule. Il y avait de nombreux endroits qu'elle aurait souhaité visiter, de nombreux groupes auprès desquels elle aurait aimé s'arrêter, car ses chances de revoir un jour tant de stars réunies étaient presque nulles. Mais même Michael Kors en personne ne pouvait briser le charme qu'elle ressentait en présence de Charlie, son prince d'un soir.

- 5 -

Après une longue attente, la limousine arriva enfin. Grâce à Dieu, Charlie connaissait le chauffeur car, à l'exception de quelques Hummer et Bentley étincelantes, toutes les voitures se ressemblaient. Bree put apprécier une nouvelle fois la galanterie de Charlie quand il s'empressa de lui ouvrir la portière. Elle se coula lentement sur le siège arrière de la voiture, suivie de Charlie qui l'attira vers lui, le bras enroulé autour de ses épaules. Un geste qui ne la laissa pas indifférente.

— C'était merveilleux, dit-elle en se frottant les mains pour se réchauffer.

— En effet. Tout le monde a sorti le grand jeu ce soir.

— Je n'arrive toujours pas à croire que tout cela est vraiment arrivé, que ce n'était pas un rêve.

— Non, ça ne l'était pas, dit-il en accentuant légèrement la pression de sa main sur son épaule. Dès demain, toutes les photos et les vidéos de la soirée seront sur mon blog. Je t'en ferai une copie si tu veux.

Bree lui lança un regard étonné.

— Vraiment, de tout ?

— Oui. Sur un CD, afin que tu puisses t'amuser sur Photoshop avec qui tu voudras. Rends-moi juste un service : ne les publie pas. Ce pourrait être gênant pour moi.

— Je te le promets. Je vais économiser jusqu'au moindre centime pour m'acheter une imprimante couleur, mais, juré, je ne publierai rien. Je n'abuserai pas de mon privilège.

— Je ne suis pas inquiet, répondit-il avec un sourire très doux.

Oh mon Dieu ! Ce sourire… Il l'aimantait.

— Comment peux-tu être si sûr de toi ? Dans le fond, tu ne me connais pas. Je pourrais être n'importe qui. Une concurrente. Que ferais-tu dans ce cas ?

— Je n'ai aucune crainte de ce genre. Je sais que Rebecca t'apprécie beaucoup.

— Mais elle aussi me connaît à peine.

— Rebecca a beaucoup d'intuition concernant les gens. Tu gagneras à rester son amie. Ne lui dis pas ce que je t'ai dit, poursuivit-il sur le ton du secret, mais elle est intelligente, très intelligente. La plus intelligente de la famille, et chez nous, pourtant, il y a des juges et des politiciens !

— Justement. Dernièrement, j'ai vu toutes ces affiches d'Andrew Winslow III. Je n'y avais jamais pensé avant aujourd'hui. C'est quelqu'un de ta famille ?

Le visage de Charlie s'assombrit.

— Oui, c'est un cousin, et je ne l'aime pas beaucoup. Pas plus que les autres membres de ma famille, à l'exception de Rebecca.

Curieux, ce dégoût pour sa famille, songea Bree. Ou triste, plutôt. Bree était à l'opposé de lui sur ce plan ; elle ne savait pas ce qu'elle aurait fait sans le soutien et l'amour de ses proches. Voyant que Charlie s'était soudain renfermé, Bree relança la conversation sur Rebecca. Mieux valait lui parler des personnes qu'il appréciait.

— Rebecca est une fille très drôle, et je m'amuse beaucoup avec elle. J'aimerais un jour connaître New York aussi bien qu'elle, avec tous ses petits endroits cachés et ses secrets.

— Pourquoi New York ?

— C'est le Chrysler Building qui a tout déclenché. J'adore le style Art déco, même si je n'en avais jamais entendu parler avant d'avoir vu ce bâtiment. Puis j'ai découvert la mode, le théâtre et toutes ces choses incroyables que l'on peut trouver à New York à chaque coin de rue. Je suis tombée amoureuse de la ville bien avant d'y avoir mis les pieds. Et aussi grâce à Woody Allen, et à l'œuvre de George Gershwin. Je pense que j'ai dû vivre ici dans une autre vie. Non pas que je croie en la réincarnation, mais, si jamais cela était possible, je sais que j'aurais vécu ici. Je m'y sens chez moi. Ici, c'est tout l'un ou tout l'autre : ton cœur bat au rythme de la ville ou non. C'est une sensation que je n'ai éprouvée nulle part ailleurs. Si tu fais partie des élus, Manhattan devient ton foyer et, chaque fois que tu y reviens, c'est comme si tu respirais de nouveau. C'est du moins ainsi que je le ressens.

Elle lui sourit comme s'ils venaient de partager un secret. Puis elle inclina la tête et s'appuya doucement contre l'épaule de Charlie.

— Merci, soupira-t-elle. Cette soirée est digne d'un roman.

Charlie ferma les yeux et la serra plus fort. Les mots que venait de prononcer Bree résonnaient en lui. Elle avait raison. La soirée avait été magique. Il avait même eu du mal à s'éloigner d'elle pour aller travailler. Depuis quand cela ne lui était-il pas arrivé ? Il était incapable de s'en souvenir.

Bien sûr, il appréciait les femmes avec lesquelles il sortait. Il les aimait toutes, même, avec des préférences très marquées pour certaines. Inutile de le nier. Mais il ne sortait pas uniquement avec elles pour se divertir. Elles faisaient partie intégrante de l'image qu'il s'était forgée pour son blog. Certaines étaient très jolies quand d'autres avaient de la conversation. Mais souvent les deux n'allaient pas de pair. Il y avait des femmes splendides, au physique idéal, qui ne pouvaient pas aligner deux mots correctement.

Bree ne leur ressemblait en rien.

Jusqu'à présent, elle n'avait cessé de le surprendre, sur tous les plans. En fouillant bien sa mémoire, il avait cherché quand une femme l'avait surpris pour la dernière fois. Les scandales étaient devenus monnaie courante de nos jours, qu'ils soient savamment organisés, inventés ou non. Les fêtes n'étaient que des excuses pour être vu, entendu ou photographié. Tout était livré en pâture à la presse, et Charlie était à la fois le grain et le meunier. Alors, les surprises ? Il n'y en avait pas vraiment dans sa vie.

Il brûlait d'en savoir plus sur celle dont il percevait à l'instant la douce chaleur et le parfum délicat. D'ordinaire, la présence d'un corps, l'odeur intime, la douceur de la peau étaient des choses qu'il sentait, mais dont il ne concevait guère d'émotion. Il s'était toujours intéressé aux gens, certes, et c'était la raison pour laquelle il avait lancé son blog. Ça, et aussi pour contrer les plans que ses parents avaient conçus pour lui. Mais, là, il voulait vraiment tout connaître de Bree, sa vie, les raisons de son arrivée à New York, ses espoirs et ses ambitions. Il avait compris que ses projets étaient liés au milieu de la mode. Cette robe qu'elle portait, l'avait-elle vraiment créée ? Pour se distinguer ? Il évoluait dans le monde des créateurs depuis longtemps, mais il n'était pas un spécialiste pour autant. D'après ce qu'il avait pu constater, sa robe était jolie. Elle mettait en valeur ses formes, le grain de sa peau, ses courbes et le galbe de ses cuisses. Il l'aimait beaucoup. Mais était-elle à la mode ? Il n'en savait rien.

Charlie s'interrogeait. Pourquoi vouloir en savoir plus sur elle ? Même si Rebecca et Bree étaient amies, il ne la reverrait probablement plus. Son emploi du temps était tellement millimétré. Son agenda social était en effet le reflet de ses obligations et non de ses envies. Et même s'il aimait bien Bree… Bree comment déjà ? Il avait oublié son nom de famille. Peu importe… Bree, donc, ne figurait pas dans son agenda. C'était impossible. Quelles que soient les raisons qui avaient poussé sa cousine à organiser ce rendez-vous, il n'était pas question pour lui de se ranger. Il l'avait compris à l'instant même où il avait posé ses yeux sur cette fille de l'Ohio. Mais il ne regrettait pas le temps passé avec elle car elle avait embelli sa soirée.

Il l'avait vue rayonner de bonheur, éblouie par tant de luxe et par toutes les stars qui les entouraient. Il devait l'admettre : elle s'était merveilleusement bien tirée des nombreux défis qui s'étaient présentés à elle, sans jamais chercher à masquer son excitation. Elle n'était même pas consciente d'être sortie du lot. D'ailleurs, il avait le sentiment qu'elle se sentirait gênée si elle savait qu'elle avait brillé comme une étoile chaque fois qu'elle avait vu une célébrité. La groupie idéale, en somme, qui ne crie pas et ne s'extasie pas à tout bout de champ en répétant en boucle « Oh ! mon Dieu ! » Bree brillait simplement d'une lumière intérieure, charmante lorsqu'elle se mordait timidement les lèvres dès que l'émotion la submergeait.

Il huma son parfum subtil, heureux de constater que les lourds effluves de la soirée n'en avaient pas eu raison. Puis, brusquement, il réalisa avec stupeur qu'il n'avait pas cessé de caresser le bras de Bree depuis qu'ils étaient partis. Son geste était si naturel qu'il ne s'était rendu compte de rien ! Au moment où la voiture s'arrêta, elle paraissait détendue et paisible. Il croisa alors son regard épuisé. Une overdose d'adrénaline, sans doute.

Au même moment, Bree se redressa sur son siège, lorgna le bâtiment puis se tourna vers lui.

— Le moment est venu de nous souhaiter bonne nuit ? demanda-t-elle.

Il faillit acquiescer, mais s'entendit prononcer :

— Seulement si tu le veux.

Elle lui lança un regard étonné, puis ses lèvres s'étirèrent en un sourire timide. Après une seconde d'hésitation, elle le regarda d'un air inquiet, comme si elle ne le croyait pas sincère.

— C'est très aimable à toi, mais ne t'embête pas… Enfin, je veux dire, c'était…

— Tu travailles demain ? l'interrompit-il.

Elle hocha tristement la tête.

Charlie se tut une fraction de seconde.

— Tu veux monter quand même ?

Bree se sentait à la fois fatiguée, excitée et inquiète. Avait-elle bien compris la situation ? Elle inspira brièvement en se remémorant leur baiser et la façon dont Charlie l'avait touchée dans la voiture. Si elle s'était trouvée dans l'Ohio, elle aurait su exactement ce qu'il attendait d'elle. Mais à New York ? Elle était prête à prendre ce risque.

— Eh bien, balbutia-t-elle, oui, pourquoi pas ?

Tendue à l'extrême, elle pria le ciel pour que son anxiété ne se remarque pas. Dire qu'elle s'apprêtait à monter dans l'appartement de Charlie ! Elle ne s'autorisait même pas à penser à sa chambre…

Il l'aida à descendre de la limousine et glissa un bras autour de son épaule pendant qu'elle remerciait le chauffeur. Sans échanger un mot, ils saluèrent le portier et traversèrent le hall. La main de Charlie était désormais posée dans le creux de ses reins, diffusant une douce chaleur.

Ils restèrent silencieux dans l'ascenseur. Bree se tenait très raide à côté de lui. Dans la voiture, en sentant sa main la caresser doucement, elle avait éprouvé une sensation merveilleuse. Elle avait essayé de sonder son regard dans le reflet des vitres, mais son expression était restée indéchiffrable.

Au dix-huitième étage, les portes de l'ascenseur s'ouvrirent directement sur un petit hall qui conduisait à l'entrée de l'appartement. Charlie ouvrit la porte et recula d'un pas pour la laisser entrer.

Elle qui avait si souvent lu les magazines de décoration ou regardé les émissions télévisées sur le sujet, qui avait rêvé sur les photos des villas de stars et de milliardaires, ne put retenir un petit « oh » d'émerveillement en découvrant la pièce. Elle n'était pas préparée à tant de beauté et d'élégance.

— C'est…, dit-elle à court de mots en se dirigeant directement vers les grandes baies vitrées qui couvraient presque la totalité du mur en face d'elle.

Quelle vue spectaculaire ! songea Bree en se délectant du spectacle de Central Park illuminé dans toute sa gloire hivernale.

Elle aurait aimé contempler le mobilier, le magnifique sol en damier noir et blanc de style Art déco, la superbe cheminée en marbre et tout ce que l'immense pièce pouvait receler comme surprises. Mais elle ne pouvait détacher les yeux de la ville. A une telle hauteur, la vue à couper le souffle offrait un aperçu trop vaste pour être embrassé d'un simple regard. Mais Bree pouvait se rendre en haut de n'importe quel gratte-ciel de Manhattan pour jouir d'une vue similaire. Pour admirer Charlie, en revanche, elle ne pouvait pas en dire autant. C'était ce soir ou jamais.

— Tu veux boire quelque chose ? demanda-t-il soudain.

Elle se tourna vers lui, indécise.

— Tu as du thé ?

Elle avait terriblement soif.

Charlie semblait complètement désorienté et elle comprit qu'il ne s'attendait pas à une telle requête.

— Je pense que je vais pouvoir trouver ça, répondit-il calmement. Donne-moi quelques minutes et mets-toi à l'aise.

Charlie suspendit son manteau au dossier d'une chaise avant de disparaître dans la cuisine. A travers les portes battantes, elle entr'aperçut le mobilier en Inox et un placard en teck. Bizarre que Charlie n'ait pas plus réagi lorsqu'elle lui avait parlé de son amour pour le style Art déco. A moins qu'il n'ait pas choisi lui-même la décoration de son appartement ?

Ce n'était pas tant leurs goûts communs qui lui paraissaient étranges à cet instant, mais sa propre réaction vis-à-vis de Charlie. Il la fascinait, c'était une évidence. Ce qui l'amenait à la question suivante : aurait-elle accepté une telle invitation de la part de quelqu'un d'autre que Charlie Winslow ? Etait-elle vraiment attirée par lui, comme sa peau frissonnante ou le souvenir de leur baiser le lui laissaient croire, ou était-ce sa notoriété qui l'excitait et lui donnait envie de déchirer ses vêtements pour lui faire toutes sortes de choses ?

Bree ouvrit son sac et sortit la carte relative à Charlie. Après un rapide coup d'œil pour s'assurer qu'il ne pouvait pas la voir, elle relut les indications figurant au dos.

« Restaurant préféré : Grand Central Oyster Bar

Mari, petit ami ou aventure d'un soir : un soir est son maximum, mais la nuit sera fabuleuse !

Son secret le mieux gardé : au fond de lui, il est très vieux jeu. Etonnant, non ?

Attention : cet idiot est obsédé par son travail. Il a besoin de faire une pause.

Point le plus important : amuse-toi et sois toi-même ! »

Bree sourit en lisant les réponses personnelles que Rebecca avait ajoutées. Une chose était certaine : cette carte n'était pas prête de retourner dans la pile. C'était un cadeau que Rebecca lui avait fait à elle, et Bree ne voulait pas gâcher la magie de la soirée par son manque d'assurance.

En veillant toujours à ce que Charlie ne la voie pas, elle se replongea dans l'observation du recto de la carte, côté photo. Objectivement, Charlie était plutôt beau. Que ce soit dans les magazines, à la télévision ou sur internet, elle avait déjà pu le constater. Mais, si elle se sentait attirée par lui de tout son être, elle subodorait que cette attirance n'était pas seulement due à son physique.

Bree avait un peu d'expérience. Autrefois, à l'université, et ici, à New York, elle avait fait la connaissance de plusieurs garçons séduisants. Elle avait tiré du plaisir de ces courtes aventures, même si elle n'était pas coutumière du fait. Alors, ce soir, pourquoi restait-elle chez Charlie ? Certainement pas pour boire du thé.

Son cœur battait la chamade et elle se sentit comme à bout de souffle. La réponse était évidente : elle désirait Charlie au plus profond de sa chair. Elle l'aurait désiré même s'il n'avait pas été le roi de Manhattan. Il était à lui seul une surprise. Magnifique. Captivante. Au cours de la soirée, il avait accepté de partager avec elle les secrets de son monde pour l'aider à en découvrir toutes les facettes, pour la mettre à l'aise. Cela avait été une marque d'attention et de grande délicatesse. Il s'était lancé à sa recherche, il avait ri de ses mauvaises blagues, et l'avait réchauffée. Son baiser avait été si…

Cependant, ce soir, elle devrait se montrer prudente. Surtout s'ils finissaient ensemble au lit… Ce n'était pas certain — les signaux qu'elle recevait de la part de Charlie venaient d'un univers si différent du sien, ses insinuations étaient si insondables… —, mais, le cas échéant, il lui faudrait faire très attention.

Car elle se sentait bien avec lui. Le danger était là.

Par exemple, que ferait-elle s'il s'avérait un piètre amant, avec un minuscule pénis, ou s'il lui demandait d'essayer ses sous-vêtements ?

Depuis son arrivée à New York, elle avait rencontré deux hommes avec lesquels elle avait connu des aventures très excitantes, mais sans risques. Avec Charlie, c'était différent. Allons, Charlie pouvait bien avoir toutes ces faiblesses, Bree savait bien que, en réalité, le danger ne se situait pas là. Non, sa véritable crainte, c'était de se laisser aller à de vrais sentiments. D'éprouver pour lui un attachement susceptible de lui attirer des ennuis. Car se lier à un homme ne faisait pas partie de son plan quinquennal. C'était même le seul événement capable de transformer cette formidable rencontre en un désastre innommable.

Après avoir rangé la carte dans son portefeuille, Bree s'assit sur l'accoudoir d'un magnifique canapé de cuir blanc, afin d'attendre Charlie. Mais pourquoi mettait-il autant de temps ? En laissant glisser son regard sur la ville, elle se souvint de son amie Susan qui partageait sa chambre à l'université. Elles étaient devenues amies dès le premier jour. Susan avait décidé de suivre des études de sciences politiques. Elle était en classe préparatoire de droit et avait déjà choisi les trois écoles où elle souhaitait entrer. C'était elle qui avait convaincu Bree de l'efficacité et de la sagesse du plan quinquennal. Son amie était intelligente. Elle avait une mémoire phénoménale, un esprit vif et beaucoup de prestance. Bree l'imaginait très bien en future sénatrice ou même en présidente.

Puis Nick était arrivé.

Susan était peu à peu tombée amoureuse de lui. Tellement amoureuse, même, que cet amour était devenu plus important pour elle que ses projets. Bien sûr, elle avait fini son droit, mais, alors que les prestigieuses universités de Yale et Harvard l'avaient toutes les deux sollicitée, elle avait préféré entrer à UCLA juste pour suivre Nick. Bree avait été demoiselle d'honneur à son mariage, et elles étaient restées en contact via Facebook.

Depuis, Susan avait eu un enfant, et elle était femme au foyer. Cela lui convenait très bien, assurait-elle.

Sauf qu'elle n'avait pas réalisé son rêve.

Si cet événement n'avait concerné que Susan, Bree n'y aurait pas accordé beaucoup d'importance. Mais ce n'était pas tout. Presque toutes ses amies de lycée et d'université avaient, d'une façon ou d'une autre, renoncé à leurs rêves au nom de l'amour. La statistique était terrifiante.

Bree n'avait rien contre les relations amoureuses, mais elle n'en voulait pas à ce stade de sa vie. Elle n'envisageait même pas de se marier avant ses trente ans, pas plus qu'elle n'imaginait avoir des enfants avant cet âge. D'ailleurs, était-elle sûre d'en vouloir ? Elle n'y avait encore jamais réfléchi. Mais la question présente était bien plus grave. Jusqu'où allait son attirance pour Charlie ? Pourrait-elle se contenter d'une simple nuit ?

Bree tenta de garder les pieds sur terre. Evidemment, les chances qu'il l'apprécie en retour étaient maigres, infimes, même. Il avait été exquis avec elle ce soir, mais les choses pour lui s'arrêteraient là. Ses chances avec lui équivalaient à celles de trouver les bons numéros au Loto. Et, d'une certaine façon, c'était encore pire, car même s'il ne s'agissait que d'une aventure d'un soir, et même si elle s'entichait un peu de lui, elle avait toutes les raisons de croire que la chambre de Charlie allait se charger d'étincelles. Et, se connaissant, elle risquait de s'éprendre de Charlie et de devenir folle de lui. Ce qui était totalement improductif pour la réalisation de son plan.

Bree appuya sa tête contre le cuir du canapé et soupira. Coucher ou non avec Charlie était une décision bien plus compliquée à prendre que ce qu'elle avait d'abord cru. Heureusement qu'elle ne s'était pas laissée aller à boire trop de champagne !

Mais l'absence de Charlie commençait à devenir étonnamment longue. Que se passait-il ? Une inquiétude sourde montait en elle. Quittant le canapé, elle se dirigea vers la cuisine avec l'espoir que rien ne lui soit arrivé. Au même moment, la porte s'ouvrit et Charlie arriva chargé d'un plateau en argent où étaient disposée une vraie théière en porcelaine décorée de fleurs, avec deux tasses et leurs soucoupes assorties. Plus un petit pot de lait, un bol avec des morceaux de sucre, une pince à sucre (elle n'en croyait pas ses yeux), des rondelles de citron et un passe-thé. En s'approchant plus près, elle remarqua différentes boîtes à thé aux noms plus enchanteurs les uns que les autres. Elle contempla Charlie les yeux brillants et il lui rendit son regard. Quel service !

Une part d'elle eut envie de rire tandis que l'autre cherchait le sens réel de tant d'égards.

— Il semblerait que je possède un service à thé, déclara Charlie d'un air espiègle. Je l'ignorais jusqu'à aujourd'hui. Je ne cuisine pas beaucoup et c'est ma femme de ménage qui range la cuisine. Mais, en le voyant, je me suis dit : pourquoi pas ? Peut-être que cette occasion ne se présentera plus jamais ?

— Je vois. Oh ! Tu as même apporté des biscuits ?

— Des petits sablés anglais. Tout frais, à en croire l'emballage.

Charlie posa le plateau sur la table basse après qu'elle l'eut débarrassée de ses magazines.

— J'ai l'impression que ma femme de ménage aime beaucoup le thé. Elle vient ici trois fois par semaine mais, jusqu'ici, je n'avais pas prêté attention à ses habitudes alimentaires. En revanche, ce service à thé est bien du goût de ma mère.

— Dire que je m'attendais à un mug avec un simple sachet Lipton. Mais ça fera très bien l'affaire.

— Heureux de te l'entendre dire…

— Je ne sais pas lequel choisir, dit Bree en examinant le plateau.

Il y avait de la camomille, de l'Earl Grey, du Darjeeling, et un autre qu'elle ne connaissait pas estampillé British Blend. Elle le pointa du doigt.

— J'en fais une théière ? demanda-t-elle.

— Je t'en prie. Choisis ce qui te fait envie.

Bree n'avait pas l'habitude de consommer du thé en vrac, mais elle savait le préparer. Elle versa les feuilles dans l'eau chaude avant de les laisser infuser, puis se servit de la pince pour plonger délicatement un sucre dans sa tasse, avec un nuage de lait. Elle attendit nerveusement, consciente de la proximité de Charlie sur le canapé.

La sensation n'avait rien à voir avec ce qu'elle avait vécu dans le courant de la soirée. Maintenant, elle se trouvait dans l'intimité de Charlie, et elle savait que la chambre à coucher était toute proche, à quelques mètres de distance.

Dans les minutes à venir, il n'y aurait pas dix mille possibilités : soit elle continuait à lui parler décoration en attendant qu'il fasse le premier pas, soit elle prenait son courage à deux mains et lui demandait s'ils n'allaient pas partager autre chose que du thé.

— Je vois que tu aimes le style Art déco, lança-t-elle, suivant la première option.

Charlie leva les yeux vers elle, la pince à sucre suspendue au-dessus de sa tasse.

— Oui, en effet.

Sa réponse lui arriva au milieu des jurons qu'elle se lançait intérieurement. Allons, du nerf ! Elle n'était pas une poule mouillée, ça non. Cette idée la dégoûtait. Ce n'était pas digne d'elle. La seule façon de se prouver qu'elle avait du cran était donc de passer à l'acte.

— Tout l'appartement est décoré dans ce style ? demanda-t-elle d'une voix qu'elle aurait voulue suave et sexy, et non horriblement hésitante. Ta chambre aussi ?

Malgré ses efforts, elle frémissait de tout son corps. Même une adolescente de quinze ans aurait mieux fait qu'elle.

Le sucre tinta dans la tasse de Charlie en tombant, et il lui décocha un sourire.

— Après le thé, je peux te faire visiter l'appartement, si tu veux.

Bree acquiesça puis se chargea de servir la boisson fumante à l'aide du passe-thé. Elle avait suffisamment parlé, mais Charlie ne fit rien pour l'aider à combler le silence. Peut-être était-il en train de l'observer ou alors, au contraire, peut-être regardait-il au loin par la fenêtre. Mais elle demeura la tête obstinément baissée. Elle n'osait pas croiser son regard. Elle avait déjà beaucoup à faire pour calmer le tremblement de ses mains et garder les idées claires. Dans les secondes qui venaient de s'écouler, quelque chose s'était passé. Elle l'avait compris à la manière dont sa voix était devenue grave. Ses murmures avaient glissé sur sa peau, comme une promesse chaude et vibrante.

Cette fois, il la fixait. Elle sentait l'intensité de son regard électriser l'air autour d'eux. Oui, il avait les yeux braqués sur elle et attendait, à l'affût. Bree reposa la théière, saisit sa tasse et avala une petite gorgée. Elle aurait été incapable de dire quel goût avait le thé. Elle ne perçut que la brûlure de la boisson, consciente du silence qui s'étirait entre eux. Les choses semblaient si irréelles… La pince à sucre en argent, et l'heure tardive qui lui donnait l'impression que le temps s'était figé. Bree plongea de nouveau ses lèvres dans la tasse, si fine et délicate qu'elle dut lever son petit doigt pour boire.

Elle finit par croiser le regard de Charlie, qui l'observait toujours fixement. Il porta à son tour la tasse à ses lèvres et but en silence. Il avait de grandes mains aux longs doigts. Il ne la quittait pas du regard. Allait-il laisser son regard glisser sur son décolleté plongeant, ses cuisses que révélait l'ourlet retroussé de sa robe ?… Elle en rougissait déjà et il ne manquerait pas de le remarquer.

Le regard de Charlie était incroyablement sexy. Il avait d'immenses yeux noirs qui la contemplaient sans ciller. Comme s'il voyait en elle plus que ce qu'elle voulait montrer.

A chaque seconde, la chaleur s'intensifiait. Elle devint bientôt insupportable.

— Le thé est très bon, s'entendit-elle affirmer en détournant les yeux, surprise du calme de sa propre voix.

Charlie humecta ses lèvres.

— Je n'ai aucune idée de ce qu'est le British Blend, balbutia-t-elle, de plus en plus troublée. Mais on peut dire que ça a bien le goût du… thé.

Charlie posa sa tasse. Quelque chose allait se passer.

— Il y a une fenêtre dans ma chambre, commença-t-il de sa voix grave, sourde, pareille à un orage lointain. J'aimerais que tu retires lentement ta robe, que tu la fasses glisser le long de ton corps. Cela fait des heures que je me demande ce qu'elle cache. Je parie que tes dessous sont noirs, peut-être de soie, mais noirs. Tu seras merveilleuse, debout près de la fenêtre, avec les lumières de la ville derrière toi.

Bree faillit en lâcher sa tasse. Elle se sentit gauche et mal à l'aise tandis qu'une bouffée de chaleur l'envahissait. Dire qu'elle s'était efforcée de rester calme, raisonnable, d'analyser les événements. Voilà qui renversait tout ! Ces quelques mots lui faisaient perdre la tête.

Elle avait l'impression d'avoir basculé dans une autre dimension. Elle ne connaissait absolument aucun homme capable de prononcer de telles phrases, sur ce ton et avec ce regard. En d'autres circonstances, elle aurait presque pu croire qu'il s'adressait à un mannequin ou à une actrice assise à côté d'elle, mais certainement pas à elle, Bree Kingston.

— Bree ?

Le sourire de Charlie était doux, contrôlé, tandis qu'elle hésitait.

Bon sang, mais pourquoi hésitait-elle ? Dans quelques secondes, peut-être que ses jambes réussiraient enfin à lui obéir.

Charlie se leva et lui tendit la main. Le cœur de Bree battait au rythme intense d'un air de tango, dans un tourbillon de désir et d'étrangeté. Elle posa sa tasse, se leva doucement, sans trébucher, sans émettre le moindre bruit déplacé.

Mais, alors qu'elle s'attendait à ce que Charlie l'attire vers lui, c'est lui qui s'approcha d'elle, envahit sa bulle intime. Son corps se plaqua contre le sien, de la poitrine aux cuisses. Il était chaud et grand. Son parfum viril de forêt se répandit autour d'elle, comme pour se mêler à sa propre odeur. En levant son visage vers lui, elle croisa son regard hypnotique, si proche, si fort, et sentit son souffle lui caresser les lèvres. Son cœur allait éclater. Lorsqu'il se pencha vers elle, elle ferma les yeux au dernier moment, et puis, et puis…

- 6 -

Charlie serrait Bree contre lui, la pressait sur son corps tout en l'embrassant. Depuis qu'il avait posé ce ridicule plateau sur la table, il se sentait terriblement excité. Bree n'était pas son type de femme, aucun doute là-dessus, mais elle était…

Si *petite*… Mince n'était pas le terme approprié, beaucoup de femmes étaient minces, c'était un état de fait qui ne provoquait chez lui aucun sentiment particulier. Non, Bree était minuscule, délicate. Il avait envie de l'encercler entièrement de ses bras, de la soulever du sol pour la porter jusqu'au lit. Et cette idée était encore plus absurde que celle du service à thé car il n'était pas romantique pour un sou, ni suffisamment ivre pour que son imagination prenne le dessus. Mais ce corps si fin et charmant le rendait fou. Quand ses mains glissèrent sur la robe noire de Bree pour se poser sur ses hanches et ses fesses, il se prit à l'imaginer nue, caressant chacune de ses courbes. Le rythme de son cœur s'accéléra.

Mais, au lieu de céder à l'urgence de son désir, il recula à petits pas dans le salon, l'entraînant avec lui. Il n'avait pas besoin de voir, pas encore. Profiter de ce moment. Le savourer. Le couloir formait un petit dédale avant de conduire à sa chambre, ils avaient tout le temps.

Ils s'embrassaient et avançaient en une danse étrange. Charlie cherchait de ses doigts la peau nue de Bree, s'attardait sur la douceur des épaules, de la nuque ou des bras. Bree frissonnait, comme pour mieux répondre à ses caresses.

La chambre était démesurément grande pour Manhattan. Il l'avait décorée d'un somptueux tapis et de draps outrageusement fins. Près de son immense lit trônaient des bouteilles d'eau et des préservatifs. Bree mit fin à leur baiser par un halètement sourd puis reprit son souffle avant de lui décocher un sourire.

Charlie désigna d'un signe de tête le mur entièrement vitré. Les volets électriques étaient levés et offraient une vue imprenable sur la ville.

— Ici, dit-il. Mets-toi ici.

Bree se retourna et poussa un petit cri émerveillé.

— C'est magnifique, s'extasia-t-elle.

— Mais peu de chose comparé à d'autres.

Il prit la main de Bree et la guida plus près des baies vitrées. Puis il l'embrassa de nouveau, approfondissant son baiser, la taquinant de sa langue tandis que ses mains trouvaient la fermeture Eclair de sa robe. Il entendait sa respiration saccadée et sentait battre son cœur très fort pendant qu'il caressait sa peau nue. Doucement, il descendit jusqu'au bas de son dos. Lorsqu'il atteignit la dentelle de son string, une onde violente de désir s'empara de lui. Ce simple contact lui donna la force de se détacher de sa bouche chaude et humide. Il devait la voir nue, entièrement nue, c'était un besoin impérieux.

La robe glissa jusqu'aux pieds de Bree. Elle était encore plus belle que ce qu'il avait imaginé. Son string n'était pas noir, mais rouge. Rouge foncé, et minuscule. Le contraste qu'il formait avec sa peau pâle l'excitait terriblement, intensifiant encore plus son désir.

Charlie se surprenait lui-même. Bree était ravissante, vraiment, mais pas de manière conventionnelle. Elle était parfaitement proportionnée, fine, mais pas au point d'être dépourvue de toutes formes. Le bas de son ventre était même légèrement rebondi, ce qui lui donna envie d'y poser sa tête. Et ses seins, si ronds, si fragiles… quels seins ! Leurs petits mamelons rose pâle et leurs tétons fermes et dressés semblaient n'attendre que ses baisers. Il avait envie de les dévorer.

Bree se dégagea de sa robe et il s'émerveilla de la voir ainsi, uniquement parée d'un string couleur rubis, perchée sur ses hauts talons, debout devant lui. Elle était sublime… et à seulement deux mètres de lui, consentante et impatiente.

Charlie se débarrassa rapidement de ses propres vêtements en tâchant péniblement de calmer ses ardeurs. Puis il s'approcha lentement de Bree, tous ses sens à vif.

Il l'embrassa de nouveau et, cette fois-ci, il la sentit trembler dans ses bras. Ce tremblement l'électrisa. Mon Dieu ! il allait céder à son envie insensée de la porter dans ses bras. Alors même qu'il se faisait cette réflexion, il la soulevait de terre pour l'emmener dans le lit. Elle était aussi légère qu'une plume et sa peau, qui frissonnait doucement, était douce comme du satin. Bon sang, mais quel idiot, il aurait dû d'abord tirer le couvre-lit ! Il y avait une montagne de coussins dessus. Elle eut un rire délicieux lorsqu'il la reposa à terre. A la hâte, ils débarrassèrent le tout avant d'écarter la couette.

Quand Bree, assise au bord du lit, se pencha en avant pour retirer ses escarpins, Charlie émit un petit bruit, entre grincement et gémissement. Bree lui sourit et se redressa. Ses yeux assombris par le désir brillaient d'un éclat à la fois espiègle et lascif. Lorsqu'elle s'avança vers lui à quatre pattes sur le matelas, il émit un autre bruit, un grognement qui venait tout droit du creux de ses reins. Bree avançait lentement sur le lit. Ses hanches se balançaient doucement, comme une invitation. Selon l'angle de ses mouvements, il percevait même son string qui se détachait sur sa peau blanche.

Lorsqu'elle atteignit la tête du lit, elle se coucha en prenant la pose et lui sourit, les joues roses et le souffle court. Puis elle enroula les mains autour des barreaux du lit. Ses cheveux sombres se détachaient nettement sur le blanc de la taie d'oreiller, formant comme un halo autour de sa tête. Bree leva les jambes, pointes de pied tendues, et les croisa et les décroisa à la manière d'une pin-up tout droit sortie des années quarante. Comme une sirène. Comme un rêve.

Ce fut un miracle s'il ne se jeta pas sur elle. En réalité, il n'avait jamais désiré autant une femme. Après une profonde inspiration, il prit tout son temps pour la rejoindre sur le lit, mais dut fermer les yeux avant de la toucher. Car, sinon, il ne répondait plus de lui.

Lorsqu'il lécha lentement l'intérieur de sa cuisse, il la sentit trembler sous sa langue.

Bree retenait son souffle. La bouche de Charlie remontait lentement vers le haut de sa cuisse, provoquant en elle des frissons incontrôlables. La pose sexy qu'elle avait adoptée ne lui ressemblait pas, mais, ce soir, elle n'était pas la même. Elle avait envie de lui et était prête à tout. Son désir seul la guidait. Elle aurait aimé qu'il se dépêche ; ses lèvres chaudes s'attardaient maintenant tout près de la zone la plus sensible de sa peau, là où sa cuisse rejoignait son string.

Charlie avait pris sa cheville gauche dans sa main, et avait soulevé sa jambe pour mieux l'embrasser tout en remontant, pendant que son autre paume caressait sa cuisse droite. Elle le regarda et sentit son excitation monter. Sa position ne lui permettait pas de le voir entièrement, et c'était d'autant plus excitant de l'imaginer les yeux fermés, remontant vers le haut de sa cuisse ; à ces pensées, son désir ne faisait qu'augmenter. Elle rêvait de renverser la tête en arrière, de s'abandonner pleinement, de laisser sortir ce cri qu'elle gardait au plus profond d'elle. Mais elle ne pouvait détacher son regard de Charlie, de son corps nu, accroupi entre ses genoux. Elle ne cessait de l'observer, le pressant de remonter encore, de laisser son souffle brûlant se glisser sous la dentelle de son string avant d'être remplacé par sa langue.

A chaque inspiration, sa poitrine se soulevait et ses seins, trop petits comparés à leurs pointes tendues, se placèrent dans sa ligne de mire. Charlie leva les yeux vers elle et lui sourit, visiblement ravi du spectacle. D'accord, peut-être que ses seins n'étaient pas si petits. Et à la manière dont Charlie grogna, sans que jamais sa langue ne quitte sa chair, Bree comprit qu'il les aimait. Beaucoup.

Malgré ses gémissements plaintifs, l'obstiné refusait d'aller plus loin.

— Charlie, l'implora-t-elle en soulevant ses hanches.

Que lui fallait-il ? Une invitation gravée en lettres d'or ?

L'entendre glousser ne fit qu'accroître sa frustration.

— Patience, murmura-t-il tandis que sa bouche s'approchait un peu plus près de l'endroit qui n'aspirait qu'à ses caresses.

Mais, au lieu de poser sa langue, il enfouit son visage entre ses plis les plus intimes et écarta son string. Il huma son parfum comme s'il s'agissait d'un bouquet de fleurs, puis tira doucement sur sa cheville pendant que ses dents mordaient délicatement le tissu. Il écarta enfin son string sans le déchirer mais assez pour mettre de côté la barrière de dentelle. Elle sentit alors un délicieux courant d'air frais glisser sur sa peau nue.

Bree lâcha les barreaux du lit. Ses doigts étaient douloureux mais qu'importe. Elle brûlait d'envie de toucher Charlie. Elle avait l'impression que des kilomètres la séparaient de lui. Pourtant, lorsqu'elle tendit la main vers lui, elle rencontra sans difficulté ses cheveux doux et caressa ses tempes.

Charlie gémit puis sa langue partit explorer les plis de son sexe. Bree s'arc-bouta, transpercée par une multitude d'aiguillons de plaisir.

Tout son corps vibrait. Elle rejeta la tête en arrière et ferma les yeux pendant que Charlie la léchait et la suçait, jusqu'à ce qu'elle place une jambe dans son dos et une main au sommet de sa tête.

Il ne s'arrêta pas, pas même lorsqu'elle le supplia ou qu'elle cria en boucle son prénom. Elle avait envie de lui à en mourir.

Puis, tout à coup, elle jouit par violentes secousses, le corps arc-bouté et poussa un cri de gorge qui s'amplifia avant de finir très haut dans les aigus.

Charlie la maintint contre lui aussi longtemps que son corps trembla puis remonta lentement vers son nombril et sa poitrine. Il déposa des baisers tantôt doux comme une plume, tantôt ardents, d'autres humides et rudes avant de devenir chastes et doux. Ses dents mordillèrent sa peau et elle sursauta, mais les douces caresses qui suivirent l'apaisèrent et elle soupira de bonheur. Arrivé au-dessus de ses seins, il prit le temps de les regarder un long moment tout en les caressant. Bree frémit dans ses bras. Chaque coup de langue sur les pointes dures de ses seins lui arrachait des soubresauts de plaisir.

Bree caressait ses épaules en murmurant inlassablement son prénom, l'invitant à remonter plus haut, plus près. Mais Charlie avait d'autres plans. Il abandonna ses seins après les avoir léchés une dernière fois, puis planta ses yeux plus sombres que jamais dans les siens. A son sourire, elle sut qu'il s'apprêtait à l'entraîner encore plus loin sur le chemin de la perdition.

— Ouvre ce tiroir, dit-il en désignant la table de nuit.

Son visage se fendit d'un large sourire tandis que sa main s'égarait de nouveau vers son bas-ventre.

— S'il te plaît, ajouta-t-il d'une voix encore plus grave.

— Charlie, que fais-tu ?

— Je n'en ai pas encore terminé avec toi. Je vais continuer, continuer, jusqu'à ce que mes doigts ne te suffisent plus…

— Peut-être que j'ai un penchant pour tes doigts.

— Peut-être, répondit-il en se redressant.

Elle vit alors son superbe sexe bandé à l'extrême.

La main de Charlie qui n'était pas occupée à se promener et s'enfouir dans son intimité s'enroula autour de son sexe dressé. Et, au regard qu'il lui lança, elle comprit qu'il savait très bien s'en servir.

Elle déglutit péniblement en l'observant faire coulisser

la peau de son sexe. Le bout de son gland apparut lentement, déjà luisant de désir.

Dans le tiroir, elle trouva très vite un préservatif, dont elle déchira l'emballage d'une main tremblante. Charlie prit tout son temps pour l'enfiler, ajoutant encore plus à son supplice puis vint couvrir son corps, en appui sur les coudes.

Le baiser qu'il lui donna avait un goût de sel et de sexe, et sa langue lui donna un aperçu de ce qui restait à venir. Il écarta ses cuisses et se servit de son sexe pour la caresser de haut en bas. Pendant tout ce temps, les paupières lourdes de désir, il ne la quitta pas des yeux.

Lorsqu'il la pénétra enfin, le cri qu'elle retenait au fond de sa gorge résonna contre les murs et lui coupa le souffle.

A partir de cet instant, elle se sentit remplie comme jamais dans sa vie. Son ventre semblait avoir été chauffé au fer-blanc. Chaque coup de reins, dur et sauvage, était suivi d'un gémissement plaintif qui sortait tantôt de sa bouche, tantôt de celle de Charlie. Leurs corps se mêlaient avec fougue, le va-et-vient de son corps dans le sien la rapprochait chaque fois un peu plus de l'orgasme.

Soudain, incapable de lutter plus longtemps contre les vagues de plaisir qui la submergeaient, elle vit des étincelles danser devant ses yeux et sa vue se troubla. Elle jouit de nouveau en le serrant très fort contre elle. Charlie se figea à son tour, son visage paré d'un masque de plaisir extrême.

Lorsqu'il redescendit du paradis, il l'embrassa longuement. Plus que la soirée, plus que le thé, plus que tout le reste, ce baiser lui fit tout oublier. Long, tendre et profond, il n'était pas destiné à la remercier ou à mettre en valeur sa virilité. Il n'avait rien à voir avec les baisers qu'elle avait reçus jusque-là après une nuit de sexe. Il était aussi beau et authentique que le ciel étoilé, et il lui donna le tournis autant que si elle avait vidé une pleine bouteille de champagne.

Tandis qu'elle tentait de reprendre son souffle, Charlie se laissa gracieusement tomber près d'elle en lui souriant.

Puis il se leva péniblement du lit et se dirigea vers la salle de bains. Elle ferma les yeux, encore tout étourdie et confuse.

— Joyeuse Saint-Valentin, Bree…, murmura-t-elle pour elle-même.

Il était 06 h 40. Charlie avait levé les yeux vers le réveil à 06 h 38, puis s'était tourné vers Bree, toujours endormie à son côté. Il ne distinguait que son épaule nue et l'arrière de sa tête. Il regarda ensuite le plafond et fut saisi d'un accès de panique.

Il n'avait jamais fait d'attaque de panique auparavant, mais la façon dont son cœur tambourinait dans sa poitrine était un signe incontestable. Histoire de vérifier, il tourna de nouveau la tête. Bon sang ! Elle était bien là. Mais qu'est-ce qu'il avait fait ?

La dernière fois qu'il s'était senti dans un tel état — enfin, quelque chose d'assez proche —, il avait quinze ans. C'était sa première fois, ça se passait dans la maison d'Amy John, dans son lit à baldaquin, à moins de quatre mètres de la chambre de ses parents. Il était fou d'Amy, à l'époque, aussi fou qu'un jeune amoureux de quinze ans peut l'être. Leur expérience avait été désastreuse — surtout pour Amy, sans doute —, mais il y avait tout de même pris du plaisir. Il s'était senti le roi du monde, et même s'il avait fini face contre terre en sautant par la fenêtre de sa chambre, pour s'enfuir, il avait considéré cette soirée comme un succès.

Il avait fait en sorte que ses parents tombent sur sa boîte de préservatifs. Leur crise, quand ils avaient découvert sa relation avec une fille originaire de ce type de famille — Amy fréquentait une école publique et son père était dentiste dans une clinique —, avait été l'un des moments les plus jouissifs de sa vie… Ensuite, vers seize ans et demi, il avait découvert les joies des femmes plus âgées et compris combien il avait encore à apprendre.

Les leçons qu'il en avait tirées avaient été des plus délicieuses et des plus instructives.

Pourtant, rien ni personne depuis Amy ne lui avait procuré la joie intense et insensée de sa toute première fois..

Jusqu'à la nuit dernière.

Il s'efforça de réfléchir, dans l'espoir de se calmer. D'accord. l'innocente Bree lui rappelait Amy. Et alors ? Il n'y avait pas de quoi paniquer, si ? Pas de quoi faire une crise de palpitation. La nuit dernière n'avait été que la redécouverte d'une nuit formidable, voilà tout. Ce qu'il éprouvait n'avait rien à voir avec la jolie femme qui dormait dans son lit. Dans cinq minutes, il lui offrirait un café, lui donnerait de quoi payer un taxi, et ce serait la fin de leur histoire.

Le plus tôt serait le mieux, d'ailleurs. Bree devait aller travailler et lui aussi.

Charlie se figea lorsqu'elle se tourna vers lui et qu'ils se touchèrent. Sa main à lui contre sa cuisse à elle. L'endroit où ils avaient joui ensemble était chaud, et tous les efforts qu'ils venaient de faire pour recouvrer la raison s'annulèrent aussitôt.

Et voilà qu'il bandait de nouveau !

C'était plus fort que lui. Il gardait en tête l'image de la pose sexy de Bree, les doigts enroulés autour des barreaux du lit, la pointe rose de ses seins aussi durs que de la pierre, et ses cris quand elle avait joui. Seigneur ! Elle avait le goût du miel et l'odeur de l'océan. Il ne s'était pas senti si excité depuis des années. Il étouffa un gémissement en se remémorant son visage au moment de l'orgasme. Et lui qui voulait passer à autre chose, il la désirait encore.

Il refusait d'admettre qu'il puisse s'agir de sentiments. Car, s'il avait raisonné avec autre chose que son sexe, il l'aurait raccompagnée chez elle hier soir. Dès qu'elle lui avait demandé du thé. Du thé, quelle idée ! songea-t-il en haussant les épaules. Puis il avait envenimé les choses en apportant ce service en porcelaine, avec cette pince à sucre en argent. A quoi rimait tout ça ?

Au diable son érection ! C'était ridicule. Il avait du travail. La nuit dernière, il avait rendu service à Rebecca et, il fallait le reconnaître, la surprise avait été des plus agréables. Aucun doute, Bree était merveilleuse au lit, mais cela n'avait aucune importance. Ce dont il avait besoin, c'était de femmes célèbres capables d'attirer des lecteurs vers son blog et d'alimenter les commérages. Il avait besoin d'une Mia Cavendish et de ses homologues, et plus elles étaient photogéniques et sulfureuses, mieux elles servaient sa cause. Il voulait créer le buzz sur Twitter, faire les grands titres de la Page Six du *New York Post*. Il avait besoin de revenus publicitaires et d'infamie.

Et Bree ne pouvait rien lui apporter de tout ça.

*
* *

Bree se morfondait. Mon Dieu, dans quel pétrin s'était-elle fourrée ?

Malgré tous ses efforts, ce qu'elle retenait de sa soirée idyllique de la veille, c'était son aventure d'un soir avec le roi de Manhattan…

En effet, ce n'étaient ni la limousine de Charlie et sa célébrité, ni les stars, les robes ou les créateurs qu'elle avait rencontrés et qu'elle tenait pour des héros qui avaient retenu son attention. Non. La meilleure chose, la seule chose capable de la tétaniser si elle ne se ressaisissait pas très vite était d'avoir couché avec Charlie.

Certes, elle n'en était pas à sa première expérience et elle savait ce qui se passait dans un lit. Elle avait connu quelques expériences désastreuses et d'autres vraiment formidables. Mais ce qu'elle avait vécu avec Charlie se situait sur un autre plan. Hélas, songeait-elle, ce n'était qu'une aventure d'un soir, et il fallait faire très attention.

Tomber amoureuse de Charlie n'était pas acceptable.

Conclusion, il fallait vraiment qu'elle sorte de ce lit car si jamais il effleurait de nouveau sa cuisse, ne serait-ce que par inadvertance, elle ne répondrait plus de ses actes.

Où se trouvait sa robe ? Près de la fenêtre. La pièce n'était pas baignée de lumière. Mais, sans ouvrir complètement les yeux, elle distingua à travers ses paupières une faible lueur…

Il ne pouvait s'agir que de la petite lampe qui était restée allumée pendant qu'ils…

Elle inspira doucement en rassemblant ses esprits.

Peu importe ce que faisait Charlie. Elle était capable de contrôler ses actions et ses pensées. Il lui suffisait de sortir du lit, d'enfiler sa robe et ses chaussures et de se diriger vers la salle de bains. Elle n'avait même pas besoin de regarder Charlie.

Flûte. Les doigts de Charlie venaient d'effleurer de nouveau sa cuisse. En une seconde, ses bonnes résolutions s'évanouirent et tout son corps se tendit comme un arc. Contre sa volonté, elle sentit ses seins se durcir, son bas-ventre palpiter. Sans parler de son cœur.

Ce n'était qu'une aventure d'un soir, mademoiselle Kingston, songea-t-elle. Une seule nuit. Elle avait bu du champagne. Certes, elle avait eu l'impression de vivre un rêve, mais il n'était pas réel. Ces choses-là n'arrivaient pas dans la vraie vie. C'était fini. Il fallait qu'elle cesse de se comporter comme une idiote et qu'elle sorte de ce lit.

Elle compta mentalement jusqu'à trois, et s'exécuta. Elle écarta les couvertures, ramassa sa robe et ses chaussures, fonça vers la salle de bains, claqua la porte derrière elle et prit une profonde inspiration.

Quelle idiote ! Alors qu'elle se trouvait en sécurité dans cette superbe salle de bains, elle réalisa que son sac à main avec toutes ses affaires était resté dans le salon.

Elle soupira en s'adossant contre la porte et tapa doucement la tête contre le battant de bois pour se ressaisir. Son maquillage ne ressemblait déjà plus à rien ; inutile d'aggraver les choses en se mettant à pleurer.

Bon… Quelles étaient ses chances de trouver une brosse à dents neuve dans cette immense pièce ? A elle seule, la pièce était plus grande que « sa chambre » dans sa colocation, comme elle l'appelait avec autodérision.

Bree se scruta dans le miroir. Elle pouvait toujours se laver le visage avec du savon et se rincer la bouche avec un produit capable de masquer provisoirement son haleine matinale. Il fallait juste qu'elle soit présentable le temps de prendre un taxi et de rentrer chez elle. Ensuite, elle pourrait commencer à oublier Charlie en se préparant pour aller travailler.

Du café. Voilà ce dont elle avait besoin. Non, de l'aspirine *et* du café. Après cela, les choses rentreraient petit à petit dans l'ordre.

En entendant frapper à la porte, Bree sursauta si brusquement qu'elle faillit lâcher sa robe.

— C'est occupé, lança-t-elle.

— D'accord, lui répondit-il.

Sa voix la transperça comme une dague de feu.

— Je pensais que tu avais besoin de ton sac à main.

— Ah oui, merci.

Sa robe dans une main, elle se tourna et entrouvrit légèrement la porte. Mais ce n'était pas assez. Un autre centimètre, puis un autre, et son sac à main apparut par l'entrebâillement de la porte de la salle de bains. Elle le tira brusquement vers elle, en l'arrachant presque du bras de Charlie.

— Merci, dit-elle. J'en ai pour trois minutes. Fais comme si je n'étais pas là.

Un long silence suivit sa réponse. Charlie était-il encore là ? Elle pressa l'oreille contre la porte.

— D'accord, dit-il enfin, la faisant sursauter de nouveau. Je vais préparer du café.

— Génial, merci.

Elle grimaça face à la stupidité de ses réactions et réfléchit de nouveau en appuyant son front dans sa main.

Puis, résignée, elle se dirigea vers le lavabo, sachant

qu'il n'y aurait ni assez d'aspirine ou de café au monde pour régler son problème.

Bree le regardait d'un air interloqué.

— Qu'est-ce que c'est ? lui demanda-t-elle.

Charlie contempla le billet de cent dollars qu'il lui tendait.

— C'est pour le taxi.

— Cent dollars ? Tu crois que je vis dans le Connecticut ?

— Je ne sais pas. Ecoute, je suis désolé, je ne peux pas te raccompagner moi-même. Le blog…

— C'est parfait, vraiment. Je vais me débrouiller, dit-elle en saisissant son gobelet. Merci pour le café.

— Tu ne vas pas arriver en retard au bureau ?

— Non, pas si je pars tout de suite.

Charlie tiqua. Pourquoi Bree était-elle si embarrassée ? Elle n'avait pas levé les yeux vers lui. Pas une seule fois. Du moins, à ce qu'il en savait. Car, comme de son côté il avait aussi évité de la regarder, il n'en était pas sûr… C'était épique. Tous les deux se bousculant maladroitement, marmonnant d'un air gêné, se comportant comme deux idiots… La soirée s'était bien passée, pourtant, et leur nuit avait été merveilleuse. Beaucoup trop d'ailleurs. Alors ?

Quel réveil ! Au cas où il n'en aurait pas été déjà convaincu, l'étrangeté de ces retrouvailles matinales était bien la preuve qu'il avait fait une erreur colossale en couchant avec Bree.

Etait-il personnellement en cause ?

S'était montré vraiment maladroit en lui proposant de payer le taxi ?

Non, impossible, et il savait de quoi il parlait. Bree se comportait étrangement pour une autre raison, forcément, mais laquelle ? Il ne parvenait à le déterminer. Et cela avait commencé dès le lever, bien avant l'histoire du taxi.

Leur danse bizarre, où chacun se fuyait, ils la dansaient depuis qu'ils avaient ouvert les yeux ce matin.

Bree se dirigeait à présent vers la porte d'entrée. Elle allait partir. Ouf ! Toute cette histoire allait prendre fin. Il pourrait reprendre son travail, vérifier la bonne santé de ses blogs, redevenir le grand Charlie Winslow… mais à peine eut-il formulé ces pensées qu'elle se retourna, comme pour vérifier qu'elle n'oubliait rien, puis fit encore quelques pas. Et, soudain, il eut envie de l'embrasser.

Une envie sensuelle, impérieuse.

Il fallait qu'elle parte, bon sang ! Tout de suite. Sans quoi, il ne tiendrait pas…

Il la devança et lui ouvrit la porte.

— Je suis désolé de ne pas pouvoir te…

Elle l'interrompit avant qu'il ait fini sa phrase.

— Bien sûr. Et je…

Elle se tenait debout devant lui et le regardait de ses grands yeux verts.

— Merci, ajouta-t-elle. Je n'ai jamais passé une aussi belle soirée. Je ne l'oublierai jamais. Ni la soirée ni… la suite.

Ses joues avaient pris une teinte rose qui, lui sembla-t-il, s'étendit au reste de son visage. Le besoin urgent de se pencher vers ses lèvres une dernière fois était plus fort que tout, et ses efforts relevaient de la torture.

— J'ai passé moi aussi un très bon moment, balbutia-t-il d'une voix qui se cassa à la fin de sa phrase. Nous devrions…

Il s'interrompit en se mordant la langue. Il avait failli lui proposer de recommencer.

— Bon, je file prendre l'ascenseur, puis je saute dans un taxi, lui lança Bree.

Elle se glissa de profil par la porte d'entrée, se cachant presque derrière son café.

— D'accord, dit Charlie. Au revoir.

— Au revoir.

Il s'apprêtait à refermer le battant pendant qu'elle attendait l'ascenseur, puis se ravisa. Ce serait grossier de refermer si vite la porte. Par ailleurs, Bree semblait très mal à l'aise, presque sombre même.

Il opta pour la solution intermédiaire. Il laissa la porte entrebâillée et se dirigea vers la cuisine en retenant son souffle. En entendant le carillon de l'ascenseur indiquant que Bree était partie, il respira enfin.

Quelle Saint-Valentin !

- 7 -

Assise dans son bureau, Bree déplaçait machinalement des documents d'une pile de dossiers vers une autre. Voilà deux heures qu'elle était arrivée au bureau et elle ne s'était pas encore mise au travail. Elle venait de passer la matinée à ressasser les événements de la veille, à analyser dans les moindres détails tout ce que Charlie avait fait ou dit. A contempler la photo qu'elle avait prise avec son téléphone ou la carte de son séduisant cavalier.

Sous la violence des néons fluorescents qui éclairaient les bureaux de *BBDA*, sa soirée avec Charlie s'apparentait plus à un rêve qu'à un épisode réellement vécu. Pourtant, ses courbatures n'étaient pas le résultat d'une séance de gymnastique imaginaire. Elle avait serré si fort les barreaux du lit qu'elle avait dû masser ses muscles raides et douloureux sous la douche pour les détendre. De même qu'elle ne pouvait pas ignorer le bleu causé par les doigts de Charlie sur sa hanche. Sans compter tous ses autres souvenirs.

Mais pourquoi penser à lui ? A cette nuit ? Tout était terminé à présent. Cette soirée appartenait au passé. Elle ne devait plus être qu'un souvenir la transportant de joie et en aucun cas lui procurer cette absurde sensation de perte. Car pouvait-elle perdre quelque chose qu'elle n'avait jamais eue ? Qu'elle n'aurait jamais pu avoir ?

Bon sang, dire que sa matinée était gâchée ! De plus, Charlie n'avait pas encore publié son blog. Il aurait dû l'avoir fait depuis longtemps. Sa routine était inébranlable, comme étaient inébranlables la tour Eiffel ou la Muraille de Chine. Au lieu de cela, trois autres personnes avaient déjà publié le leur : une célèbre fan de mode, un détecteur de tendances et un gastronome.

Leur nuit délicieuse faisait partie du cadeau que Rebecca lui avait offert. Ce n'était pas un merveilleux moment romantique que Charlie et elle avaient eu la chance de vivre ensemble, mais une étape du programme de cette folle Saint-Valentin. Pourtant, Bree commençait à craindre d'avoir, d'une certaine manière, porté la poisse à Charlie. Et cette seule idée la rendait malade.

Bizarrement, Rebecca ne l'avait pas encore appelée de la matinée, tandis que Bree brûlait de lui raconter sa soirée. Attention, elle devait se montrer prudente, et ne pas se lancer dans cette conversation dans un tel état d'épuisement. Au lieu d'aller déjeuner, elle gagnerait sérieusement à faire la sieste. Elle avait plus besoin de sommeil que de nourriture.

Lorsque son téléphone portable annonça d'un bip l'arrivée d'un SMS, Bree ne se précipita pas. Puis elle vit s'afficher le nom de son expéditeur, et faillit avoir une syncope.

Comment ça va ? CW.

Complètement hébétée, Bree contempla quelques instants les initiales. Pourquoi lui envoyait-il un SMS ? Par politesse ? Avait-elle oublié par mégarde quelque chose chez lui ? Elle appuya sur la touche « Répondre », puis laissa son geste en suspens. Que faire ? Attendre un peu ? Non, mieux valait répondre tout de suite, ne serait-ce que par courtoisie.

Elle fit voler ses pouces sur le clavier en pestant contre sa stupidité.

Tout va très bien, merci.

Tu es bien arrivée au bureau ? CW.

Oui, pile poil à l'heure.

Génial. Et pour déjeuner ? CW.

Déjeuner ? Quel déjeuner ? Etait-ce une invitation ? Non, elle devait avoir mal compris. Pas après la façon dont ils s'étaient quittés ce matin. Bree contempla d'un œil vide les parois de son bureau avant de reporter son attention sur son téléphone. Même si cela n'avait pas aucun sens, elle avait bien lu…

Elle se redressa légèrement pour jeter un coup d'œil à travers les parois de l'open space, mais n'aperçut que des têtes inconnues. Dire qu'elle ne connaissait personne chez *BBDA* pour la conseiller. Aucun collègue n'était au courant de son rendez-vous avec Charlie. Elle lui envoya un nouveau message.

Je dois m'absenter. Je reviens tout de suite.

C'était la seule façon de gagner du temps. Elle saisit ensuite le combiné de son téléphone fixe. Même si elle ne voulait pas encore raconter à Rebecca ce qui s'était passé, Bree avait désespérément besoin d'aide. Et vite. Elle composa le numéro de son amie en priant pour qu'elle décroche.

Dès qu'elle entendit Rebecca dire « Allô », elle se lança.

— Rebecca ? Oh ! Rebecca, il faut que je te parle. J'ai vécu la plus fabuleuse nuit de ma vie, c'était formidable, je te raconterai, mais ce matin tout était si étrange, si bizarre, je t'assure, et maintenant, il…

— Bree ! s'exclama-t-elle d'une voix un peu ferme.

— Oh ! Pardon, Rebecca, tu es occupée. S'il te plaît, consacre-moi quelques secondes. Je ne sais plus où j'en suis. Attends, il m'envoie un autre message, et je ne sais plus quoi faire.

— Et que dit-il ?

— Il veut déjeuner avec moi. Aujourd'hui.

Rebecca partit dans un grand rire.

— Eh bien, vas-y !

— Nous avons tous les deux paniqué ce matin. Il m'a proposé cent dollars.

— Quoi ?

— Pour payer le taxi.

— Je vois. Dans ce cas, je te répète : vas-y !

— Mais…

— Fais-moi confiance. Je le connais bien. Très bien, même. Cette invitation à déjeuner est vraiment bon signe.

— Bon signe ? Mais ce n'est pas bon du tout. Tout est terminé, non ? Il ne revoit jamais les mêmes filles, et j'ai un plan qui ne me permet pas de me fixer avec un homme.

— Ecoute-moi bien, répondit Rebecca sur le même ton autoritaire qu'elle devait utiliser lorsqu'elle négociait avec ses clients milliardaires, va déjeuner avec Charlie. Régale-toi et écoute ce qu'il a à te dire. Tu seras peut-être surprise. Ensuite, rappelle-moi.

Bree passa une main nerveuse dans ses cheveux, l'estomac noué par l'excitation et la peur. Seigneur, ses cheveux étaient en bataille et son maquillage n'était plus qu'un vague souvenir. Elle avait à peine eu le temps d'aller se doucher et de se changer avant de revenir en courant au bureau.

— Tu as certainement raison, Rebecca. Merci. Je te rappelle vite.

— OK, j'attends ton coup de fil. Tout va bien se passer, ne t'inquiète pas. Allez, à tout à l'heure.

Bree raccrocha, puis reprit son téléphone portable.

Où et quand ?

Au Bistro Truck ? CW.

Mais encore…

Cuisine méditerranéenne. CW.

OK.

Je t'envoie le plan. Dis-moi l'heure. CW.

13 h ?

OK, à +. CW.

Un nouveau bip l'informa que le plan était arrivé. Le bistro, qui faisait des plats à emporter, se trouvait à un pâté de maisons de son bureau. Bree en consulta la page web pour concocter son menu et éviter tout faux pas. Elle opta mentalement pour un wrap végétarien et un accompagnement, en supposant qu'elle soit capable d'avaler quelque chose. Si jamais ce rendez-vous tournait au fiasco, elle pourrait toujours se consoler avec des frites.

Perplexe, elle contempla les dossiers qu'elle devait avoir traités avant midi, le regard perdu dans le vide. Ainsi, Charlie voulait la revoir… Mais pourquoi ? Et pourquoi Rebecca semblait-elle si persuadée du bien-fondé de ce rendez-vous ?

Décidément, New York était une ville qui réservait bien des surprises.

Debout sur un banc de la 14e Rue Est, Charlie scrutait la foule qui se pressait autour du restaurant à emporter à la recherche de Bree. La veille, elle portait une petite robe noire, mais il se souvint du commentaire de sa cousine sur l'inclination de la jeune femme pour les couleurs. Il se concentra donc sur tous les vêtements qui n'étaient pas noirs, ce qui lui permit d'éliminer soixante-dix pour cent des femmes. Heureusement, il faisait anormalement doux pour la saison et la plupart des manteaux étaient ouverts.

Il pivota en ignorant les regards qu'il croisait et, bientôt, Bree apparut devant lui. Ce ne furent pas ses vêtements qui attirèrent son attention mais ses cheveux. Comme la veille, ses cheveux courts étaient savamment décoiffés, sauf qu'ils étaient ornés d'un petit ruban rose avec un nœud. L'accessoire était si cocasse qu'il se surprit à sourire comme un imbécile.

Tandis qu'elle approchait, Charlie détailla sa tenue sans s'arrêter sur son visage. Pas encore. Bree ne portait pas de manteau, ce qui ne le surprit qu'à moitié. Son bureau n'était qu'à quelques mètres du bistro et la jeune femme lui avait déjà prouvé qu'elle était prête à geler sur place plutôt que de nuire à son image. Encore un autre hiver à New York et elle serait guérie. Aujourd'hui, elle portait un chemisier à manches longues rose et vert qui aurait dû être laid comme un pou. Mais, par la grâce d'un je-ne-sais-quoi, le vêtement lui allait à merveille, rehaussant son teint et mettant en valeur ses yeux brillants. Elle portait aussi une minuscule jupe dans une tonalité de vert d'un style très différent de celui du chemisier. Les deux vêtements n'allaient pas du tout ensemble. Même les chaussures dorées à talons plats n'étaient pas assorties. Et pourtant…, sur elle, tout était ravissant.

Bree ralentit le pas en croisant son regard et lui adressa un grand sourire. Mais, en se remettant en chemin vers lui, il crut voir son sourire faiblir. Elle avait l'air inquiet. Ou affamé. Non, plutôt inquiet.

— Tout va bien ? demanda-t-il sans oser la toucher.

— Oui, répondit-elle en hochant la tête. Très bien, merci.

Elle semblait embarrassée. Mais l'heure n'était pas aux questions. Ils devaient d'abord passer leur commande.

— Tu as faim ?

— Ça oui ! s'écria-t-elle dans un élan spontané.

Elle était si naturelle… Il saisit sa main et lui glissa un baiser sur la joue avant de prendre place dans la file d'attente devant le comptoir du restaurant. Sur le trajet qui l'avait amené ici, il avait longuement soupesé la pertinence de ce geste. Il aurait été grossier de sa part de feindre qu'il ne s'était rien passé entre eux la nuit dernière, même s'il ne tenait pas trop à insister sur cet aspect de leur relation. Pourtant, depuis qu'il avait ouvert les yeux ce matin, il n'avait eu de cesse de repenser à Bree dans son lit. Il ne fut pas surpris qu'elle s'arrête net et le dévisage à cet instant comme s'il était fou.

Mais comment aurait-il pu résister ? Un seul regard sur son ruban rose et cette minuscule jupe…

Décidément, cette histoire le dépassait. Inspirant profondément, il s'imprégna de l'odeur de friture et des gaz d'échappement des bus qui circulaient à côté d'eux afin de reprendre, encore une fois, ses esprits. La file d'attente était longue. Ils en avaient au moins pour dix bonnes minutes avant de pouvoir passer leur commande. Ensuite, il faudrait gérer le repas. Mieux valait se lancer tout de suite. Charlie garda sa main dans celle de Bree et s'approcha suffisamment près d'elle pour lui parler sans être entendu.

— J'ai une proposition à te faire, lui confia-t-il.

Elle le regarda, étonnée.

— Hier soir, continua-t-il, pendant la soirée, tu as été formidable.

— Merci, répondit-elle prudemment, en attendant visiblement la suite.

— J'ai passé toute la matinée à essayer d'écrire ce blog. J'y ai passé tellement de temps que j'ai fini par publier les articles des journalistes free-lance qui travaillent pour moi pour calmer la curiosité des gens.

— Je sais. J'ai vu.

— Ah. Bien sûr, dit-il en s'avançant un peu dans la file. Quoi qu'il en soit, dans mon premier jet, tu refaisais toujours surface.

— Je refaisais surface ?

Bree paraissait de plus en plus confuse.

Pourtant, Charlie avait l'habitude de s'exprimer clairement.

— La nuit dernière, expliqua-t-il, j'ai eu l'impression d'assister pour la première fois à la Fashion Week. Cela ne m'était même jamais arrivé. En vivant cet événement à travers tes yeux, j'ai vécu une expérience… différente.

Il avait failli dire « grisante », ce qui était vrai. Mais inutile de trop se livrer.

— C'est d'ailleurs ce que j'ai écrit dans mon blog ce matin, conclut-il.

— Bon, répondit-elle d'une voix hésitante.

Apparemment, il n'était pas assez clair.

— Je n'ai pas encore publié mon blog car je voulais d'abord te parler. J'aimerais utiliser ta vision des choses, faute d'un meilleur mot, comme accroche pour mon article. « Une candide à la Fashion Week. » Un nouveau point de vue.

— Je ne suis pas si candide, répliqua-t-elle brusquement l'air blessé, comme s'il l'avait insultée.

— Tu découvres cette ville, et tu n'es pas encore blasée. Comme *Naked New York* ne parle que d'un ramassis de snobs que plus rien n'étonne, l'idée d'aborder cette série d'articles sous un autre angle me paraît séduisante. Je ne me moque pas de toi. En fait, je n'envisage pas d'utiliser ton nom ou ton image si tu ne le souhaites pas. J'ai surtout envie de parler de mes impressions sur tes impressions. Ce que je n'ai jamais fait auparavant. Mais tu peux être d'accord ou pas.

— Tu as déjà écrit le blog ?

Il acquiesça.

— Trois versions différentes. Un avec toi au centre, un autre avec toi à mes côtés et un autre qui se concentre uniquement sur mes impressions. Je peux te les envoyer tout de suite sur ton téléphone, si tu veux les lire.

— Oui, répondit-elle avec une pointe d'anxiété dans la voix. Est-ce que tu évoques le fait que… nous…

Elle hésita quelques instants avant de poursuivre.

— Que nous ayons fini la soirée… chez toi ?

— Non, pas du tout. Je ne parle pas de ma vie privée. Le blog n'aborde que l'événement et la soirée.

— Oh ! dit-elle cette fois sans l'ombre d'une hésitation. Dans ce cas, envoie-moi tes textes.

Charlie cliqua sur le clavier de son téléphone pendant qu'un groupe de personnes s'éclipsait devant eux, ce qui les plaça en première ligne pour commander.

— Que veux-tu ? Je peux passer la commande pendant que tu lis.

— Une grande frite.

— Et c'est tout ?

Bree réfléchit quelques instants. Elle ne se voyait pas mangeant un sandwich entier. Pas avec un estomac retourné comme le sien.

— Du thé avec un sucre.

Charlie ne put retenir un sourire. Il n'arrivait toujours pas à croire qu'il lui avait vraiment servi du thé sur un plateau en argent. Et tout ce qui s'était passé hier soir. Etait-ce lui, vraiment, qui avait vécu tout ça ?

Soudain, la sonnerie du téléphone de Bree indiqua qu'elle avait reçu ses documents. Charlie reporta son attention sur le jeune homme derrière le comptoir. Il commanda sans quitter Bree des yeux, paya et la regarda de nouveau. Rien d'autre ne l'intéressait que le langage de son corps, ses expressions, la vitesse à laquelle elle parcourait l'écran. En revanche, son visage resta indéchiffrable, il n'apprit absolument rien sur elle.

Il continua de l'observer du coin de l'œil. Quelle que soit la réponse de Bree, il saurait s'en contenter. Car, même si elle acceptait son offre, cela ne voudrait rien dire. Pas sur le plan personnel. C'était une proposition de travail, voilà tout. Peut-être auraient-ils l'occasion de se retrouver de nouveau ensemble, mais là n'était pas la question.

Il n'arrivait pas à détacher ses yeux de son petit ruban rose. Cet accessoire en apparence anodin le rendait fou. Et c'était bien ce petit détail qui lui posait problème. Aucune des femmes qu'il fréquentait n'aurait porté cet accessoire, pas même pour honorer un pari. Ce look était à l'opposé de ce qui se voyait à Manhattan. Tous ceux qui se rendaient à la Fashion Week craignaient plus que tout de ne pas être dans le vent, d'être passés à côté de la dernière tendance. A l'inverse, l'adoration de Bree pour cet univers n'avait rien de factice, cela lui venait tout droit du cœur sans qu'elle attende quoi que ce soit en retour.

Son point de vue sonnerait juste ; la plupart de ses lecteurs le sentiraient, qui ressemblaient certainement beaucoup à Bree : des gens jeunes qui n'auraient jamais la chance d'assister à un gala, de se tenir près des icônes de la mode et du cinéma, qui ne pourraient jamais s'offrir une écharpe d'un grand couturier, et encore moins une robe haute couture. Le problème majeur consistait à trouver le bon équilibre. Car son idée était légèrement sarcastique, tout comme lui. Pourtant, il ne désirait pas se moquer de Bree. Cette idée dont il percevait les limites se présentait avant tout comme un défi.

Son concept pouvait en effet très bien échouer, mais Charlie ne pensait pas se tromper. Il avait de bons instincts concernant ses lecteurs, et ceux qu'il avait en ce moment lui disaient qu'il tenait le bon bout.

Bree, soudain, leva une fraction de seconde les yeux sur lui en se mordant la lèvre, et dévoila une petite dent blanche absolument parfaite. Aussitôt, une envie violente de l'embrasser s'empara de lui. Le souvenir de leurs baisers fougueux lui revenait, attisant ce désir. Seigneur, quel était son problème ? Il était là pour affaires, non ?

— Hé, toi, le blogueur, l'interpella un homme dans la file. Tu avances, ou quoi ?

La question avait été lancée par un mastodonte à fine moustache. Charlie avança en effleurant doucement le bras de Bree.

Elle ferma alors son téléphone et le contempla longuement. La couleur de ses joues, à présent, rappelait celle de son ruban rose.

— Eh bien…, dit-elle d'une voix hésitante.

Ce n'était pas très explicite. Mais Charlie, empêtré dans ce besoin irrationnel de paraître détendu en toutes circonstances, ne chercha pas à en savoir plus. Il afficha un air désintéressé, ce qui était la seule attitude acceptable dans le cadre d'un rendez-vous strictement professionnel.

Bree le fixa sans ciller cette fois en inclinant légèrement la tête sur le côté.

— Pourquoi ? demanda-t-elle.

— Pourquoi quoi ?

— Pourquoi ? Ton blog marche très bien tel qu'il est. C'est évident. Les chiffres sont incroyables. Pourquoi vouloir toucher au concept ?

— Ajouter des éléments ne veut pas dire toucher au concept. Si mon idée ne fonctionne pas, je le verrai très vite et je ferai machine arrière. Ce ne sera pas la première fois que je teste quelque chose de nouveau, et encore moins la dernière.

*
* *

Bree dévisagea longuement Charlie. Ce déjeuner était encore plus étrange que ce qu'elle avait imaginé. Et pas pour les raisons qu'elle croyait. Cela n'avait rien à voir avec le sexe. Evidemment. Le contraire eût été une hérésie.

— Quelle que soit ta décision, dit Charlie, j'ai besoin de la connaître très vite.

— Oui, bien sûr, je comprends.

Comment avait-elle pu oublier, même l'espace d'une seconde, pourquoi Charlie lui avait demandé de venir ? Dès l'instant où Rebecca lui avait montré la carte de son cousin, Bree s'était demandé ce qu'un homme comme lui pourrait bien trouver à une fille comme elle. Elle avait presque été soulagée de comprendre que Rebecca ne faisait que lui rendre un service, et qu'à son tour, Charlie en avait rendu un à sa cousine. Pour quelle autre raison aurait-il accepté de sortir avec elle le soir de la Saint-Valentin ? D'ailleurs, ce n'était même pas un véritable rendez-vous. Charlie lui avait dit clairement qu'il était là pour travailler. Ce qui confirmait les dires de Rebecca : son cousin ne s'arrêtait jamais vraiment. Ce n'était pas un hasard s'il était devenu le célèbre Charlie Winslow.

Il l'avait donc utilisée. Pas vicieusement, certes, loin d'elle cette idée. Mais il avait simplement trouvé le moyen de tirer profit de la faveur que Rebecca lui avait faite. Il avait sauté sur l'occasion et, par bonheur, il allait parler d'elle dans son blog. D'autres personnes chercheraient à la connaître, et lui demanderaient même peut-être quelle note elle donnerait à son « rendez-vous » avec Charlie. Elle n'aurait jamais osé en espérer autant…

Mais elle devait agir intelligemment. Et prudemment. Car la partie sentimentale de son cerveau avait un peu trop tendance à vouloir transformer cette simple aventure en histoire d'amour. Bree n'avait rien contre les histoires d'amour, à condition qu'elles viennent à point. Et, maintenant qu'elle était à deux doigts de percer, elle devait plus que jamais réfléchir à ses intérêts à long terme sans se laisser éblouir.

— Ecoute…, commença Charlie.

— Si tu veux une réponse là, tout de suite, l'interrompit-elle, sache que je ne peux pas accepter.

Charlie se figea et cet air d'ennui qu'il affichait en permanence comme un vêtement confortable s'évanouit. Il voyait ses plans s'effondrer d'un coup, et parut très déçu. Déçu, oui,mais encore une fois attention : sa déception ne tenait pas à *elle*, pas au fait qu'ils ne pourraient pas travailler *ensemble*. Elle devait bien se rentrer ça dans la tête. Charlie était juste embêté qu'elle trouble le programme qu'il s'était fixé.

Dans ces conditions, elle ne devait pas non plus laisser filtrer ses sentiments. D'ailleurs, si elle avait été futée, elle se serait commandé un plat consistant, au lieu de cette malheureuse « frite » accompagnée d'un pauvre thé sucré qui trahissaient son malaise.

— Ne te méprends pas, expliqua-t-elle. L'idée me plaît. Cette approche apporte de la fraîcheur à ton blog, continua-t-elle, sur un sujet vu et revu. Toutefois…

Elle cliqua sur la partie la plus personnelle du blog et fit défiler l'écran…

Bree lui résuma ses commentaires de manière très claire :

1) Tout le monde est grand et beau et porte de plus beaux vêtements que moi. Tous ceux qui avaient l'air normal étaient des gens banals et sans intérêt. Exemple : moi.

2) Les gens peuvent être grossiers et charmants à la fois. Charlie a été charmant. Puis grossier.

3) Tout le monde possède un iPhone ou un BlackBerry. Et les caméras sont envahissantes, même si le must est de se faire prendre en photo. Conclusion : je ne suis vraiment plus dans l'Ohio.

— Je ne suis plus vraiment dans l'Ohio…, soupira Bree. Mais tu as fait du bon travail.

A la manière dont les lèvres de Charlie s'étirèrent, il était clair qu'il ne s'attendait pas à sa réponse, et encore moins à la façon dont elle avait insisté sur l'adjectif « bon ». Si seulement elle pouvait continuer de le faire sourire ! Un jour, elle avait rêvé de côtoyer les plus grands noms de Manhattan, et aujourd'hui elle tenait sa chance.

La nuit dernière, elle avait fait un voyage au Pays des Merveilles, et personne ne lui en voudrait de s'être glissée dans la peau d'Alice. Charlie avait parfaitement bien saisi cet aspect dans son blog. Mais, à présent, elle était redescendue sur terre. Les affaires étaient les affaires et, si Charlie voulait l'utiliser, elle devait exiger quelque chose en retour.

Il avait beau être Charlie Winslow et faire battre son cœur depuis qu'il lui avait envoyé son premier SMS, à présent, les enjeux étaient plus gros. Elle serait idiote de laisser passer sa chance. S'associer avec Charlie lui donnerait une aura qu'elle ne pouvait pas ignorer.

— Le blog serait bien mieux si tu insérais des photos de moi, dit-elle. Si tu m'utilisais.

— Vraiment ?

Un vague sourire flotta quelques instants sur les lèvres de Charlie. Parfait. Ils jouaient à présent le même jeu. Elle devait toutefois se rappeler qu'il avait des années d'expérience, tandis qu'elle… Enfin, elle avait de l'audace, et cela devait lui suffire.

Charlie lui tendit son plat de frites et son thé. Il eut aussi l'élégance de tout régler, ce qui était la moindre des choses dans la mesure où l'invitation venait de lui.

Bree le regarda faire. Soudain, une bouffée de tristesse l'envahit, chargée de regrets. Bon sang, il ne fallait pas qu'elle se laisse aller. Le sexe était le sexe. Charlie et elle s'apprêtaient à parler crûment de leurs affaires, et elle ne pouvait pas se permettre de verser dans le sentimentalisme, même un seul instant. Elle avait vécu une expérience merveilleuse dans ses bras. Point barre.

Ils eurent la chance de trouver de la place sur un banc du restaurant. La première frite lui parut si délicieuse qu'elle la croqua avec un plaisir non dissimulé et laissa échapper un petit « Mmm » qui la fit rougir aussitôt, jusqu'à ce qu'elle aperçoive une goutte de mayonnaise sur le menton de Charlie. Si elle avait été la fille parfaite que ses parents rêvaient d'avoir, elle l'aurait prévenu afin qu'il s'essuie le menton. Mais c'était un déjeuner d'affaires, et voir son interlocuteur sous un jour si trivial était une manière de l'aider.

— Quel est ton problème ? demanda Charlie.

— Je ne suis pas aussi innocente que tu le dis. Je comprends que c'est l'intérêt de la rubrique, mais j'aimerais pouvoir apporter ma contribution. Mes supérieurs lisent *NNY*, nos clients aussi. Peut-être que ce n'est qu'un blog, mais il risque d'avoir un impact sur ma carrière.

Charlie mordit dans son hamburger. Bree fit son possible pour ne pas s'attarder sur ces lèvres viriles et ourlées qui l'avaient rendue folle la veille, et se concentra sur la coulée de mayonnaise.

— J'aimerais écrire plusieurs blogs sur le sujet, dit-il après avoir dégluti.

Bree croisa un instant son regard. Et là, tout à coup, elle eut l'impression fugace que tout cela n'était pas uniquement professionnel…

Mais, aussitôt, la raison la rappela à la réalité. Il ne fallait pas rêver, et Charlie n'était pas un sentimental.

- 8 -

— J'aimerais que ce blog soit le premier d'une série, expliqua Charlie d'un air désinvolte. Consacrée pour une part à la Fashion Week, mais pas seulement. Ce soir, il y a une soirée au Chelsea Piers. Je voulais te demander de te joindre à moi.

Bree manqua de s'étrangler. Elle toussota pour masquer sa surprise et se ressaisir.

— Qu'entends-tu par « série » ? bafouilla-t-elle.

— Mercredi, il n'y a rien de prévu mais, jeudi soir, il y a une autre soirée Fashion Week. Et, vendredi, il y a la première d'un film. Tu as entendu parler de *Courtisane* ?

Si elle avait entendu parler de *Courtisane* ? C'était le film d'un grand studio qui réunissait une ribambelle d'acteurs plus connus les uns que les autres. Depuis qu'elle avait vu la bande-annonce, elle rêvait d'aller le voir. Dans sa poitrine, son cœur fit un grand bond. Mais, devant Charlie, elle se contenta de hocher la tête en sirotant son thé.

— Oui, j'en ai entendu parler, répondit-elle laconiquement.

— Une autre soirée est prévue samedi soir, mais je ne sais plus laquelle. Il s'agit du lancement d'un nouveau parfum ou de la sortie d'un livre. Peu importe.

J'aurais besoin de toi, provisoirement, jusqu'à samedi soir. Peut-être plus, peut-être moins. Tout dépend des chiffres que nous obtiendrons avec cette nouvelle formule et du nombre de commentaires déposés. Est-ce que cette proposition te convient ?

Inutile de le laisser croire qu'elle allait y réfléchir. Il aurait immédiatement compris qu'elle bluffait.

— Le planning ne devrait pas me poser de problème. Je vais me débrouiller, même si je vais peut-être devoir demander à Rebecca de préparer à ma place mes plats pour notre club de cuisine.

— C'est ce que fait Rebecca à l'église St. Mark, n'est-ce pas ?

— Oui, c'est là-bas que nous avons fait connaissance.

— Je suis sûr qu'elle adorera mon idée.

Charlie ne cherchait plus à dissimuler sa satisfaction. Bree avait maintenant devant elle l'autre Charlie, le charmant cousin de son amie, l'homme qui l'avait embrassée avec fougue.

Elle s'éclaircit la voix avant de le regarder droit dans les yeux.

— Qu'insinues-tu par là ? demanda-t-elle, intriguée.

— Rebecca va en déduire que cette série de blogs était *son* idée. Ah là là, elle va être insupportable !

— Ah.

Bree saisit une frite en sentant son cœur se serrer une fois de plus douloureusement. La pensée qui lui avait traversé l'esprit était encore plus ridicule. L'espace d'une seconde, elle avait cru que Rebecca adorerait le fait que Charlie et elle continuent de se voir. Absurde.

Pourtant, à bien y réfléchir, la proposition de Charlie était encore plus séduisante qu'un rendez-vous galant. Pour un homme comme lui, le sexe n'était qu'une aventure sans lendemain. Au petit matin, il était même incapable de feindre le moindre intérêt pour sa compagne d'une nuit. Alors que, là, il lui proposait quelque chose qui dépassait de loin tous ses rêves. Et sur le long terme, en plus ! Car Charlie venait tout simplement de lui faire gagner deux ans sur son plan quinquennal. Un pas de géant inespéré !

— J'aimerais quand même apporter ma contribution, insista-t-elle.

— C'est *mon* blog, Bree. Les gens veulent lire *mon* point de vue.

— Je ne veux pas apparaître comme l'idiote de service.

— C'est l'impression que te font ces articles ?

— Non. N'empêche que…

— Nous pouvons nous mettre d'accord sur certains points, se justifia Charlie. Si cette série de blogs fonctionne, cela voudra dire que les gens aiment lire mes impressions lorsque je regarde le monde à travers tes yeux. C'est dans mon intérêt de te présenter comme quelqu'un de crédible et de sympathique.

— D'accord, mais je pense que je serai encore plus crédible si je rédige moi-même une partie du blog.

Charlie fit la grimace.

— Je ne sais pas. C'est mon nom qui attire les lecteurs, désolé.

— Je te l'accorde. Mais cela ne veut pas dire que l'on ne peut pas ajouter un encadré, comme tu l'as déjà fait.

Charlie s'essuya la bouche, faisant disparaître par un heureux hasard la trace de mayonnaise. Après une longue pause, il acquiesça.

— Je ne peux rien te garantir. Je vais d'abord lire ce que tu proposes d'ajouter, et voir si ça fonctionne.

Je vais demander à mon avocat de te rédiger un contrat pour cette semaine, mais j'aimerais publier le blog que j'ai écrit dès aujourd'hui. Cela te convient ?

Tant qu'elle n'avait rien signé, Bree savait qu'elle prenait un risque, mais elle s'y résolut. Rebecca se retournerait contre Charlie si jamais il essayait de la rouler. Mieux encore, son instinct lui criait d'accepter la proposition.

Elle tendit donc la main à Charlie.

A son contact, elle ne sut comment interpréter le long frisson qui traversa son corps. Ce ne pouvait qu'être une réponse à la merveilleuse opportunité qui s'offrait à elle. Rien d'autre.

Charlie raccompagna Bree jusqu'au gratte-ciel qui abritait les bureaux où elle travaillait, géant parmi les géants qui leur barraient la moitié du ciel. Le vent soufflait par rafales et il passa un bras autour des épaules de Bree pour l'attirer vers lui. L'idée de lui tenir chaud lui plaisait, et il adorait sentir ses cheveux soyeux lui chatouiller le menton.

— Charlie ?

Il se pencha un peu plus vers elle pour mieux l'entendre.

— Oui ?

— En supposant que les articles soient bons et que nous finissions par… faire équipe ? Comment nous présenterons-nous ?

— Oh ! tu veux dire… Eh bien, comme hier soir. Ensemble, mais pas en couple. Si l'on nous pose des questions, nous répondrons que nous sommes amis. Tout le monde pensera qu'il y a autre chose, mais ce n'est pas plus mal. Les gens aiment s'imaginer des histoires même si elles sont fausses. Et les commérages font nos choux gras.

Bree ne répondit rien mais ralentit le pas.

— Bree ?

Cette fois, elle s'arrêta complètement. Charlie se tourna vers elle et l'air gêné qu'elle affichait lui déplut.

— Quelque chose ne va pas ?

— Non, rien, tout va bien. Je veux juste être certaine que nous nous comprenons. Si nous nous lançons dans ce projet, je tiens à ce que nos rapports se limitent à la sphère professionnelle.

— Entendu.

Mais pourquoi cet air renfrogné ? Il venait de lui faire une fleur. Bien sûr, son entreprise allait gagner de l'argent, mais Bree aussi en sortirait gagnante. Son amour pour la mode pourrait enfin s'exprimer.

— Je tiens à séparer ma vie privée de ma vie professionnelle, expliqua-t-elle.

Il fallut plusieurs secondes à Charlie pour bien comprendre. Bree le prenait de court. D'habitude, pour les femmes qu'il amenait le soir chez lui, le sexe faisait partie intégrante de leur vie professionnelle. Tout comme pour lui, depuis qu'il avait lancé son blog. Mais Bree n'appartenait pas à son monde. Une fois de plus, là était le problème.

En fait, c'était une romantique. Non seulement vis-à-vis du sexe, mais aussi des créateurs, de New York, de son côté glamour… Hélas, elle ne le resterait pas.

Bizarrement, il n'eut pas tout de suite envie d'abonder en son sens. Il assumait complètement d'avoir couché avec elle. Il en avait eu très envie. Si sa série de blogs donnait de bons résultats, ils allaient être amenés à se voir presque tous les soirs une semaine ou deux. Sans sexe, comment tenir ?

— Charlie ? reprit-elle d'une voix douce qui le ramena sur terre.

— Oui, tu as raison. Nous nous en tiendrons à des relations strictement professionnelles. Très bonne idée.

Le sourire de Bree ne lui parut pas très victorieux. Charlie fut même tenté de la suivre tandis qu'elle s'éloignait, juste pour mieux l'observer.

— Je suis vraiment en retard, lança-t-elle en criant pour couvrir le bruit du vent. Envoie-moi le contrat. J'y jetterai un coup d'œil. Je te tiendrai au courant dans la soirée. Et merci.

Mais ses dernières paroles furent emportées avec le flot des dizaines de personnes qui se dirigeaient toutes vers la même porte et l'entraînaient avec elle.

Charlie la perdit de vue bien avant qu'elle soit entrée. Il savait que *BBDA* occupait quatre étages de ce gratte-ciel, et s'imaginait très bien où les rédacteurs étaient installés. Pourtant, il ne la suivit pas. Il la reverrait ce soir. Il sortit son téléphone et se plaça à l'angle de la rue pour appeler un taxi. Il devait mettre à jour son blog, appeler son avocat et prendre ses dispositions avec la styliste qui travaillait avec lui.

Après avoir donné son adresse au chauffeur de taxi, il tourna la tête vers l'immeuble où Bree travaillait. Dire qu'ils ne revivraient jamais plus ensemble de nuit aussi formidable que la veille !

Assaillie par les photographes qui l'aveuglaient et le brouhaha permanent, Bree eut à peine le temps de profiter de la soirée qui s'annonçait pourtant fabuleuse.

Organisée par l'un des designers les plus cotés du moment, la soirée se tenait à la Lighthouse dans le complexe de Chelsea Piers. L'événement réunissait cinq cents personnes environ, dans une immense salle décorée dans un somptueux style asiatique, avec des lanternes flottantes, des jardins en Z disposés avec art entre les tables, et des dragons en papier si grands et si merveilleusement décorés qu'on aurait pu les apparenter à des œuvres d'art.

Même la vue sur la Hudson River à travers les immenses baies vitrées était à couper le souffle. Mais moins que le défilé stupéfiant d'icônes et de stars au faîte de la gloire que Bree croisa.

La bonne nouvelle était que Charlie s'était comporté avec elle de façon encore plus extraordinaire que la veille. Il ne l'avait pas quittée des yeux. Surtout, il l'avait présentée à tous les gens de son monde. Et comme la créature la plus merveilleuse qui soit depuis Lady Gaga !

Dire que toutes ces célébrités étaient vraiment les proches de Charlie !… Evidemment, il ne la mettait sous les spotlights que pour assurer le succès de sa série, Bree le savait bien. Au fond, elle ne comptait pas ; seule son image importait, le mystère qui l'entourait, son côté « branché » associé à son « innocence » qui faisait d'elle un petit miniphénomène.

Cela dit, le plan de Charlie fonctionnait à merveille, Bree était bien obligée de le reconnaître. Après le dîner, si délicieux qu'elle se serait damnée pour emporter quelques restes chez elle, un flot continu de personnes était venu lui parler.

Bien sûr, Bree avait compris depuis longtemps que les stars étaient bien différentes de l'image que tout le monde s'en faisait. On croyait les connaître, parce qu'on vivait avec elles au fil des saisons des séries TV ou des films qu'elles tournaient, mais en fait on ne les connaissait pas du tout. Leur véritable personnalité n'avait rien à voir avec celle leurs masques.

L'essentiel était de le savoir et de l'accepter. De tout temps, les gens avaient eu des icônes. Des idoles qui étaient comme un ciment entre eux. Elles leur permettaient de se sentir reliés les uns aux autres, de partager des passions, des enthousiasmes. Et, aujourd'hui, c'était au tour de Twitter, Facebook, *Naked New York* de former ces liens, et d'être le centre de villes invisibles où tout le monde se retrouvait.

Faire partie des élus était beaucoup plus bizarre qu'elle ne l'avait imaginé. Bree ne s'était pas préparée à cela : rencontrer ces gens, célèbres ou en quête de gloire, entendre et lire ce que Charlie voyait en elle, voir qu'une histoire s'écrivait déjà à son sujet, être ainsi exposée… Elle en perdait presque pied.

C'est ainsi que, sans trop savoir comment, elle s'était retrouvée debout près d'une fenêtre le regard perdu au loin, alors que l'instant précédent elle titubait encore sous le flot des regards braqués sur elle.

Charlie était venu à son secours. Sa main ferme posée sur son bras était forte et rassurante. Sa présence lui avait facilité la tâche. Mais Bree était toujours en quête d'oxygène alors que lui naviguait dans son univers comme un poisson dans l'eau.

Chaque fois qu'il la touchait, son contact déclenchait en elle de longs frissons, ce qui n'était pas pour arranger les choses. C'était même ridicule. Elle aurait déjà dû avoir dépassé ça. Mais savoir qu'ils n'étaient là que pour travailler provoquait en elle un sentiment de frustration pénible. Ce gouffre entre ce que lui dictait sa raison et son désir lui faisait peur. Toute la soirée, elle avait alterné entre électrochocs et regrets.

— Tu es prête ? demanda Charlie si près de son oreille qu'elle pouvait sentir la chaleur de son corps.

Il avait certainement parlé très fort pour couvrir le bruit de la musique, mais sa voix lui fit l'impression d'une caresse.

Bree acquiesça et Charlie passa un bras autour de ses épaules tandis qu'ils passaient de l'ambiance surchauffée de la salle à la fraîcheur de la nuit. De nouveau, ils se trouvèrent face à une file de limousines longue comme un terrain de football. Des dizaines de voituriers s'affairaient dans tous les sens. Un véritable asile de fous.

— A quoi penses-tu ? demanda Charlie. C'est mieux ? Ou bien pire que la dernière fois ?

— A toi de me le dire. Tu m'as surveillée de loin toute la soirée.

Charlie étudia son expression et elle fut de nouveau stupéfaite de constater à quel point elle aimait son visage. Ses yeux étaient étonnamment grands. On aurait dit ceux d'un chat. C'était sans doute la chose que l'on remarquait au premier regard.

— Même si c'était dans le cadre du travail, avança-t-il, je pense que tu as préféré cette soirée. D'une part, tu savais mieux à quoi t'attendre et, d'autre part, tu as pu t'entretenir avec des créateurs que tu adules, si je ne m'abuse…

Bree sourit, même si sa conclusion n'était pas tout à fait juste.

— Ta fabuleuse idée est en train de tomber à l'eau. C'est un peu gênant, non ?

— Ma fabuleuse idée ? Que veux-tu dire ?

— Chaque fois, je perds un peu plus de mon innocence. D'ici vendredi soir, la « candide » sera devenue cynique et froide, et ma contribution à ton blog ne sera plus valable du tout…

Charlie éclata de rire, et de petites rides apparurent au coin de ses yeux. Bree ne put s'empêcher de toucher sa veste, de le toucher, lui. Ses petites pattes-d'oie de jeune trentenaire étaient si sexy. D'autant plus que, chez les gens « glamour » qu'il fréquentait, des obsédées de l'éternelle jeunesse, les rides en tout genre, y compris d'expression, étaient proscrites. Voilà pourquoi elle se sentait bouleversée. Elle aurait détesté l'idée que Charlie ait recours au Botox. Ses rides le rendaient vrai, charnel, accessible.

Accessible ? Hum… ce n'était sans doute qu'une apparence.

— Fais-moi confiance, répondit-il. Tu es une fille très intelligente, et loin de moi l'idée de te sous-estimer, mais, crois-moi, tu es à des années-lumière d'être blasée. Bien sûr, dans une semaine ou deux, tu ne te pâmeras plus à l'idée de rencontrer des gens célèbres, mais ce petit frisson d'excitation que tu éprouves existera toujours.

— Parfait.

Bree aimait se sentir excitée, du moins face aux stars. Concernant Charlie, c'était une autre histoire.

— Désolée de te faire rentrer si tôt, ajouta-t-elle. J'imagine que tu restes jusqu'à la fin, d'habitude.

— Pas du tout. Je reste jusqu'à ce que j'aie assez d'informations, puis je rentre chez moi. Je dois me lever tôt pour écrire mon blog à temps.

— Si je comprends bien, les photographes t'envoient leurs photos avant la fin de la soirée ?

— Oui. Je les regarde le matin. Je reçois aussi les articles des journalistes free-lance et tous les potins. Puis je réunis le tout dans mon blog avant de l'envoyer à mon assistante Naomi, qui y travaille jusqu'à sa publication à 10 heures. Si tu écris un encadré sur la soirée, j'en aurai besoin pour 9 heures.

Bree hocha la tête pour masquer sa peur. Cet article serait bien le sien. Elle surnagerait ou coulerait en fonction de son talent. A cette pensée, elle ressentit soudain une faiblesse dans les jambes. Comme elle aurait aimé s'asseoir !

— Tout va bien ? demanda Charlie.

— J'ai une autre question, répondit-elle en éludant sa demande. Pourquoi faire appel à une styliste ? Nous en avons besoin ?

Ces mots déclenchèrent un déclic en elle. Elle baissa les yeux sur sa robe — une robe qu'elle avait confectionnée lorsqu'elle était à l'université. Elle était d'un beau vert, un ton plus clair que ses yeux, et sans manches. Elle la portait avec un boléro violet et vert. C'était une robe pour sortir entre copines. Mais, ici… Les autres tenues la surpassaient de loin. Sa robe lui donnait beaucoup trop l'allure de la ringarde qu'elle était.

— Mon petit doigt me dit que tu vas aimer cet aspect-là de ton job, déclara alors Charlie, en réponse à ta question. Tu vas avoir droit à un relookage complet. Des robes aux accessoires. Avec le maquillage et la coiffure qui vont avec. Top glam !

— Je ne suis pas sûre de comprendre…, murmura-t-elle, de peur qu'il se moque d'elle.

Il s'expliqua.

— Tes encadrés vont porter sur ce que tu t'apprêtes à vivre. Comment se sent une femme qui devient une princesse et que l'on emmène au bal. Que l'on sort de l'ombre et qui se fait photographier avec les stars.

Bree se figea de stupeur. Elle vit alors un sourire illuminer le visage de Charlie. Il ne plaisantait pas !

— Et tu pourras garder toutes les robes, ajouta-t-il.

Là, si elle s'était écoutée, elle se serait jetée dans ses bras. Quelle incroyable proposition !

Elle lui décocha un coup de coude dans les côtes.

— Si jamais tu te fiches de moi, Winslow… Je suis capable de tout !

— Mais je ne mens pas ! se défendit-il en souriant. Elles seront à toi.

A cet instant, les flashes qui crépitaient depuis le début de la soirée se braquèrent sur elle, en plein visage, aveuglants. Cela ne dura que quelques instants, le temps que les photographes choisissent une autre cible, tel un essaim de sauterelles. Grâce à Dieu, cet intermède l'empêcha de sauter au cou de Charlie.

Dieu qui lui imposait le plus diabolique des dilemmes, soit dit en passant. D'un côté, Charlie lui offrait tous ses rêves tandis que, de l'autre, il était bien capable de lui voler son cœur.

— Nous sommes donc d'accord. Tu as rendez-vous avec Sveta jeudi. Demain, nous n'avons rien de prévu.

— Entendu.

— Tu ferais mieux de te reposer. Tu en auras besoin.

— Demain soir, je dois aller préparer les plats pour le club. Rebecca sera de la partie.

— Ah, alors, telle que je la connais, elle ne te lâchera pas tant que tu ne lui auras pas tout raconté dans les moindres détails. Elle risque de te retenir encore plus tard que moi.

Deux heures plus tard, avant de se coucher, Bree

parcourut les photos qu'elle avait prises. Voilà sur quoi elle devait se concentrer : sur ces images, et non sur Charlie, son odeur, le son de sa voix, et son envie d'être près de lui.

Car, une fois la série de blogs terminée, elle tournerait la page. C'était ce qu'il y avait de mieux pour elle…

- 9 -

— Goûte ça et dis-moi si tu ajouterais du sel.

Rebecca recula d'un pas pour permettre à Lilly de goûter sa soupe.

Lilly s'exécuta puis toussota en lui décochant un petit coup de coude.

— Ah ah…, s'exclama Rebecca.

Son cousin venait d'apparaître sur le pas de la porte, au sous-sol de l'église St. Mark. Mais il ne regardait pas dans sa direction. Son regard était braqué sur Bree.

Le rire de Rebecca ne franchit pas la barrière de la vapeur d'eau qui montait de la grande marmite dans laquelle elle cuisinait une énorme soupe de pois cassés. Lilly était occupée à réaliser un chili con carne mexicain. Malgré la chaleur que dégageaient les casseroles et le four, il faisait toujours froid dans ce sous-sol. Mais avec la venue de Charlie, si elle en croyait son instinct, la température risquait de monter d'un cran.

Il était difficile de ne pas regarder Charlie. Comme à son habitude, il était toujours aussi impulsif. Quant à son regard concentré, il témoignait d'un engouement et d'un appétit qui n'avaient rien à voir avec le fumet des plats en train de mijoter.

D'une main, il tenait le battant de la porte et, de l'autre, une liasse de documents. Il portait un manteau taillé sur mesure : bleu marine, long, parfaitement coupé, d'une grande élégance — bref, à son image.

Son cousin savait ce qui lui allait, ce dont il pouvait se passer et ce qui pouvait susciter l'étonnement. Rien n'était laissé au hasard. Ni dans son blog, ni dans sa vie, ni même pour aller chercher du pain. Le voir si ouvertement désirer Bree revenait à le voir nu. Rebecca avait eu tout le loisir d'observer Charlie pendant leurs interminables réunions familiales. Elle l'avait aussi vu avoir du chagrin, des problèmes, échouer, puis réussir. Mais le spectacle auquel elle assistait aujourd'hui était complètement nouveau.

Elle avait donc vu juste, songea-t-elle, le sourire aux lèvres. Son instinct était redoutable. Elle savait que Bree plairait à Charlie. Et que Charlie plairait à Bree. Mais jamais elle n'aurait imaginé qu'ils iraient si vite, si loin.

Elle ne croyait pas être aussi intelligente. Dans leur famille, tout le monde était persuadé que Charlie ne tomberait jamais amoureux. Il était toujours sorti avec des femmes, mais jamais avec *une* femme. Depuis qu'il était adolescent, il vivait dans une incessante valse de conquêtes et se lassait très vite. Charlie était né pour vivre, respirer, travailler au gré de ses envies. Il vivait à cent à l'heure. Le reste était fait pour les gens faibles et ennuyeux.

Et Bree était à l'opposé de ce portrait.

Rebecca se tourna vers son amie. Elle avait communiqué avec elle par SMS toute la journée, mais elle n'avait pas encore eu l'occasion de s'entretenir en privé avec elle. Tout ce qu'elle savait, c'était que, contre toute attente, Bree avait accompagné la veille Charlie à une deuxième soirée, et qu'elle avait écrit un article sur cet événement dans le blog de Charlie le matin même.

Si cela n'était pas la preuve de son propre génie…

Les choses devinrent vraiment intéressantes lorsque Bree pivota et aperçut Charlie debout sur le pas de la porte.

Si seulement Rebecca avait pu se tenir plus près d'eux pour mieux les épier ! Il était difficile de savoir où regarder. Bree leur donnait à présent une parfaite démonstration de la femme moderne transie de désir. Le dos droit, le souffle court, la poitrine bombée de manière suggestive. Son petit pull de seconde main en cachemire moulait parfaitement ses seins, et Rebecca devinait aisément que son cousin était au bord de l'apoplexie.

Puis les joues de Bree se teintèrent peu à peu de rose. Renoir lui-même ne les aurait pas peintes avec tant de grâce. Les yeux agrandis de surprise, les lèvres entrouvertes, elle paraissait prête à défaillir.

Dans la pièce, seuls le léger bouillonnement des aliments dans les marmites et le sifflement du radiateur rompaient le silence. Même Lilly, qui était venue pour chercher de la compagnie, restait silencieuse, consciente que quelque chose venait de se passer.

Rebecca se tourna de nouveau vers Charlie qui venait de faire un pas dans la cuisine. Il semblait réprimer un sourire qui étirait par intermittence la commissure de ses lèvres.

Puis elle braqua son regard vers Bree, comme dans un match de tennis d'une lenteur incroyable. La balle ne franchissait jamais les frontières invisibles, les lancers étaient langoureux et électriques en même temps.

Une légère odeur de brûlé la ramena au monde réel.

Si elle ne la remuait pas dans la seconde, sa soupe allait être gâchée.

— Charlie ! lança-t-elle. Qu'est-ce qui t'amène ici ?

Il sursauta en entendant sa voix et elle faillit éclater de rire. De son côté, Bree était cramoisie. Tout son visage reflétait l'incrédulité.

— Je suis venu pour montrer le blog à Bree, expliqua-t-il.

Il leva sa liasse de documents comme pour donner la preuve de ce qu'il avançait.

— Difficile qu'elle puisse le voir à cette distance.

Le sourire de Charlie se délia enfin, comme ses jambes. Il traversa le sous-sol et s'avança vers Bree.

— C'est Charlie Winslow, murmura Lilly.

Rebecca, qui n'avait pas entendu son amie s'approcher d'elle, sursauta. Mais tous les regards étaient braqués sur le milieu du terrain.

— Oui.

— Que fait Charlie dans cette cuisine ? Avec Bree ? chuchota Lilly dans l'oreille de Rebecca.

— Ils sortent ensemble.

— Quoi ?

Lilly avait parlé fort. Très fort. Suffisamment pour interrompre l'action.

— Bonjour, Lilly Denton, dit-elle en se présentant avec un sourire contrit.

— Enchanté, Charlie Winslow, répliqua-t-il avec aisance.

Il y eut quelques secondes de silence, puis Rebecca tira Lilly vers la marmite, tandis que Charlie, l'air aux anges, reprenait son chemin en direction de Bree.

— Elle sort avec lui ? murmura Lilly. Depuis quand ?

— Pas très longtemps.

— Comment le sais-tu ?

— Apparemment, tu ne lis pas son blog.

— Si, mais, ces derniers jours, j'étais trop occupée.

Lilly lança un nouveau regard en coin vers Bree.

— Cela m'apprendra à faire passer mon travail d'abord, soupira-t-elle.

— D'accord, avoua Rebecca, ce n'est pas à cause du blog. Je le sais parce que Charlie est mon cousin. Au fait, ton chili est en train de brûler.

Elles prirent chacune une grande cuillère et commencèrent à touiller dans leurs marmites comme deux sorcières.

— Sérieusement, explique-moi.

— Je les ai présentés l'un à l'autre.

Lilly, d'ordinaire si réservée, ouvrit grand la bouche et sembla réfléchir. Puis elle s'approcha encore plus près.

— Raconte, s'il te plaît. Et ne m'oblige pas à me servir de cette immense cuillère en persistant à faire la mystérieuse ! la menaça-t-elle d'un air espiègle.

— Je n'ai pas l'habitude de jouer les entremetteuses, répondit Rebecca sur le ton de la confidence. Surtout en ce qui concerne Charlie. Les femmes entrent dans sa vie et en sortent comme un courant d'air. Mais Bree et lui… ils vont bien ensemble.

— Tu l'as fait avant l'échange de cartes ? Pendant ? Car, si Charlie Winslow figurait sur une carte, je demande à être remboursée.

— Mais tu n'as rien déboursé !

— Rebecca…

— D'accord. Il n'était pas sur une carte. Techniquement, en tout cas.

— Tu sais, après l'échange de cartes, je suis sortie avec deux hommes. Le premier était un garçon très gentil, très agréable, mais vraiment collant avec sa mère. Tu vois le genre… Et le second, soi-disant à la recherche d'une relation durable si l'on en croyait la carte, était plutôt léger. J'ai vite compris qu'il ne cherchait qu'une aventure d'un soir.

— Je sais. Mes rendez-vous n'ont pas été non plus une grande réussite. Mais j'ai entendu dire que Paulie avait rencontré un homme génial, et que Tess avait déjà revu trois fois son aventure d'un soir.

— Mais cela n'explique toujours pas la présence ici de Charlie Winslow.

— C'est compliqué. Nous en reparlerons plus tard dans un bar. Et puis, on ne peut pas écouter aux portes, pas vrai ? Continue de remuer ton chili et tais-toi.

Charlie ravala sa salive en se demandant pour la énième fois ce qu'il faisait dans le sous-sol d'une église, aussi déstabilisé qu'un adolescent le jour de son premier rendez-vous. Bree lisait les documents qu'il lui avait apportés. Il savait qu'il n'était pas nécessaire de venir la voir ou d'imprimer les pages du blog pour qu'elle puisse en prendre connaissance, puisque le post serait en ligne dès le lendemain. Mais elle avait eu la délicatesse de ne pas relever ce point.

Il avait demandé à Bree de rédiger une courte biographie qu'il publierait le lendemain. Elle lui avait déjà fourni son premier encadré sur la soirée au Chelsea Piers et l'aventure aurait pu se terminer là. Mais le nombre de lecteurs était en hausse, et Bree avait reçu plus de sept cents commentaires sur son article. Vraiment très encourageant.

Charlie avait donc décidé de pousser l'aventure

encore plus loin. Le lendemain matin, il publierait plus de photos de Bree, du temps où elle était à l'université, à son arrivée à New York, en tenue décontractée. Il espérait ainsi instaurer un dialogue entre elle et les lecteurs.

Il tourna son regard vers Rebecca qui arborait un petit sourire de satisfaction avant de toucher le bras de Bree, l'interrompant dans sa lecture.

— Je reviens tout de suite, déclara-t-il.

Elle acquiesça tandis qu'il se dirigeait vers sa cousine.

— Tu m'accordes une petite minute, dehors ? demanda-t-il.

Rebecca lui lança un regard inquisiteur puis posa sa cuillère et le suivit vers la porte. Une fois à l'extérieur, elle frissonna de froid.

— Tu peux me remercier, dit-elle. J'accepte aussi les cadeaux. Plus ils sont chers, mieux c'est.

— Nous ne sortons pas ensemble.

— Je lis ton blog, imbécile.

— Tu as lu ce que j'ai écrit dans mon blog. Mais, de toute évidence, tu n'as pas encore parlé à ton amie depuis hier avant le déjeuner.

— C'est vrai. Mais nous avons prévu de sortir une fois que les plats seront dans le congélateur.

Charlie enfonça les mains dans ses poches et Rebecca grimaça. Il aurait pu lui prêter son manteau…

— Pourquoi nous as-tu présentés l'un à l'autre ? s'enquit-il.

— Pourquoi m'as-tu emmenée dehors, pour me faire mourir de froid ?

Il ôta son manteau d'un air exaspéré et le tendit à sa cousine en poussant un soupir digne d'une diva de Broadway.

Rebecca s'emmitoufla chaudement dans la laine aussi luxueuse que la coupe du manteau.

— Parce que c'est ton genre de femme, expliqua-t-elle.

— Pas du tout. Ni de près ni de loin. Tu ne me connais pas ?

— Oh que si. Et ces squelettes avec lesquels tu sors tous les soirs sont une plaisanterie. J'imagine que tu peux compter sur les doigts de la main celles que tu apprécies vraiment.

— Peu importe que je les apprécie ou non.

— Charlie, tu es le seul membre de la famille que j'aime, tu le sais. Franchement, il est temps pour toi de passer à autre chose. Quel âge as-tu ? Trente-deux ans ?

— Trente et un.

— Bon, trente et un ans. Tu as consacré toute ta vie professionnelle à faire le pied de nez à tes parents et à ta famille. Ça suffit. Tu dois commencer à vivre pour toi, et arrêter de leur donner autant de pouvoir.

Charlie la contempla de ses yeux immenses, la bouche ouverte, comme si le froid lui-même ne pouvait pas le sortir de son état de choc.

— Mais de quoi parles-tu, Rebecca ?

— *Naked New York*. Ton blog. Pas celui des autres, le tien. Celui qui régule chaque aspect de ta vie, si on peut appeler ça une vie.

— Mon blog se chiffre en millions.

— Mais tu as déjà des millions ! Ecoute, je ne peux pas laisser mes amies cuisiner seules plus longtemps. Fais ce que tu as à faire, mais réfléchis à ce que je viens de te dire, d'accord ? A ce que serait ta vie si tes soirées étaient remplies de choses que tu désires vraiment faire. Si tu sortais avec des gens que tu appréciais vraiment.

— Tu es folle. La fondation Winslow t'a complètement chamboulée.

— Oui, peut-être. Mais… encore une chose. Ne t'amuse pas avec Bree, Charlie. Elle a certainement très envie de jouer dans la grande équipe de la mode, mais c'est une fille bien. Elle n'a pas l'habitude des gens comme nous. Sois prudent.

— Je te l'ai déjà dit. Nous ne sortons pas ensemble.

— Vu la façon dont vous vous regardez, je vous donne trois jours. Allez, quatre.

— Il fait un froid de canard et je n'ai plus du tout envie de t'écouter.

Il passa devant elle et elle le suivit en se demandant comment un homme aussi intelligent que lui pouvait se montrer parfois si idiot.

Bree leva le nez de ses documents tandis que Charlie s'avançait vers elle. Il tremblait de froid… et pour cause ! Il avait offert son manteau à Rebecca. Un parfait gentleman, décidément. Mais, si Bree était aussi excitée, c'était que ce qu'elle avait lu dépassait toutes ses attentes.

— Tu n'as presque rien modifié, observa-t-elle dès qu'il fut près d'elle.

— C'était inutile. Tu as écrit un très bon article.

Bree siffla d'étonnement en parcourant les pages, puis s'arrêta sur sa photo.

— Pourquoi n'as-tu rien dit sur mes cheveux ?

— Comment cela ?

— Ils sont horribles.

— Mais tu es superbe. J'ai même eu du mal à choisir une photo. Elles étaient toutes formidables.

Encore une fois, il se montrait très aimable avec elle. Trop aimable.

Son air méfiant n'échappa pas à Charlie car il lui prit le bras et la força à le regarder dans les yeux.

— Je ne dis que la vérité.

Bree se tut quelques instants. Son esprit était si confus... Pourquoi s'était-il déplacé jusqu'ici pour venir la voir ? Et pourquoi diable continuait-elle à imaginer du désir dans les yeux de Charlie, alors que leur pacte l'excluait sans ambiguïté ?

— J'ai un plat au four, dit-elle pour masquer sa gêne.

— D'accord, répondit-il en la fixant les yeux ronds et sans bouger d'un millimètre.

Qu'attendait-il donc ?

— Une fois que tout sera prêt et bien rangé au congélateur, nous irons boire un verre.

— Nous ?

— Rebecca, Lilly, moi. Et... Toi aussi ?

— Ça fait beaucoup de monde. Nous pourrions peut-être nous retrouver en plus petit comité ?

Bree hésitait. Bien sûr, sa proposition était tentante : elle rêvait d'être seule avec lui, mais le simple fait qu'il le lui propose la troublait plus qu'elle ne pouvait l'avouer.

— Cela fait longtemps que je n'ai pas vu mes amies. Je comprendrais que tu ne veuilles pas te joindre à nous.

— Non. Cela me ferait plaisir.

Mais pourquoi diable voulait-il sortir avec elles ? Au secours, Rebecca ! Il devait certainement y avoir une bonne raison.

— Parfait. Tu vas pouvoir nous aider à emballer les plats. Nous irons plus vite.

— Formidable, répondit-il d'une voix blanche.

Elle sourit malicieusement en voyant son air dépité.

— Bon, se reprit-il un peu piqué, ce n'est parce que tu m'as vu faire des prouesses avec un service à thé qu'il faut m'enfermer à tout jamais dans une cuisine !

Le rire de Bree emplit la pièce et Charlie rougit, maladroit et gêné. Elle s'écarta rapidement de lui et lui lança par-dessus son épaule :

— Ça ne te tuera pas, je te le promets.

Il ne pouvait plus se rétracter. Il fit une grimace qui se voulait sans doute être un sourire.

— Attention, je te prends au mot, lança-t-il sur le ton de la plaisanterie.

Mais elle comprit à sa mine déconfite que cette idée ne le réjouissait pas trop.

Elle s'efforça alors de se concentrer sur la préparation de ses plats, et non sur la confusion qui s'était emparée de son esprit.

Le bar n'avait rien de tape-à-l'œil. La plupart des clients étaient en tenue de travail, à l'instar de Bree et de ses amies. Tout le monde devait se demander ce que Charlie Winslow faisait dans un vulgaire bar de quartier un mercredi soir.

Il ne semblait pas s'en soucier. Il avait appelé un taxi et insisté pour payer la course. Il était ensuite entré avec elles dans le bar comme s'il s'agissait de la prochaine soirée de la Fashion Week sur sa liste.

Toutes les femmes le regardaient avec un appétit à peine dissimulé, lui décochant le genre de regards capables de faire rougir une statue de pierre. Dire qu'elle était avec lui l'autre soir. Nue, dans son lit ! songea Bree sans parvenir à chasser cette pensée de son esprit.

Ils aperçurent une table vide au fond de la salle.

Charlie la suivit parmi la foule en se collant contre elle. Elle pouvait sentir son corps puissant et viril dans son dos. Elle aurait été moins troublée s'il avait gardé son manteau. Au moins aurait-elle été moins envahie par la présence de son torse chaud, si palpable à travers sa fine chemise en coton blanc, son pantalon noir moulant, les muscles puissants de ses cuisses et de son torse…

— Bree ?

— Hum ?

— Qu'est-ce qui te ferait plaisir ?

— Heu…, commença Bree, un peu décontenancée. Ah, oui, eh bien, un tequila sunrise, s'il te plaît. Avec beaucoup de sunrise.

— Je vais te chercher ça.

Charlie s'éloigna d'elle, et aussitôt elle se détendit. Bon sang, ce garçon ne savait-il pas ce qu'était une bulle d'intimité ?

Dès que Charlie fut suffisamment loin, Lilly se pencha vers elle au-dessus de la table. La musique n'était pas assourdissante, mais elle devait hausser la voix pour se faire entendre.

— Mon Dieu, Bree, pourquoi ne m'as-tu pas dit que tu sortais avec Charlie Winslow ?

— Parce que je ne sors pas vraiment avec lui.

Lilly lança à Rebecca un regard acéré avant de se retourner vers Bree.

— Je ne comprends pas.

— C'est une mise en scène pour attirer de nouveaux lecteurs sur le blog de Charlie. Rien de très important.

— Mouais, répondit Lilly l'air sceptique. Pas à moi, veux-tu ! J'ai bien vu qu'il te dévore des yeux…

— Allons, Lilly ! Tu penses qu'un homme comme lui voudrait sortir avec une fille comme moi ?

— Tout à fait !

— Et pourquoi donc ?

Bree dévisagea ses amies.

— Il pourrait avoir tellement mieux, continua-t-elle. Mais peu importe. Il est absolument charmant. Il m'emmène avec lui aux soirées de la Fashion Week et il publie même mes articles, ce qui va étonner mon patron et l'obligera peut-être enfin à me remarquer. Grâce à lui, je vais gravir quelques échelons et avancer dans mes plans professionnels. Tout le monde est gagnant dans cette histoire, moi la première.

Rebecca eut un petit raclement de gorge appuyé et Bree croisa à contrecœur son regard.

— Et, s'il ne s'intéresse pas à toi, peux-tu me dire ce que vient faire Charlie ici ce soir ? demanda-t-elle d'un air taquin.

— C'est à cause du blog, bafouilla Bree.

— Comme l'article doit être publié sur internet, cela aurait été beaucoup plus simple pour lui de te l'envoyer par mail, non ?

Bree ouvrit la bouche pour répondre, mais ne trouva rien à dire.

Hormis le sermon que sa cousine lui avait infligé devant l'église, Charlie avait passé une bonne soirée. Il se serait bien passé du conditionnement des plats, mais même cette partie avait été amusante. Rebecca avait raison sur un point : cela faisait bien longtemps qu'il ne faisait plus rien de normal. Par exemple, il ne faisait plus de courses, ni de shopping en général. Il était si simple de se faire livrer à domicile ou d'envoyer Anna, sa gouvernante, les faire à sa place. Autre exemple, il assistait aux premières, mais n'allait jamais au cinéma. On lui envoyait avant tout le monde des livres et des films, il recevait pléthore d'invitations pour des soirées à New York, Milan, Paris, Londres, Dubai et Los Angeles… Mais il ne faisait jamais la tournée des bars avec des potes. Cela faisait une éternité qu'il n'était plus allé boire un verre dans un bar normal, avec un copain et non avec des stars étincelant de paillettes.

Alors, ce soir, tout lui avait plu, de la musique que diffusait le vieux jukebox — une antiquité — aux rires bruyants des filles heureuses de se détendre après le travail. L'ambiance lui rappelait le bon temps, à l'époque où il venait tout juste de lancer son blog.

Seule la manière dont la soirée s'était terminée l'avait déçu. Il avait mis Bree dans un taxi, et il en avait appelé un autre pour lui. Bref, ils étaient rentrés séparément, chacun chez soi.

Pour se consoler de n'être pas rentré avec elle, il se disait qu'elle avait une épuisante journée demain et que c'était mieux comme ça. Après le travail, elle aurait rendez-vous avec la styliste, puis ils se rendraient ensemble à un vernissage qui ne commençait pas avant 21 heures.

Bree avait donc, dans le meilleur des cas, quatre heures de sommeil devant elle. En monstrueux égoïste qu'il était, il l'avait retenue beaucoup trop tard ce soir.

Il se sentait si bien en sa compagnie… Mais il avait bien fallu que la soirée se termine, comme toute chose. D'ailleurs, dans une semaine, ces petits moments avec Bree ne seraient plus qu'un vieux souvenir. Avec un peu de chance, elle aurait du succès sur son blog et il s'en tiendrait dès lors à lui confier la pleine responsabilité de la rubrique. Ils ne feraient plus que se croiser — à des cocktails, des soirées. Le temps passant, il tournerait la page, comme à l'ordinaire. C'était d'ailleurs ce qu'il avait de mieux à faire.

Il réfléchit encore à ce que Rebecca lui avait dit. Que sa famille se sente insultée par la façon dont il gagnait sa vie n'était pas son problème. Pendant toutes ses années de lycée, Charlie leur avait répété qu'il ne comptait pas rentrer dans le rang, faire de la politique. La politique… Ridicule ! Ils auraient dû le comprendre sans qu'il ait besoin de le leur lancer au visage. Mais ils n'avaient vu que ce qu'ils avaient bien voulu voir.

Alors, il s'était affirmé. De manière radicale, il est vrai. En étant arrêté pour scandale à l'université. Un acte lamentable mais nécessaire pour lui. Depuis, il devait son succès à ses compétences, à sa rigueur et, oui, à sa chance. Alors, pas question de s'arrêter en si bon chemin. Mais, mieux que quiconque, Rebecca aurait dû le comprendre. Bien sûr, qu'il éprouvait du plaisir à être avec Bree. Il ne pouvait pas nier son attirance pour elle. Seulement, elle ne collait pas avec son style de vie.

Sauf comme une accroche.

Un encadré pour mettre du piment dans son blog.

Et dans son lit. Seigneur, comme elle cadrait bien dans son lit !

Son regard se perdit à travers la fenêtre du taxi qui le ramenait chez lui. La vie était une affaire de choix. Certains étaient plus durs à faire que d'autres. Mais, après tout, Bree n'était qu'une fille de plus. Et il avait appris depuis bien longtemps à ne pas mélanger sexe et sentiments.

- 10 -

Sveta Brevda, la styliste, était grande, maniaque, et mince comme une liane. Elle imposait ses opinions et dirigeait d'une main de fer. Leur premier arrêt — chez Dior ! — apprit à Bree à se déshabiller rapidement, à marcher le dos droit et à garder la bouche fermée.

Au septième magasin, elle mit de côté sa pudeur et accepta de se dévêtir entièrement, sans se soucier des personnes présentes dans la cabine d'essayage, vendeuses ou vendeurs.

De la cabine où elle se trouvait, elle aperçut un livreur de pizza près de la porte d'entrée qui hochait la tête l'air de rien en la regardant se glisser dans une robe moulante sous laquelle elle ne portait absolument rien. Mais, à part ça, les vêtements étaient…

Bree ne trouvait pas d'adjectifs assez éloquents. Et les accessoires ? Elle avait l'impression d'avoir été propulsée d'un coup au paradis. Et même si les talons aiguilles étaient une torture pour ses pieds, même si elle pouvait à peine respirer dans les robes deux tailles trop petites qu'elle avait essayées, et même si on lui demandait de tourner et de parader comme une bête de foire, la douleur en valait vraiment la peine. Pour rien au monde elle n'aurait voulu perdre une miette de cette expérience !

Pas même à cause du vendeur de chez Prada… L'homme, qui arborait une belle chevelure argentée, avait glissé sa main dans son corsage pour remonter ses seins nus. Saisie, elle l'avait éloigné sèchement. Ce n'était définitivement pas son meilleur souvenir… Mais, enfin, elle tenait pour de bon le sujet de son prochain article.

La journée avait filé à toute allure : les taxis étaient appelés quelques secondes avant qu'elles sortent des magasins, la sélection des vêtements était organisée de manière si parfaite que cela paraissait irréel… Bree comprenait maintenant les mérites d'une bonne styliste.

Seul Charlie manquait au tableau. Elle aurait aimé partager avec lui ses commentaires, observer ses réactions, sentir sa main se promener le long de son dos. Mais il avait du travail, comme elle. Sauf qu'en se prêtant à ce jeu, Bree avait l'impression d'être un mannequin. Mais un mannequin inexpérimenté… C'était comme si, n'étant pas à sa place, elle se trouvait là par erreur ; une erreur qu'il lui faudrait rattraper d'un moment à l'autre.

Charlie, lui, n'était pas du genre à commettre des erreurs de cette ampleur. Combien elle aurait été soulagée si elle avait pu lui parler ! Une fois dans le taxi, elle décida de lui envoyer un SMS, mais il était en réunion. Elle attendrait pour sa réponse.

Ses parents avaient débarqué à l'improviste, au grand dam de Charlie. Il devait faire des efforts pour sourire aimablement, bavarder comme si leur visite inopinée était la bienvenue et feindre qu'elle était sans rapport avec sa dernière conversation avec Rebecca. C'était à cause d'elle que ses parents étaient là ! Comment aurait-il pu en être autrement ? Il avait toujours apprécié sa cousine. Elle avait été son alliée, sa couverture, son amie. Sa trahison n'en était que plus dure à accepter.

— Nous ne te dérangerons pas longtemps, Charles, annonça son père en examinant attentivement le salon.

Charlie savait que ses parents remarqueraient le moindre changement : les nouvelles lampes, l'ardoise qui avait remplacé les briques autour de la cheminée. Leurs visites chez lui avaient été rares cette année. Il préférait les voir en terrain neutre, même s'il se rendait à toutes les réunions de famille, une fois par an, où qu'elles se tiennent. Il n'avait pas complètement coupé les ponts avec eux.

— Tu dois savoir qu'Andrew va entrer en campagne, continua son père d'une voix douce et modulée.

C'était une des premières leçons qu'il avait apprises de sa famille : parler doucement pour obliger les autres à écouter.

— Nous sommes très heureux des appuis qu'il a reçus jusqu'ici, mais son comité est en train de valider son budget communication… Naturellement, nous avons pensé à toi.

Charlie poussa un léger soupir de soulagement. Ainsi, Rebecca n'était pour rien dans leur visite, ses parents venaient seulement plaider la cause d'Andrew. Il ne réagit pas au discours de son père. C'était une autre leçon qu'il avait assimilée dès son plus jeune âge : ne rien laisser transparaître, ni dans son expression, ni dans son ton, ni dans son attitude.

Les Winslow incarnaient la quintessence de l'élégance discrète. Rien en eux n'était ostentatoire, mais tout était méticuleusement choisi pour signifier leur statut. Ils portaient les montres les plus coûteuses, des chaussures italiennes cousues main, les vêtements des meilleurs créateurs.

Ses parents inspiraient le respect, et tous ceux qui n'étaient pas de la famille ne pouvaient que se sentir petits et insignifiants à côté d'eux. Ils se montraient exagérément polis. Ils irradiaient le pouvoir et les privilèges.

Seigneur, il avait le froid dans le dos en songeant à ce qu'ils avaient essayé de faire de lui, autrefois. S'il ne s'était pas opportunément rebellé, il aurait été à la place de ce malheureux Andrew, aujourd'hui, à mener campagne. Un rôle que ses parents auraient adoré lui faire jouer. Mais, ça, Charlie était certain que ses parents n'allaient pas oser le lui dire.

— Nous aimerions beaucoup nous appuyer sur tes deux blogs les plus pertinents : *Dollars* et *NYPolitic*.

— Je regrette, répondit fermement Charlie. Faire la promotion des membres de ma famille n'est pas à l'ordre du jour dans mes blogs. Ce serait déplacé, d'autant que, à mon avis, l'entrée d'Andrew au Sénat sera une calamité.

Il sentit son téléphone vibrer. Un SMS de Bree. Dommage, il ne pouvait pas le lire tout de suite.

— Nous ne te demandons pas de modifier ta ligne éditoriale ou d'appuyer personnellement sa candidature, intervint sa mère. Juste un peu d'espace publicitaire. Cela représente un revenu confortable pour toi.

Charlie regarda sa mère droit dans les yeux. Il savait qu'elle était outrée : il ne leur avait rien proposé à boire, pas même un verre d'eau. Il se contentait d'afficher une politesse froide et de dire « non ». Chez ses parents, rien de tout cela ne serait arrivé.

Sauf qu'il était chez lui, songea-t-il en balayant la pièce du regard, un sourire vainqueur aux lèvres.

— J'ai dit non, maman, répondit-il d'une voix dure.

Sur Madison Avenue, Bree et son équipe firent un autre arrêt pour acheter des chaussures et des accessoires de maroquinerie. Sveta, qui était biélorusse, avait un accent épouvantable et, parfois, Bree la comprenait à peine. Elle se contentait alors de hocher la tête et de garder la tête froide lorsqu'elle pénétrait dans les temples de la mode comme Versace, Chanel ou Anna Sui. Dans ces magasins, quelques rares articles étaient artistiquement présentés dans un minimalisme très snob. Des hôtesses magnifiques et radieuses offraient un excellent champagne et savaient expliquer dans le moindre détail la coupe et la fabrication des vêtements en rayon. La musique était toujours… originale, différente. Rien de ce que Bree pouvait entendre à la radio. Ici, tout respirait le luxe, la magie des tissus précieux, l'attention portée aux clients.

Les prix qu'affichaient les étiquettes la conduisaient chaque fois au bord de l'apoplexie. Et, même si les sélections que l'on faisait pour elle ne faisaient pas partie du très haut de gamme, elles restaient outrancièrement extravagantes. Bree avait réellement l'impression de vivre dans un autre monde la vie d'une autre personne. Le monde de Charlie. En se photographiant avec une paire de chaussures à talons si hauts qu'elle risquait de finir estropiée pour des années, elle se répéta qu'elle n'était ici qu'en touriste. Rien de plus.

*
* *

Le père de Charlie se leva brutalement, poing tendu vers son fils. La colère enflammait son visage.

— Que tu le veuilles ou non, Andrew est l'un des nôtres, Charles ! C'est un Winslow. Nous t'avons laissé mener ta barque à ta guise, t'amuser, pour le meilleur comme pour le pire, mais aujourd'hui c'est notre héritage que tu piétines. Je ne pourrai pas le tolérer.

Charlie se leva à son tour et se dirigea vers la porte d'entrée.

— Je suis ravi de constater que rien n'a changé, répliqua-t-il. Tu continues à tort de croire que tu as encore une quelconque influence sur moi ou sur ma vie. Les traditions ont la peau dure.

— Charles, observa sa mère, l'air moins outré que blessé, ça suffit. Nous sommes tes parents.

Charles s'approcha d'elle et lui tendit son manteau.

— Merci pour votre visite. J'espère que vous passerez de bonnes vacances à Saint-Barth.

Sa mère lança un regard dépité vers son mari, qui faillit arracher sa veste des mains de son fils.

— Je m'en souviendrai, Charles, déclara-t-il d'un air menaçant.

— Je l'espère, répondit Charlie en les raccompagnant jusqu'à la porte.

Il tremblait encore de colère en refermant le battant. Il fallait qu'il se calme, qu'il recouvre un semblant de sérénité après leur visite. Qu'il lise le message de Bree. Si seulement elle était là, près de lui…

Il ne lui avait jamais parlé de ses parents, et ne lui avait posé aucune question sur les siens. C'était un sujet tellement intime et douloureux. Et, après tout, ils n'étaient pas amis, en tout cas ils se connaissaient depuis peu. N'empêche qu'il se sentait à l'aise avec elle. Elle était sensible et écoutait les gens sincèrement. Qu'importe ! De toute façon, les conflits avec ses parents étaient devenus rares. Non, il ne parlerait pas à Bree de ses problèmes personnels.

Il sortit le téléphone de sa poche et consulta le dernier message qu'elle lui avait laissé. En entrant dans son bureau, il avait retrouvé le sourire.

Au final, ils avaient glané assez de vêtements pour assurer au moins une semaine de soirées. La robe de marquise en vue de la première du film *Courtisane* était la plus extravagante. Et la robe du soir, ajustée par une nuée de couturières pour épouser chaque courbe de son corps, était d'une telle élégance que Bree avait senti son cœur se serrer.

Il était presque 20 heures lorsque le taxi arriva chez Charlie. Sveta n'eut pas besoin de se faire annoncer. Les personnes à l'accueil la saluèrent avec déférence tandis que le portier les aidait à porter tous les sacs dans l'ascenseur. Bree s'appuya contre le miroir de la cabine puis prit le temps de souffler. Mais, dès son arrivée dans l'appartement de Charlie, son regard fut attiré vers la chambre à coucher. Leur pacte lui revint d'un coup. Il ne se passerait rien cette fois-ci, non, leur relation n'était que professionnelle, et elle ne pouvait rêver mieux. Pourtant, malgré ses efforts, elle ne parvenait pas à se débarrasser du poids qui pesait sur sa poitrine. Alors qu'elle était en train de se raisonner, Charlie arriva dans le hall. Tous les sons lui parvinrent de manière diffuse, comme étouffés.

Lorsqu'il croisa son regard, il lui décocha un large sourire, et elle frémit en le regardant s'approcher, sachant qu'il pouvait la toucher et qu'elle pouvait le toucher en retour, même devant Sveta et les portiers. Mais cela n'irait pas plus loin. Elle ne pouvait pas l'avoir, lui.

Bree ne regrettait pas d'avoir choisi de maintenir leur relation sur un plan strictement professionnel. C'était ce qu'il y avait de plus sensé et de plus mûr. Mais force était de reconnaître que tout cela était aussi rageant.

— C'est beaucoup trop, dit-elle en plongeant son regard dans celui de Charlie pour le remercier.

Il posa les mains sur ses épaules et fit glisser ses paumes jusqu'à sa taille. Bree sursauta. Un frisson délicieux embrasait sa peau. Puis il l'embrassa, sur les lèvres. Mais, au moment même où le trouble commençait à s'installer entre eux, il recula d'un pas. A qui était destiné ce baiser ? A Sveta ? Au reste de l'équipe ? Oui, sans aucun doute.

— Mais non, répondit-il d'un air désinvolte. Ça fait partie du boulot.

— Charlie, j'ai vu les prix sur les étiquettes.

— La plupart de ces vêtements sont gratuits, objecta-t-il avec un sourire.

— Rien n'est gratuit. Je sais que c'est du troc, sauf que je ne suis pas célèbre !

— Mais tu vas le devenir.

— En une semaine ? J'en doute.

Il l'accompagna plus loin dans l'appartement tandis que Sveta conduisait les portiers le long du couloir, ses talons cliquetant à toute vitesse sur le carrelage.

— Tu ne feras peut-être pas la une de *People*, continua Charlie, mais tu seras connue en ville. C'est tout ce qui compte.

Il fit une pause. Sa paume dégageait une agréable chaleur contre sa peau. Lorsqu'il reprit la parole, son ton se durcit légèrement, la pression de ses doigts se fit plus sèche.

— Tu es avec un Winslow, maintenant, et les Winslow sont au cœur du pouvoir dans cette ville, l'ignorais-tu ?

Bree se figea. Sans vraiment savoir pourquoi, elle se sentit mal à l'aise. Que s'était-il passé pendant cette réunion, cet après-midi ? Charlie n'avait pas l'air dans son assiette. Elle aurait voulu lui poser la question, mais c'était inutile. Il se contenterait de lui répondre que tout allait bien même si, manifestement, ce n'était pas le cas.

— Chacune de tes tenues va être mise en avant dans mes différents blogs, expliqua-t-il en relâchant son étreinte.

Sa voix était moins stridente, plus normale.

— En plus de tes encadrés, poursuivit-il, des pros de la mode en feront la publicité dans les semaines à venir. Je te garantis que d'ici le mois d'avril, on les retrouvera dans leur version prêt-à-porter chez Macy's.

Bree afficha un sourire forcé. Charlie était en colère. Et tout ce baratin lui permettait de gagner du temps pour se ressaisir. Elle voyait bien qu'il s'efforçait de lui être agréable mais qu'il était dans le fond très soucieux. Néanmoins, elle n'avait pas le droit d'exiger de lui d'être honnête avec elle, ni qu'il lui fasse la moindre confidence sur sa vie privée.

— J'ai rédigé un premier jet de cette journée entre les mains de grands couturiers, poursuivit-elle.

— Il me tarde de le lire. D'ailleurs…

Il suspendit brusquement sa phrase. Le martèlement des talons annonçait le retour de Sveta dans le salon.

— Venez vous habiller, maintenant, ordonna la styliste.

Bree interrogea Charlie du regard.

— Nous disposons d'une pièce réservée à cet effet, expliqua-t-il.

— Tu habilles donc toutes tes femmes ? plaisanta-t-elle.

Un sourire énigmatique flotta sur son visage, mais Bree se lança rapidement sur les pas de Sveta sans attendre sa réponse.

La pièce où elle entra était aménagée comme une loge d'artiste. Elle était équipée de miroirs, de sièges réservés à la coiffure et au maquillage, de penderies de vêtements. Beaucoup contenaient des vêtements d'homme, mais aussi des pièces féminines de toute beauté. Dans un coin, un paravent permettait de se changer en toute intimité. Parmi les personnes qui s'affairaient, cinq étaient des photographes qu'elle avait croisés à la soirée Mercedes. Leurs assistants étaient occupés à régler l'éclairage. Des rouleaux géants de toile de fond étaient dressés sur un côté, prêts à être déployés pour tous types de photos.

Son regard fut attiré par un autre coin de la pièce. Au milieu d'un bric-à-brac d'objets, trônait une machine à coudre, mais pas n'importe laquelle : c'était la Rolls Royce des machines à coudre, songea-t-elle avec une pointe de jalousie.

— Changez-vous, lança Sveta en lui tendant une robe violette au décolleté en V.

Bree détacha son regard de la machine et obéit à la styliste sans broncher. Elle se glissa avec bonheur dans la magnifique robe signée Victoria Beckham. Elle avait la sensation de la porter nue, son unique sous-vêtement étant un string couleur chair.

Dès qu'elle sortit de derrière le paravent, on l'enveloppa d'une cape et on l'installa sur un siège. Puis une multitude de mains s'agitèrent autour de ses cheveux, de son visage, de ses ongles. Les lumières conféraient plus d'intensité à la scène, au point que Bree se sentait oppressée. Elle ouvrait la bouche comme un robot lorsqu'on le lui demandait, pliait sa nuque lorsqu'on lui tirait les cheveux en arrière, bref, se laissait manipuler comme une poupée de chiffon.

Jamais elle ne s'était sentie envahie comme cela dans sa sphère intime. Le mélange des haleines et des eaux de Cologne de chacun, plaisant au début, commença à l'embarrasser au point de devenir écœurant. Mieux valait que tout ça finisse bientôt car elle commençait à perdre patience.

— Salut !

Cette voix bien connue l'interrompit dans ses pensées, comme pour la libérer. Charlie était là.

Aussitôt, tous les instruments qui s'étaient emparés d'elle, ces brosses, ces doigts, ces limes à ongles, ces recourbe-cils, battirent en retraite. Bree poussa un soupir de soulagement, et s'aperçut qu'elle avait agrippé les accoudoirs du siège si fort que les jointures de ses mains étaient blanches. Elle observa Charlie dans le miroir et sentit sa large main se poser sur son épaule.

— J'ai oublié de te demander si tu as pu manger quelque chose, se soucia-t-il.

— Oui, ne t'inquiète pas, j'ai déjeuné tout à l'heure.

— Tout à l'heure, c'était il y a huit ou neuf heures, n'est-ce pas ?

— Environ ! répondit-elle d'un air amusé.

Charlie sembla réfléchir avant de se tourner vers Sveta.

— Dans combien de temps sera-t-elle prête ?

— Cinq minutes. Il manque le vernis sur la main gauche, le mascara et un peu de rouge à lèvres.

— Laissez tomber le rouge à lèvres. Finissez le reste. Je suppose que vous n'avez pas mangé non plus. Non, ne me regardez pas comme ça, vous devez avaler quelque chose. Un petit buffet vous attend tous dans la cuisine.

Avant de reporter son attention vers Bree, Charlie serra doucement son épaule et lui sourit.

— Ce ne sont pas des plats en sauce mais, à ta place, je garderais la cape, au cas où. Je te connais, tu risques de ne rien vouloir avaler de peur de tacher ta robe ! Et, comme ça, nous pourrons parler de la soirée qui nous attend en toute sérénité.

Touchée par son attention, Bree hocha lentement la tête. Jusqu'à cet instant, elle n'avait pas compris que ses bouffées de panique étaient dues à la faim. Essentiellement.

Elle le suivit du regard dans le miroir tandis qu'il se dirigeait vers le cintre à cravates, en choisit une et s'apprêta à sortir de la loge. Une fois sur le pas de la porte, il se tourna vers elle et lui adressa un clin d'œil.

Mais, avant qu'elle ait pu lui retourner son sourire, quelqu'un avait déjà saisi sa main, et Bree vit les choses s'enchaîner à la vitesse de l'éclair.

La soirée touchait à sa fin, et Bree en avait été l'élément le plus agréable. Mais sa douce présence n'avait pas empêché Charlie de penser sombrement à ses parents. Il avait essayé d'appeler Rebecca, sans succès, et ses pensées le renvoyaient sans cesse à l'altercation de l'après-midi. Comment ses parents avaient-ils pu croire qu'il serait malléable à ce point ! Promouvoir la campagne du candidat Winslow dans ses blogs ! N'importe quoi ! Bon sang, cette seule idée le remplissait de rage !

Il leva la tête au moment où un serveur du Pyramid Club leur apportait des verres de vodka. Absorbé par ses pensées, il s'était de nouveau laissé distraire, au lieu d'observer attentivement les invités. A ce stade de la soirée, il ne restait plus grand-chose à voir. La plupart des véritables stars se massaient à l'extérieur, dans la zone des fumeurs, et gelaient en critiquant les personnes restées à l'intérieur. Normalement, pour faire son devoir, il aurait dû les rejoindre quelques minutes.

Mais Bree était beaucoup plus alléchante qu'eux. Elle était adossée contre le mur de briques noires, superbe dans sa robe prune et ses sandales à talons hauts, entourée de reporters et de personnes en quête de gloire.

Il l'avait prévenue. Le blog publié le matin même l'avait mise sous le feu des projecteurs. L'aura dont il bénéficiait avait rejailli sur elle. Et il avait le sentiment qu'il ne faudrait pas longtemps à la jeune femme pour développer la sienne propre.

Il l'observa. Elle tenait avec élégance son verre de jus d'ananas, mais c'était son sourire éclatant qui le confortait dans l'idée qu'il avait fait le bon choix.

— Tu t'amuses ? demanda-t-il après s'être débarrassé de quelques ivrognes pour arriver jusqu'à elle.

— J'ai la tête qui tourne, cria-t-elle.

Le volume sonore était si élevé dans ces soirées que

Charlie était certain de finir sourd avant ses quarante ans.

— Il est tard, nous n'allons pas tarder à partir.

— Quand tu voudras.

Il était à peine plus de minuit, mais Bree devait aller travailler le lendemain et écrire son encadré. De plus, il voulait s'aménager un peu de temps seul avec elle.

Il lui prit la main. Un crépitement de flashes les accompagna tandis qu'ils se dirigeaient vers la sortie. En chemin, ils durent s'arrêter à plusieurs reprises, mais il ne leur fallut pas très longtemps pour atteindre la limousine.

Une fois dedans, Charlie se cala contre les fauteuils en cuir, et attendit dans un coin que Bree vienne se glisser près de lui. Mais elle resta près de la porte opposée.

— Tout va bien ? demanda-t-il.

— Oui, très bien.

— J'ai l'impression que tu as froid.

— Non, répondit-elle en tirant sur le bas de sa robe et en évitant de croiser son regard. C'est parfait, je t'assure. Si tu souhaites rentrer directement chez toi, n'hésite pas, je prendrai un taxi.

— Mais non, voyons, je te raccompagne.

— Oh…, fit-elle soudain d'une voix gênée.

— Que se passe-t-il ?

— C'est que… j'ai laissé mes vêtements chez toi.

— Tu portes déjà tes vêtements.

— C'est vrai, répondit-elle en le dévisageant. J'avais oublié.

— Qu'y a-t-il, Bree ? demanda-t-il avec inquiétude.

Elle resserra les mains sur ses genoux.

— J'allais te poser la même question.

— Comment cela ?

— Toute la soirée, je t'ai trouvé nerveux. Bon, d'accord, je ne te connais pas très bien, mais, jusqu'ici, tu m'es toujours apparu très à l'aise, détendu. Ce soir, c'était différent. En fait, déjà dans ton appartement, j'ai eu l'impression que quelque chose n'allait pas.

Gêné de se voir mis à nu, Charlie s'écarta d'elle. Rares étaient les personnes capables de lire en lui. Naomi. Rebecca. Son compagnon de chambrée à l'université. Charlie ne voulait pas élargir ce cercle et il lui avait fallu du temps pour cultiver son image. Mais voilà que Bree, originaire de je-ne-sais-où dans l'Ohio, avait su percer sa carapace en quelques jours. Mieux valait changer de sujet le temps du trajet pour lui faire comprendre qu'elle allait trop loin.

Mais, au lieu de cela, il planta son regard dans le sien et s'entendit avouer :

— Mes parents sont venus me voir aujourd'hui.

La phrase lui avait échappé d'un coup, et son visage s'assombrit.

Bree, d'abord surprise, le regarda avec douceur, comme pour l'inviter à poursuivre.

— Déjà, quand j'étais au lycée, ils voulaient que je me lance dans la politique, reprit-il.

— Vraiment ?

— Cela fait des générations que les Winslow exercent une influence dans le monde de la politique. Il était temps de forger un nouveau sénateur de New York. Dans ma famille, on planifie les choses à très long terme.

— Apparemment, l'idée ne te faisait pas bondir de joie.

— C'est le moins qu'on puisse dire, en effet. Mais cela leur était complètement égal. Depuis le plus jeune âge, on m'avait mis dans la tête que j'avais une tâche à accomplir dans le service public. Que les privilèges dont nous jouissions nous obligeaient à nous dédier à une cause, et que nos désirs personnels étaient sans importance. En théorie, c'était de belles paroles, nobles et philanthropiques. Mais elles étaient surtout destinées à maintenir la famille dans les hautes sphères de la société. Mon destin était tout tracé : études de droit à Harvard, puis un poste dans une société prestigieuse avant d'obtenir une charge d'élu municipal, un siège au Congrès, et enfin le Sénat. Tout était fait pour que je fasse honneur à l'héritage des Winslow.

— Je ne t'imagine pas du tout en avocat, et encore moins en politicien !

— Mais tu ne me connais que depuis une semaine, rétorqua-t-il d'un air narquois. Que sais-tu de ma famille ?

Il regarda quelques instants par la fenêtre. Tous ces aveux le mettaient mal à l'aise, il avait l'impression qu'on l'avait forcé à porter les vêtements d'un autre.

— Ne pense pas que je ne croie pas au service public, continua-t-il, loin de là. C'est un sujet extrêmement sérieux, et j'en suis bien conscient.

Il se tourna de nouveau vers elle.

— Mais je ne voulais pas vivre une vie de mensonges, conclut-il.

— Tu as préféré devenir un magnat de l'internet, alors ?

— On peut dire ça, répliqua-t-il, conscient que son demi-sourire en disait plus long sur lui que toutes les conversations qu'il avait eues avec ses précédentes aventures. Je ne m'attendais pas à ce que mes blogs connaissent un tel succès. Mais je ne me plains pas. J'étais juste au bon endroit, au bon moment. Je voulais être indépendant.

— Et ça a marché. Tu es devenu célèbre et ton entreprise se porte très bien. C'est formidable !

— Oui, c'est vrai, tout ça marche très bien, renchérit-il en contemplant ses mains.

C'était lui qui déstabilisait d'ordinaire ses interlocuteurs, et il excellait à ce petit jeu. Mais Bree se situait sur un autre plan ; ce n'était pas un jeu de pouvoir entre eux. Charlie venait juste de lui ouvrir une nouvelle porte vers son intimité. Les règles évoluaient à coups d'exception et cela le rendait nerveux.

Il était également gêné du pouvoir que ses parents avaient sur lui. La plupart du temps, il ne se laissait pas si facilement atteindre. Il avait été pris par surprise, voilà tout. Mais de là à se confier à Bree ? Pour l'amour du ciel !

— Et leur visite d'aujourd'hui s'est mal passée ? demanda-t-elle.

Il tendit la main et prit celle de Bree dans la sienne. Elle était glacée.

— Ils ne sont pas restés très longtemps et je leur ai dit le fond de ma pensée, résuma-t-il laconiquement.

Puis, il prit une inspiration et planta ses yeux dans les siens.

— T'ai-je dit à quel point je te trouve belle, ce soir ?

Bree le fixa puis contempla leurs mains enlacées.

— Oui, plusieurs fois. Je te remercie, balbutia-t-elle avec difficulté.

— Tu m'en veux de te dire ça ? s'inquiéta Charlie.

Elle soupira en dégageant lentement sa main.

— Ce n'est pas que je ne veux pas, mais…

Charlie acquiesça. Puis il s'adossa lourdement contre le siège en cuir. Soudain, il se sentait las. Terriblement.

- 11 -

Le vendredi soir, Charlie enfila un smoking pour la première du film *Courtisane*. La seule chose qui rendait cette soirée supportable était la présence de Bree qui se préparait dans la loge de son appartement. Cette fois, il avait veillé à ce qu'elle ait dîné correctement.

En nouant sa cravate, il songea à la soirée qui les attendait, heureux que Bree accède à son rêve de gravir les marches sur un authentique tapis rouge.

Plus elle manquait de sommeil et plus elle se livrait à lui. La veille, alors qu'ils étaient affalés à l'arrière de la limousine, elle lui avait raconté comment, lorsqu'elle était enfant, elle préparait son discours de remise des oscars devant le miroir de sa salle de bains en se servant d'une bouteille de shampooing ou d'une brosse à cheveux comme micro. Et elle n'accueillait pas d'un bon œil les personnes qui venaient la déranger, qu'il s'agisse de ses frères et sœurs, ou de l'un de ses parents.

Charlie avait alors éclaté de rire. Il en souriait encore. Il imaginait Bree si facilement. Avait-elle toujours eu les cheveux courts ? songea-t-il. Sans aucun doute, étant donné sa petite taille. « Vous ne voulez quand même pas cacher ce visage, pas derrière des cheveux ou du maquillage, non ? » avait lancé la styliste. Charlie avait résolument fait le bon choix en recrutant Sveta.

Les articles de Bree attiraient des lecteurs sur son blog et obtenaient des résultats supérieurs à la plupart de ses nouveaux contributeurs. Charlie le comprenait aisément, car son approche avait quelque chose de nouveau. Il n'avait encore jamais demandé aux femmes avec lesquelles il sortait de publier quoi que ce soit.

Naturellement, on parlait aussi beaucoup de leur relation. Etaient-ils en couple ou pas ? On avait vu Bree partir à la fin d'une soirée dans un autre véhicule que le sien, mais des paparazzis rôdaient régulièrement devant son appartement dans l'espoir de la surprendre au petit matin. Charlie laissait les spéculations aller bon train sans jamais faire de commentaires, ni dans un sens ni dans l'autre. C'était exactement le but recherché.

Depuis plusieurs jours, on voyait même la photo de Bree dans *TMZ*, *PopSugar*, *Page Six*, dans presque tous les journaux people et dans certains journaux d'actualité.

Charlie enfila sa veste de smoking, satisfait d'avoir choisi une tenue formelle. Très bien coupée, sans être radicale. Il voulait que Bree rayonne ce soir. Il ignorait ce que Sveta avait choisi pour elle, mais ne doutait pas qu'elle serait encore plus éblouissante que la veille. Car il avait bien failli défaillir lorsqu'elle était apparue devant lui.

En y réfléchissant bien, force lui était d'admettre que, chaque fois qu'il la voyait, elle le bouleversait. Le fait qu'elle soit à la fois si proche de lui et hors de sa portée y était certainement pour beaucoup. Charlie sentit son désir s'éveiller, ce qui était tout à fait inapproprié. Non seulement Bree était hors de portée, mais les statistiques ne mentaient jamais. Si leur arrangement avait remarquablement accru le succès de son blog, il fallait en rester là. Même si cela le mettait au supplice, il s'en tiendrait donc à ce scénario.

Après un rapide coup d'œil à sa montre, il tâta ses poches pour s'assurer qu'il n'avait rien oublié puis entra dans le salon. Il lorgna la porte ouverte qui donnait sur le couloir. Pourquoi n'avait-il pas fait visiter son bureau à Bree ? Il n'était pas si loin de l'ascenseur. Mais, là encore, il se rendit compte qu'ils n'avaient guère eu de temps pour autre chose que pour le travail.

Lorsqu'il entendit les talons de Sveta dans le couloir, il se retourna brusquement, curieux de voir Bree. Bon sang, voilà que ça recommençait. Comme un coup de crosse sur sa nuque.

Il eut l'impression de voir une apparition. Beaucoup trop éblouissante pour contrôler son excitation. Il allait devoir redoubler d'effort pour oublier son désir, surtout en voyant Bree s'avancer vers lui avec un sourire à couper le souffle.

Elle portait une robe bustier blanche et prune qui lui rappelait un origami. Il contempla ensuite son visage, puis la peau nue de son cou jusqu'au haut de son buste. Sa taille était si fine, ses jambes si minces et galbées à la fois. Et il mettait quiconque au défi de pouvoir se détourner de ce sourire et ce regard *smoky*.

Même des bijoux auraient été de trop.

— Eh bien ? demanda-t-elle en haussant légèrement les épaules.

— Tu es superbe. Tu vas être la plus belle femme sur le tapis rouge, ce soir.

Bree rougit en levant au ciel des yeux exaspérés et Charlie préféra lui laisser croire qu'il ne faisait que la flatter.

Il prit ses mains entre les siennes et l'embrassa sur

les deux joues d'une façon toute professionnelle. Pas du tout comme il l'aurait souhaité. Lors de leur première soirée, il avait embrassé ses lèvres rouges si féminines, goûté la chaleur de sa langue, alors qu'il la connaissait à peine et, à cet instant, il rêvait de recommencer. Et il ne songeait pas uniquement à ses lèvres.

— Il nous reste une demi-heure avant de partir. Tu veux boire quelque chose ?

— Juste un peu d'eau. J'ai beau être excitée comme une puce, je me sens si épuisée que je suis capable de tomber ivre morte avec une seule gorgée d'alcool.

— On ne peut pas prendre ce risque, approuva-t-il en désignant d'un signe de tête le canapé. Assieds-toi. Je vais te chercher de l'eau puis j'irai voir le reste de l'équipe.

— Dis-leur encore de ma part à quel point je les trouve formidables, s'il te plaît. Je l'ai déjà fait, mais ils doivent penser que ce n'était que par politesse. Ce n'est pas du tout le cas. Ce sont de vrais magiciens.

Charlie sentit son cœur se serrer. Comment ne pas l'aimer ? Son comportement était aux antipodes de celui des stars. Bree était à elle seule un remède au cynisme new-yorkais, elle manifestait un enthousiasme et un émerveillement si authentiques. Mais elle n'avait pas exagéré son épuisement. Elle ne le portait pas sur elle, mais il l'observait depuis plusieurs jours — avec beaucoup trop d'insistance et de sollicitude, d'ailleurs — et, ce soir, il voyait bien qu'une couche plus épaisse de maquillage masquait ses cernes. Peut-être pourrait-il annuler la soirée d'inauguration du club, le lendemain ? Bree lui avait dit qu'elle irait travailler quelques heures au bureau et qu'elle dormirait le reste de l'après-midi. Mais il doutait que cela lui suffise.

Charlie lui apporta un verre d'eau. Puis il alla complimenter son équipe et transmettre les remerciements de Bree. Il ne fallait pas tarder, la limousine allait arriver d'un moment à l'autre.

De retour dans le salon, il aperçut l'un des pieds de Bree dépassant du canapé. Il avait promis de lui rappeler de prendre d'autres chaussures pour le retour dans la limousine. Comment les femmes parvenaient-elles à marcher, perchées sur ces talons extravagants ?

Bree était allongée sur le canapé en cuir, une jambe repliée sous elle, son verre vide incliné de côté dans sa main. Elle dormait profondément.

Après avoir soigneusement dégagé le récipient d'entre ses doigts, Charlie se figea en l'entendant gémir doucement. Il effleura légèrement son épaule nue.

— Bree ? Bree, nous devons partir maintenant.

Elle marmonna quelque chose d'inintelligible, et se cala contre le coussin du canapé.

Elle paraissait profondément endormie et il détestait l'idée de la déranger. Il caressa sa joue du bout des doigts.

— Bree, répéta-t-il en s'asseyant près d'elle.

Il voulait la réveiller, sans l'effrayer.

— Je sais que tu es épuisée, mais c'est une première. Plein de stars nous attendent ! Ce sera une soirée vraiment glamour, avec des lumières, des caméras, de l'action !

Bree, toujours endormie, remua et se pencha vers lui. D'un mouvement rapide, il se repositionna de sorte à ce qu'elle trouve son épaule. Elle s'affala sur lui, et sa jambe se déplia, prenant un drôle d'angle. La position était gauche et peu féminine, mais ne semblait pas inconfortable.

Comme il était aisé de se caler à son tour sur le canapé, de lui passer un bras autour des épaules, de l'attirer vers lui et de s'enivrer de son odeur ! Bree se pelotonna contre lui et Charlie soupira. Puis, de sa main libre, il sortit son téléphone de sa poche. Incapable d'écrire un SMS dans cette position, il décida d'appeler Naomi.

— Tu es dans la voiture ? demanda la jeune femme.

— Non, murmura-t-il.

— Comment ça, non ? hurla-t-elle. Mais qu'est-ce que vous faites ?

Charlie eut un léger frisson, de joie et de peur mêlées.

— Nous ne serons jamais à l'heure, expliqua Charlie. Danny peut prendre ma place. Préviens-le rapidement car il n'est sans doute pas en tenue.

— Mais pourquoi ne pouvez-vous pas y aller ? Pourquoi chuchotes-tu, Charlie, qu'as-tu fait ? C'est en rapport avec cette fille, n'est-ce pas ?

— Chut, dit-il, même si la voix de Naomi à travers le combiné ne risquait pas de réveiller Bree. Elle ne se sent pas dans son assiette, mais tout va bien.

— Comment ça, tout va bien ? Je te rappelle que tu as des objectifs. Tu sais combien de commentaires tu as reçus aujourd'hui ? Plus de deux mille cinq cents. Et tu te mets en arrêt maladie ? Qu'est-ce que tu as dans la tête, Charlie ?

— Tout ira bien, je t'assure.

— Oh ! c'est à moi que tu dis ça, mon cœur ! tempêta-t-elle, furieuse. « Tout ira bien ! »… ça reste à voir !

— Naomi, répondit patiemment Charlie. Appelle Danny. Je t'envoie son article et les photos demain matin.

Il raccrocha avant qu'elle ne l'accable encore de reproches et posa le téléphone sur la table basse. Bree n'avait pas bougé d'un pouce. Elle serait certainement folle de rage après lui lorsqu'elle apprendrait qu'il avait envoyé quelqu'un d'autre à leur place. Il ne savait pas non plus comment il allait remplir les pages de son blog demain, mais pour rien au monde il ne l'aurait réveillée. Pas maintenant.

Bree avait besoin de repos et il y aurait d'autres premières. Il saurait sans mal tourner les choses à son avantage. Voilà… il savait ce qu'il allait raconter.

Il tenait son histoire pour le lendemain. Et, en attendant, il passerait la soirée en tête à tête avec Bree. C'était la seule chose qui lui importait.

Bree entendit un chien aboyer et, si l'aboiement était réel, le chien, lui, ne l'était pas. Il jouait dans un film à la télévision. Elle n'ouvrit pas pour autant les yeux, pas encore. Elle aimait cet état second où rien de déplaisant ne pouvait lui arriver, où rien ne risquait de la déranger. L'odeur subtile et boisée de Charlie lui arracha un soupir et un sourire de contentement. Il savait jouer de son parfum. Pas à la manière de certains collègues de travail qui s'en aspergeaient. Non. Charlie laissait toujours transparaître une pointe d'odeur virile, celle qui lui plaisait le plus.

Elle bougea légèrement et s'aperçut que sa tête était inclinée bizarrement. Elle ne reposait pas du tout sur un oreiller. Il faisait sombre, très sombre. Au-delà de la table basse et derrière le grand écran de télévision s'étalaient les immenses baies vitrées de l'appartement de Charlie. Il était tard, ce qui ne présageait rien de bon.

— Te voilà réveillée.

Ellc avait du mal à distinguer les formes car l'un

de ses faux cils s'était décollé, mais elle tourna la tête vers Charlie.

— Que se passe-t-il ? demanda-t-elle d'une voix inquiète.

Elle avait beau se sentir très bien contre son torse viril, elle s'écarta brusquement et se redressa.

— Quelle heure est-il ? ajouta-t-elle.

— 21 heures passées.

— Oh ! mon Dieu ! la première a-t-elle été annulée ? Quelque chose de grave est arrivé ? Tout le monde va bien ?

Charlie rit en se massant fermement l'épaule.

— Tout va bien, la rassura-t-il.

— Nous étions censés être au cinéma à 18 heures.

— Tu étais épuisée.

— J'étais…

Elle retira ses faux cils et les posa dans le creux de sa main, telles deux petites araignées. Lorsqu'elle leva de nouveau les yeux vers Charlie, il se massait toujours le bras et le secouait. Elle comprit qu'elle avait dormi sur lui pendant tout ce temps. Pendant des heures. Il avait défait son nœud papillon et les premiers boutons de sa chemise. L'appartement était plongé dans le noir car il n'avait pas pris la peine d'allumer les lumières lorsque la nuit était tombée. Dire qu'il l'avait laissée dormir pendant tout ce temps !

— Je ne comprends pas, déclara-t-elle rouge de honte.

— Je suis sûr que tu es affamée, éluda-t-il en se levant. Moi, je le suis en tout cas. Que dirais-tu d'un repas thaï, avec une soupe Tom Yum ?

— Attends un peu, l'interrompit-elle en levant la main. J'aimerais d'abord que tu m'expliques. Pourquoi sommes-nous encore ici ? Pourquoi est-ce que j'ai dormi ?

— Je t'ai déjà répondu, lâcha-t-il en quittant la pièce.

— Mais non.

Bree avait les idées embrouillées et son allure était certainement épouvantable, mais elle était bien disposée à obtenir une réponse.

— Pourquoi ne m'as-tu pas réveillée ? insista-t-elle.

Les pans de la veste de smoking de Charlie s'ouvrirent pendant qu'il se dirigeait vers la cuisine. Elle l'imagina la retirant lentement, avant de faire tomber son pantalon à la coupe parfaite.

Comme elle lui emboîtait le pas, ses talons résonnèrent sur le carrelage. Seigneur, ces sandales étaient un véritable instrument de torture ! Quant à sa robe, cette merveille d'architecture n'était plus qu'un morceau de chiffon froissé. Sveta allait la tuer.

— Charlie ! cria-t-elle.

Il fit une pause, se retourna et lui sourit.

— Il y aura d'autres premières, je te le promets.

— Mais tu ne rates jamais une soirée de ce genre. Jamais ! Ou alors parce que tu as une vraie bonne excuse. Genre une catastrophe naturelle. Pas qu'une idiote se soit écroulée sur ton bras en s'endormant. Maintenant, je veux comprendre.

Charlie soupira longuement. Mon Dieu, qu'il était sexy dans ce smoking…

— Retire tes chaussures. J'ai mal pour toi rien qu'en les regardant.

Il poursuivit son chemin vers la cuisine et elle le suivit, malgré ses pieds qui lui faisaient horriblement mal.

— Mets-toi à l'aise, lança-t-il sans même se retourner. Nous allons dîner. Tu pourras ensuite aller te coucher pour bien te reposer, et moi de même. Nous aurons le temps de reprendre demain notre rythme de folie.

Ils se trouvaient à présent dans la cuisine et Charlie alluma la lumière. Il lui fallut plusieurs secondes pour s'habituer à la luminosité et découvrir qu'il lui tendait toute une série de menus de plats à emporter. Bree se sentit prise de vertiges.

— Thaï ? demanda Charlie. Ou bien chinois ? Italien ? Indien ? Je connais un restaurant qui fait un excellent poulet tikka masala.

Bree souffla longuement. Depuis son réveil, elle se sentait complètement dépassée par la tournure des événements.

— Choisis ce que tu veux, répondit-elle en haussant les épaules. J'aime tous les plats, à condition qu'il n'y ait pas de coriandre. Je reviens tout de suite.

Elle commença par retirer ses chaussures, puis sa robe tomba dans le hall d'entrée. Une fois dans la loge, elle se dirigea vers les penderies de vêtements et partit à la recherche d'une robe kimono ; elle enfilerait plus tard d'autres vêtements pour rentrer chez elle. Elle n'allait pas non plus choisir une robe exagérément courte, de peur que Charlie se fasse des idées. Tout écart ne faisait pas partie de leurs plans.

Elle finit par dénicher une robe noire, dont le tissu était d'une douceur incomparable sur sa peau nue, et beaucoup plus couvrante que celle qu'elle portait jusque-là. Certes, elle traînait par terre et ne lui donnait pas l'allure d'une amazone. Et alors ? Elle était pratique, agréable. Et très confortable.

Elle passa ensuite à la salle de bains. Elle envisagea au début de conserver le maquillage qui avait demandé tellement de temps et d'efforts à l'équipe, mais se ravisa au dernier moment. Le démaquillage lui demanda plus de temps que prévu, mais elle se sentit beaucoup mieux avec la peau propre et nette.

Bree se regarda une nouvelle fois dans le miroir et se figea. Cela n'avait aucun sens, Charlie aurait dû la réveiller. Ils auraient dû se trouver au Radio City Music Hall en ce moment et non dans son appartement. D'accord, pour le tapis rouge, c'était trop tard, mais pas pour la soirée après la projection. Ils auraient très bien pu s'y rendre.

Le simple fait qu'elle soit « fatiguée » n'expliquait pas vraiment pourquoi ils étaient restés. Il devait y avoir une raison plus importante. Seulement, ses idées étaient trop confuses pour qu'elle y réfléchisse maintenant. Elle aurait surtout dû songer à rentrer chez elle pour dormir, afin de pouvoir reprendre son véritable travail le lendemain avec un cerveau en état de marche.

Sauf que la faim lui tenaillait le ventre. Et le fait de partager un repas en tête à tête avec Charlie était en soi quelque chose d'extraordinaire. Elle avait l'impression de courir depuis des mois et non des jours, de n'avoir fait qu'entrevoir Charlie au milieu de flashes aveuglants. Les seuls moments vraiment intimes qu'elle avait vécus avec lui remontaient à la soirée de la Saint-Valentin, à laquelle elle ne devait plus penser, et à la nuit dernière, à l'arrière de la limousine. Bree avait ressassé leur conversation toute la journée. Elle n'avait pas seulement songé à leur différence de milieux, mais aussi à la façon dont Charlie s'était livré à elle. Et elle avait eu l'impression de le revoir nu.

Seigneur, comme elle avait envie de rester seule avec lui.

Elle sentit son pouls s'accélérer et un long frisson

d'excitation parcourut son corps à la seule pensée du dîner qui l'attendait en sortant de cette salle de bains. Après tout, elle ne faisait que mettre son cœur en péril. Mais n'avait-elle pas reconnu devant Charlie qu'elle rêvait que des hommes aussi célèbres que séduisants lui brisent le cœur ?

- 12 -

— Si je comprends bien, toi aussi tu es la brebis galeuse de la famille, commenta Charlie, le sourire aux lèvres.

Bree avala une pleine bouchée de nouilles chinoises et but une gorgée de soda avant de lui répondre.

— Oh ! que oui. J'étais censée épouser Eliot, mon petit ami au lycée. Tu aurais dû voir ça. Un grand type bourré d'angoisses et avec une petite bouche molle. La nourriture jouait un grand rôle dans notre relation. Surtout les manchons de poulet frits.

Ils mangèrent en silence quelques instants. Bree en profita pour réfléchir à ce que Charlie lui avait livré à propos de ses conflits familiaux. Comment ses parents pouvaient-ils ne pas être fiers de ce qu'il avait accompli ? Peut-être l'étaient-ils sans parvenir à l'exprimer. Rebecca aussi lui avait confié que ses propres parents et elle avaient du mal à se parler, et la famille de Charlie était issue du même moule. Sans doute n'arrivaient-ils pas à communiquer. Sauf que, contrairement à sa cousine, il était déterminé à placer au-dessus de tout la réussite de ses projets.

Un peu comme elle.

— Tu sais ce que je ne m'explique pas ? demanda-t-elle.

— Dis-moi tout.

— Comment se fait-il que tu sois si gentil ?

— Moi ? Gentil ?

— Extrêmement, même. Je m'attendais à te trouver horriblement suffisant, et tu as été formidable avec moi.

Charlie la dévisagea un long moment.

— Merci, je suis heureux que tu penses ça de moi.

— Oui, je trouve cela inattendu.

— Comment cela ?

— Pour être honnête avec toi, je voulais dire « gentil » au sens où on utilise l'adjectif dans l'Ohio. Ce n'était pas une pique.

— Dans ce cas, j'apprécie encore plus le compliment.

— Comment te décrirais-tu ?

— C'est une question plutôt effrayante, répondit-il en riant.

— Rassure-toi, je n'ai pas peur.

— Je ne pensais pas à toi.

— Allez ! J'ai déjà tellement d'idées préconçues à ton sujet.

— C'est bien ce qui m'inquiète. J'apprécie que tu voies en moi quelqu'un de gentil.

— Mais…

— Je suis… déterminé. Extrêmement déterminé.

Ce terme était-il le plus pertinent pour décrire Charlie ? songea-t-elle en continuant de manger.

— C'est tout ce que tu es ? demanda-t-elle, intriguée.

— Oui, je pense que ma personnalité se résume à ça, dit-il en grimaçant exagérément.

— Tu me fais beaucoup rire. Ce n'est pas une opinion, mais un fait.

— Eh, tu n'as pas le droit de te moquer de moi.

— Tu vois ? Je te trouve mignon. Très mignon.

Charlie posa sa fourchette et la regarda d'un œil brillant.

— Et quoi d'autre ?

Elle avait envie de le taquiner, mais l'éclat qui illuminait son regard l'en dissuada.

— Tu es prévenant, attentif aux gens qui t'entourent et tu ne profites pas d'eux. Je n'ai pas énormément d'expérience, mais j'ai l'impression que tout le monde ne s'inquiète pas de prévoir à manger pour l'équipe en charge de la coiffure et du maquillage. Et tout le monde ne salue pas le personnel à l'entrée de l'immeuble.

— J'agis par pure politesse.

— Non, c'est bien plus que cela. A ta place, la plupart des gens se soucieraient de ceux qui les entourent comme de leur dernière chemise. Et ce serait si facile d'être odieux. Si prévisible. Pourtant, tu n'as pas besoin d'être grossier et détestable pour imposer ta présence. Cela émane de toi naturellement, sans que tu doives faire tout un cinéma pour te faire remarquer.

— Ton analyse mérite réflexion, mais je ne suis pas certain d'être d'accord avec toi. Je ne tiens pas à écarter complètement mon côté grossier et odieux. Je trouve qu'il a beaucoup de charme.

— Oui, c'est vrai.

Charlie but une gorgée de bière avant de se resservir du riz. Il avança le bras et frôla le sien lentement. Sa peau était si chaude que Bree en éprouva un choc.

Elle retint son souffle tandis que toutes les alarmes se déclenchaient une à une dans sa tête.

— Il vaudrait mieux que j'appelle un taxi et que je rentre chez moi. Que je profite de cette soirée pour me reposer.

Charlie se rapprocha d'elle. Elle pouvait sentir son

corps contre le sien. Sa jambe, sa hanche et son flanc dégageaient une agréable chaleur près d'elle. Il sentait les épices et la bière. Elle ferma les yeux et s'imprégna de ces parfums. Un long frisson se propagea le long de sa colonne.

— Je ne bois pas de bière, déclara-t-elle tout bas. Mais j'aime son goût quand…

Charlie attendit, à quelques centimètres d'elle.

— Quand… ?

— Quand je fais ça, murmura-t-elle juste avant de poser ses lèvres sur les siennes.

Charlie rêvait de serrer Bree dans ses bras et de l'embrasser jusqu'à l'entendre gémir de désir, mais il se retint. Tous les muscles de son corps étaient tendus à l'extrême. Les lèvres de Bree étaient douces, sensuelles et taquines. Il sentait son souffle par petites bouffées chaudes et épicées. Il la désirait avec ferveur, maintenant, là, tout de suite, mais c'était à elle de choisir. Que lui arrivait-il ?

La soirée avait été une succession d'événements plus étranges les uns que les autres. Jamais il ne ratait une première. Jamais il ne restait assis trois heures d'affilées, ankylosé qui plus est, juste pour ne pas déranger quelqu'un qui dormait. Il n'était pas *gentil*. Cet adjectif n'était même pas une composante de l'équation qui le définissait. Que se passait-il, alors ?

Bree effleura sa nuque de ses doigts frais et délicats et Charlie sentit son sexe se durcir. Ce n'était pas la première fois depuis qu'il était assis près d'elle sur le canapé. Pour ajouter encore plus à l'étrangeté de la soirée, il était passé par plusieurs stades d'excitation.

Dès l'instant où Bree avait posé sa tête sur son épaule et qu'elle avait poussé un petit soupir endormi, il avait senti son sexe frémir. Et, même si les choses en étaient restées là, il avait eu l'impression de vivre le meilleur rêve érotique de sa vie.

Bree glissa les doigts dans ses cheveux et l'attira plus près, approfondissant son baiser. Elle lécha doucement sa lèvre inférieure puis sa lèvre supérieure, comme si elle dégustait une pomme d'amour. Charlie sentit son désir s'amplifier. Il aurait dû enlever son smoking, mais il était trop tard pour s'en soucier. Car Bree venait d'investir sa bouche. C'était un baiser vibrant, délicieux.

Pourtant, au même moment, il comprit que c'était une erreur. Une erreur provoquée par ses hormones, qui risquait de se retourner contre lui. Il en avait parfaitement conscience, mais cela suffisait-il pour l'arrêter ? Bon sang, non !

Il inclina la tête pour mieux dévorer la bouche de Bree. Il ne se montra ni délicat ni hésitant. Mais il fit de son mieux pour ne pas lui montrer à quel point il pouvait parfois être grossier.

Il écarta les lèvres et s'empara de sa bouche, de sa langue, les explorant aussi profondément que possible, et le petit bruit de gorge qu'elle émit l'excita tellement qu'il faillit exploser. Avec détermination, il s'écarta d'elle.

— Dans ma chambre ? demanda-t-il plein d'espoir.

Bree le regarda en cillant plusieurs fois. La soie du kimono était chaude sous ses doigts. Il savait qu'elle était complètement nue sous la fine barrière de tissu. La pointe de ses seins se dressait fièrement sous l'étoffe soyeuse. Il ne se reconnaissait plus. Il agissait de manière complètement inconsidérée, comme un adolescent.

Bree hocha la tête en silence et il soupira de soulagement en l'embrassant de nouveau. Son baiser, au début plein de reconnaissance, devenait de plus en plus enfiévré.

Ils se levèrent doucement du canapé sans cesser de s'embrasser et de se caresser.

Au milieu du salon, ils firent une pause pour reprendre leur souffle.

Bree avait glissé sa main droite dans ses cheveux tandis que la gauche s'affairait sous sa chemise, en une valse effrénée.

— C'est une très mauvaise idée, dit-elle avant de l'embrasser sur le menton.

— Terrible. Nous avions fait un choix.

Il s'empara de nouveau de sa bouche, étonné de constater avec quelle confiance elle s'abandonnait à lui. Pourtant, malgré leur différence de taille, leurs corps se soudaient à merveille, sa poitrine contre son torse et ses lèvres à portée des siennes. Il lui suffisait de bouger un muscle pour qu'elle réagisse exactement comme il s'y attendait. C'était une danse qui n'avait rien d'une folie. Une alchimie pure.

— Cinq ans, dit Bree entre deux gémissements.

— Quoi ?

Ils venaient d'entrer dans le couloir et se dirigeaient légèrement vers la gauche.

— Mon plan.

Elle posa alors une main sur ses fesses tandis qu'ils manœuvraient et le dos de Bree heurta le mur. Elle poussa un petit cri plaintif et Charlie se redressa pour mieux la guider. Soudain, le gracieux équilibre qui les maintenait tous les deux fut menacé.

— Tu ne t'es pas fait mal ? s'inquiéta-t-il.

— Mais où est cette chambre ?

— Tout près.

Il aurait dû se dépêcher de l'y amener, mais il préféra l'embrasser, afin de mieux ménager son désir pour elle.

La main de Bree qui errait dans ses cheveux prit le chemin de son torse en dessinant des arabesques sur sa peau.

— De quel plan parles-tu ? demanda-t-il d'une voix haletante. De partir à l'assaut du monde ? De me mettre à tes pieds ? Tu n'as pas besoin de cinq ans pour ça.

Elle émit un petit rire et se hissa sur ses orteils.

— Je veux devenir la nouvelle prêtresse de la mode, gloussa-t-elle en trébuchant sur son kimono, mieux que Stella McCartney ou Anna Wintour.

— Je t'imagine très bien.

— Mais je n'y arriverai pas si je ne sais pas te dire non.

Il la regarda alors droit dans les yeux, des yeux de feu chargés d'un désir électrisant.

— Tu peux encore le faire.

Elle inspira, puis il y eut un long silence pendant lequel il entendit les battements de son cœur résonner dans sa poitrine.

— S'il te plaît, ne m'oblige pas, murmura-t-elle.

Un son guttural monta du fond de sa gorge tandis qu'il se penchait vers elle pour l'emporter dans ses bras. Cet acte était d'un romantisme achevé, ridicule, mais il en avait assez de marcher, assez de tous ces effleurements. Il voulait arracher ses vêtements, se fondre et se perdre en elle.

— Charlie, dit-elle en enroulant un bras autour de son cou. Nous sommes complètement fous.

— Je sais.

La porte était là, tout près, et grande ouverte. En une seconde, il l'emmena dans la chambre. Deux secondes plus tard, il l'allongeait sur le lit.

Charlie sentit son corps vibrer sous lui. Il sentait son souffle chaud caresser son visage, et eut un frisson aussi léger qu'un murmure.

Bree gisait à présent la tête posée sur un oreiller. Son kimono avait glissé et révélait une épaule nue. Aussitôt, une bouffée de désir l'envahit. Il avait envie d'elle avec une telle intensité qu'il ne savait plus quoi faire.

— C'est mon tour, déclara-t-elle doucement.

— Ton tour, comment ça ?

Son sourire, d'ordinaire si doux, et ses grands yeux innocents prirent un éclat malicieux tandis qu'elle examinait son corps.

— J'aimerais que tu te déshabilles devant moi. Lentement.

Charlie sourit. Comment lui répondre autrement ? Elle s'était exprimée avec l'autorité d'un parrain de la mafia. Puis Bree haussa les épaules et son kimono glissa à la lisière de ses seins fermes. Juste au bord.

Bree se mordit la lèvre pendant que Charlie retirait sa veste. Il l'avait prise au mot et ses gestes étaient lents. Mais quelle était cette technique ? songeait-elle. Il ne semblait pas savoir comment s'y prendre pour réaliser un strip-tease sexy. Il essaya de sortir les deux bras de ses manches simultanément et se trouva coincé. Il étouffa un juron avant de recommencer. Bree faisait son possible pour ne pas éclater de rire car il se donnait visiblement beaucoup de mal. Elle le trouvait si adorable que tout son corps en tremblait. Le magnat de l'internet d'ordinaire si calme, si sûr de lui, ressemblait à un jeune puceau de seize ans essayant d'impressionner sa cavalière au bal de fin d'année. Ils se détendirent tous les deux lorsque la veste de smoking finit par tomber sur le sol. Mais il lui restait encore la chemise et le pantalon… Bree préféra arrêter là sa torture.

— Viens ici, dit-elle en tapotant le lit près d'elle. Tu aurais besoin d'un chapeau pour ton show. Et puis, tu es beaucoup trop loin de moi.

— Qui est gentil maintenant ? demanda-t-il en s'asseyant près d'elle.

Les doigts de Bree s'affairaient sur les boutons de sa superbe chemise Armani. Mais ils étaient minuscules et elle avait du mal à en venir à bout d'une main aussi gauche. Au troisième bouton, elle fut tentée de déchirer la chemise, mais se contint : elle aurait eu l'impression de commettre un crime.

Charlie se porta à son secours et, chaque fois que leurs peaux se frôlaient, Bree gémissait. Bientôt, la chemise de Charlie s'ouvrit, glissa le long de ses épaules dans une chorégraphie parfaite et il se trouva à moitié nu, tout comme elle.

— Quel dommage…, soupira-t-elle en suivant de ses ongles parfaitement manucurés son torse musclé.

Elle avait l'impression que tout son corps avait été dessiné pour elle. Ses muscles étaient superbement sculptés, assez pour lui arracher un petit cri de surprise. Ses fesses étaient fermes et rondes, et tout cela appartenait au même Charlie qui l'avait protégée, qui l'avait bercée, et qui l'avait aidée à réaliser ses rêves.

— J'ai ici tout ce que je peux désirer, continua-t-elle, mais je sais d'avance que ça ne peut pas bien se terminer.

Elle finit sa phrase en déposant une pluie de baisers sur son torse.

Les doigts de Charlie se glissèrent dans ses cheveux. Sa respiration haletante emplissait toute la pièce. Elle l'embrassa de nouveau et caressa la peau chaude de son ventre. Puis sa main libre se dirigea vers son pantalon, et elle comprit qu'elle allait avoir du mal à le déshabiller. Il n'aurait pas pu choisir un smoking moins adapté. Certes, il était magnifique et d'une rare élégance, mais tout ce qui servait à le tenir en place — boutons, pressions, fermeture Eclair — était d'une rare complexité.

Saisissant son menton entre ses doigts, Charlie l'obligea à se redresser.

— Je vais devoir m'absenter quelques instants, dit-il, mais nous pouvons en rester là si tu veux.

Bree ressentit ses mots comme un coup de poignard. Mais elle acquiesça, consciente qu'il s'agissait de la bonne décision. En le voyant soupirer de déception, toutefois, elle le retint d'une main pour l'empêcher de partir.

— Il y a encore tellement de choses…, commença-t-elle. Je pense encore à tout ce que nous n'avons pas fait la première fois. Et que nous n'aurons jamais l'occasion de faire. Je ne saurai jamais…

Elle sentit ses joues s'empourprer et s'étonna de son absurde timidité.

— Quoi donc ? demanda-t-il en se penchant vers elle, les mains occupées à retirer son pantalon récalcitrant.

Spontanément, elle saisit l'index de Charlie entre ses lèvres qu'elle entreprit de lécher et de sucer avec avidité. Elle le goûta, passa et repassa sa langue sur sa chair pour mieux l'aider à comprendre.

Le gémissement de Charlie la fit frémir. Elle lâcha son doigt dans le seul but de lui permettre de finir de se déshabiller. Dire qu'il était impatient était un euphémisme et il se débarrassa en un éclair de son pantalon, puis de son boxer. Bientôt, il se tenait complètement nu devant elle, son sexe magnifique tendu vers elle, son torse se soulevant au rythme de sa respiration haletante.

— Tu pensais à ça ? demanda-t-il d'une voix rauque.

Elle acquiesça puis glissa une main sous les plis de son kimono en s'attardant sur la courbe de ses seins.

— J'aimerais vraiment que tu viennes te coucher près de moi. Très vite.

Le sourire de Charlie était aussi érotique que son érection, et Bree n'en pouvait plus. Il s'exécuta non sans lui voler un baiser qui dura très, très longtemps. Puis il s'allongea près d'elle, et elle put lui faire tout ce qu'elle voulait. Le goûter. Le lécher. Le taquiner.

Elle se l'était déjà répété mais, cette fois, elle était déterminée. Après cette soirée, ils ne feraient plus l'amour car, tandis qu'elle retirait son string avant d'enjamber les hanches de Charlie, elle comprit que ce n'était pas exactement son sourire, son érection, ses attentions ou ses vêtements qui lui plaisaient tant. En réalité, elle aimait tout chez lui. Tout ce qu'il était. Inutile de se voiler la face. Ce n'était pas une passade.

Charlie eut l'impression qu'il allait se consumer. Bree, dans le plus simple appareil, enjambant son corps était le dernier spectacle dont il avait besoin. Son baiser lorsqu'elle se pencha vers lui l'emporta au-delà de ce qu'un simple mortel pouvait supporter.

Un baiser sauvage, humide, presque agressif. Charlie

se cambra, mais Bree posa une main possessive sur son torse pour le calmer. Avant qu'il ait pu reprendre son souffle, elle taquina la pointe de ses tétons durcis. Il aimait que l'on joue ainsi avec lui, mais elle le titilla avec une telle habileté qu'il renversa la tête en arrière, les yeux révulsés, en émettant un râle viril que lui-même aurait eu du mal à décrire.

— J'ai l'impression que ça te plaît, dit Bree d'une voix plus sensuelle que jamais.

— Tu es en train de me tuer.

— Pas d'enfantillage, s'il te plaît. Je sais que tu es capable de le supporter.

— Je n'ai pas l'habitude de ces insolences, répliqua-t-il en lui lançant son regard le plus sévère.

Elle prit un air étonné puis se redressa. Il comprit qu'elle avait passé une main dans son dos lorsqu'elle se saisit de son sexe.

Charlie se cambra de nouveau, poussant ses hanches vers l'avant. Il était prêt à tout pour qu'elle cesse de le torturer. Pourvu qu'elle lui en donne plus, pour l'amour du ciel !

Bree fit alors coulisser la peau de son sexe. Une fois.

Il savait déjà qu'elle était aussi légère qu'une plume. Il aurait pu la soulever et l'asseoir beaucoup plus confortablement sur lui d'un simple mouvement du bassin. Car, à cet instant, se trouver en elle était la chose la plus urgente et la plus importante de sa vie.

Lorsqu'elle relâcha la pression, il eut envie de pleurer, et se retint tout juste par un réflexe de virilité.

Bree fit alors un léger mouvement vers l'arrière, et se laissa glisser voluptueusement le long de son sexe jusqu'à ce qu'elle soit complètement assise sur lui. Et quel spectacle ! Son sexe lisse offert et ouvert devant lui, hors de sa portée.

Elle posa ensuite un doigt à la base de son pénis dressé et le fit remonter lentement vers le haut. Pendant tout ce temps, Charlie ne parvenait pas à la quitter des yeux. Et il la vit rire. Pas à gorge déployée, pas pour se moquer ou le railler. Non, elle semblait… ravie. Comme un enfant jouant avec son plus beau jouet.

Juste avant qu'elle ne se penche vers lui et ne saisisse entre ses lèvres entrouvertes le bout de son sexe, il vit son visage se fendre d'un large sourire.

Alors, Charlie eut l'impression que son râle montait directement de son bas-ventre. C'était la meilleure chose qu'il pouvait faire pour ne pas jouir tout de suite.

Que la fête commence, songea-t-il juste avant de ne plus être capable de penser du tout.

Bree ignorait depuis combien de temps elle se tenait au bord du plaisir le plus intense. Des heures, sans doute. La manière dont Charlie l'amenait à cet endroit précis où elle devait retenir son souffle, où elle tremblait, gémissait, suppliait, avant de s'arrêter en la laissant pantelante, était un délectable supplice. Puis il recommençait jusqu'à ce qu'elle perde la tête, jusqu'à ce qu'elle tire sur les draps, jusqu'à ce qu'elle s'entende crier d'une voix rauque.

Charlie jouit deux fois.

Quant à elle, elle avait perdu le compte.

- 13 -

Non, son sexe ne pouvait pas se remettre à durcir si vite. Il avait déjà joui deux fois, mais son corps semblait acharné. Depuis combien de temps n'avait-il pas vécu une nuit de sexe aussi… intense ? songea Charlie. Cela était-il seulement possible ?

Il aimait le sexe et les femmes, et il avait aussi aimé certaines des femmes avec lesquelles il avait couché. Mais cette fois, avec Bree, les choses étaient différentes.

Le cœur battant, il continua de la fixer, elle et ses seins, aux pointes roses et dures, qui montaient et descendaient lentement. La peau de son visage et de sa poitrine reprenait peu à peu une couleur normale et une fine pellicule de sueur la faisait briller. Charlie avait besoin de se lever, de se laver. Il lui proposerait aussi de prendre une douche, et lui demanderait si elle voulait rentrer chez elle, mais il en doutait. Il était horriblement tard.

Il effleura son bras et elle tourna la tête vers lui, l'air ravi.

— C'était… extraordinaire.

— Bien dit, répondit-il en lui renvoyant son sourire.

— Je m'étonne même d'être encore capable de parler.

— Et moi donc. Je me sens incapable de bouger.

— C'est ça que je ne comprends pas.

— Juste ça ?

— Non. Il y a une multitude de choses qui m'échappent. A commencer par notre marché. Non pas que je me plaigne, mais nous avions décidé de rester bons amis.

— Pour ma part, je pense que c'est ta faute.

— Comment ? Je t'interdis de dire ça.

— Et pourtant... C'est toi qui m'as embrassé.

— C'est toi qui as commandé un menu complet au restaurant thaï.

— Tu étais nue sous ta robe.

— J'avais un string.

— C'est toi qui t'es endormie, continua-t-il en la fixant du regard.

— Et toi tu ne m'as pas réveillée.

La lueur amusée qui brillait dans ses yeux commençait à pâlir.

— Tu avais besoin de repos, rétorqua-t-il d'une voix basse et douce.

Elle se détourna légèrement de lui.

— Tu aurais pu partir sans moi à la première.

Quoi qu'elle dise, elle avait raison. Il aurait pu la laisser, mais il ne l'avait pas fait. Il aurait pu appeler l'un des nombreux mannequins qu'il connaissait, et qui aurait été ravi de gravir le tapis rouge avec lui.

— Pourquoi n'y es-tu pas allé seul, Charlie ? insista-t-elle.

— Je ne voulais pas te réveiller, répéta-t-il.

C'était la seule raison qui lui venait à l'esprit. Bree le regarda d'un air perplexe. Si jamais elle cherchait le sens caché de sa réponse, elle pouvait y réfléchir longtemps car il n'y en avait pas. Pas de réponse. Pas d'explication. Lui-même ne comprenait pas pourquoi il avait agi ainsi. Pendant les trois heures où il était resté près d'elle, il n'avait pas imaginé un seul instant la laisser dormir pour aller remplir ses obligations professionnelles.

Bon sang !

D'un geste brusque, il lâcha son bras et rabattit le drap avant de se lever précipitamment. Complètement nu, et un peu gêné de l'être, il se tourna vers Bree.

— Tu veux un verre d'eau ?

Elle hésita une seconde avant d'acquiescer.

— Volontiers, merci.

Il se dirigea vers le minibar et sortit une petite bouteille du réfrigérateur. Puis il la tendit à Bree et se dirigea vers la salle de bains. Il aurait dû lui dire quelque chose, n'importe quoi comme « Je reviens dans une minute », songea-t-il après avoir fermé la porte derrière lui, s'il voulait rester l'homme aimable qu'elle décrivait. Mais, à cet instant précis, il était surtout paniqué.

Il se dépêcha de se laver, mais ses pensées étaient aussi éparses que du verre brisé. Il réfléchit encore et encore aux raisons qui l'avaient poussé à agir ainsi avec Bree, chercha un brin de logique dans son attitude. Pourquoi était-il occupé à effacer de son corps toutes les traces de leur nuit de folie au lieu d'être dans son bureau à fignoler ses notes sur la première du film ? Et seul, pas avec Bree dans son lit ou dans son appartement.

Rien. Aucune explication ne lui venait à l'esprit. Ce n'était pas lui qui avait proposé à Bree d'écarter le sexe de leur relation, mais il avait approuvé sa suggestion. C'était ce qu'il y avait de plus sensé. Ils avaient couché ensemble un soir, mais même cette aventure était de trop. Et cela ne lui ressemblait pas du tout de déroger aux règles qu'il s'était imposées. Quelque chose ne tournait pas rond.

Charlie sortit de la douche et faillit oublier de fermer le robinet. Depuis une semaine, il passait presque toutes ses soirées avec Bree, ce qui était en soi anormal, et il ne voyait plus aucune autre femme, ce qui était tout aussi étrange. Pas étonnant qu'il se sente déstabilisé.

Il était déjà resté plus d'une semaine sans coucher avec une femme, mais jamais il n'avait rien fait d'aussi stupide que de faillir à ses obligations professionnelles. Pourtant, même pendant ses quelques longues périodes d'abstinence, il était toujours sorti avec de jeunes créatures magnifiques. Et jamais il ne s'était affiché avec la même si longtemps.

Il saisit la serviette en jurant. Il n'y avait aucune raison de s'alarmer. Coucher avec Bree ne devait pas devenir une habitude. Point final.

Il pouvait simplement cesser de la voir. La Fashion Week se déplaçait bientôt à Londres et il n'avait pas l'intention de couvrir l'événement jusqu'en Europe. Après la soirée d'ouverture du night-club le lendemain et celle du lancement d'un parfum lundi prochain, la ville et son blog passeraient à autre chose. Rien dans le contrat qu'il avait signé avec Bree ne stipulait que leur duo professionnel devait se terminer à la fin de la Fashion Week, mais ils l'avaient déjà évoqué ensemble. La rupture serait simple et propre.

Mais cette idée ne lui apporta pas le soulagement qu'il espérait. Il suspendit sa main au-dessus de la poignée de la porte. Puis il l'ouvrit lentement, avec précaution, sans savoir pourquoi.

Bree était dans son lit. Elle était assise de profil, face à la fenêtre. Si quelqu'un l'avait regardée de l'extérieur, il l'aurait aperçue auréolée de lumière, comme dans un tableau. Et, derrière, il l'aurait aperçu, lui, nu comme un ver.

Nu comme Bree aussi. De là où elle était, elle pouvait voir son reflet dans la vitre tandis qu'il la contemplait, aussi intriguée par les ombres que lui. Ses yeux glissèrent le long de son dos jusqu'à l'oreiller posé sur lit. Dans ses cheveux ébouriffés, il sentait encore la trace de ses doigts. Il distinguait aussi la marque sombre causée par ses baisers enflammés à la base de son cou. La douce courbe de son sein se devinait sous son bras, offrant la plus sensuelle des suggestions. Charlie sentit son pouls s'accélérer, son sexe se durcir, et un frisson de désir naître du plus profond de son corps.

Malgré ses réticences, il devait se résoudre à éteindre la lumière derrière lui. Cela ne changerait d'ailleurs pas grand-chose, puisqu'une douce clarté filtrait en permanence par les grandes baies vitrées de la chambre.

La silhouette de Charlie se dessinait toujours dans les vitres, mais avec moins de netteté. Bree n'eut pourtant aucun mal à le regarder s'approcher du lit. Il posa une main sur son épaule chaude.

— Tu restes ? murmura-t-il.

— Je dois être debout vers 8 heures. Il faut que j'aille travailler demain.

— Ça doit pouvoir se faire.

Bree se décida enfin à croiser son regard.

— J'étais pourtant prête à parier que tu me demanderais de partir.

— Cette idée m'a traversé l'esprit.

Elle hocha la tête en signe de compréhension.

— Mais il est tard, ajouta-t-il, et j'aimerais que tu restes.

Un sourire vint danser sur les lèvres enflées et féminines de Bree.

— Juste pour cette fois, murmura-t-elle.

— Oui, bien sûr.

— Alors d'accord, répondit-elle en écartant sa main. Je dois…

Elle désigna la salle de bains d'un signe de tête.

Il contempla son petit corps aux formes parfaites tandis qu'elle se levait du lit. Elle ne prit pas la peine d'enfiler un peignoir. Bree ne ratait jamais une occasion de le surprendre.

Lorsqu'elle ferma la porte derrière elle, Charlie se sentit floué. Ce qu'il lui avait proposé était totalement irresponsable. Et c'était bien là le problème : Bree lui faisait perdre le sens des responsabilités.

Bree se réveilla naturellement à 7 h 15. Il lui fallut plusieurs secondes pour se rappeler où elle était et s'apercevoir qu'elle était seule. A la petite boule qui se noua en elle, elle comprit qu'elle aurait aimé trouver Charlie à ses côtés au réveil.

La porte de la salle de bains était ouverte, mais aucun bruit, aucune lumière n'en sortait. Charlie était-il toujours dans l'appartement ? songea-t-elle. Il n'était pas encore 8 heures. Techniquement, elle pouvait encore rester au lit un peu plus, mais il n'en était pas question. En revanche, elle ne dirait pas non à une bonne douche. Restait encore à aller chercher son sac, ses vêtements et ses chaussures. Dire qu'elle n'avait pas pris avec elle son kit prévu pour les nuits hors de chez elle ! Certes, Charlie et elle n'étaient pas censés passer la nuit ensemble. Cela lui servirait de leçon.

Bree enfila le kimono et ouvrit la porte de la chambre. L'appartement était silencieux et froid, et la sensation était sans doute renforcée par le fait qu'elle arpentait les longs couloirs pieds nus. L'exiguïté de son propre appartement lui sauta soudain aux yeux. Elle songea à sa chambre qui ressemblait à un réduit, et où toute logistique s'apparentait à un cauchemar. Elle ne pouvait pas coudre lorsque le lit était déplié et les tiroirs de la commode devaient être fermés si elle voulait attraper un vêtement dans la penderie. Elle stockait une grande partie de ses habits dans des valises, pas forcément grandes ni pratiques. Et voilà qu'elle se surprenait à parcourir des dizaines de mètres de couloirs pour récupérer son sac qui se trouvait dans la loge, sans jamais croiser ou entendre le maître des lieux.

En contemplant la robe qu'elle comptait passer pour aller travailler, Bree sentit monter en elle une bouffée de tristesse. C'était elle qui l'avait confectionnée, mais cela n'avait aucune importance. En ce samedi matin, elle ne risquait pas de croiser grand monde au bureau, et personne ne s'apercevrait qu'elle avait porté la même tenue deux jours d'affilée. Elle avait du mal à croire qu'elle devait aller travailler… Entre les journées de shopping, les heures de préparation, les soirées et les articles du blog, elle avait négligé son vrai travail, et elle priait le ciel pour ne pas être renvoyée. Elle mesurait la chance d'avoir un travail qui lui plaisait. Et, grâce à Charlie, elle avait pu dormir en une nuit plus qu'en une semaine. Maintenant, il fallait travailler, reprendre une vie normale.

Dans la loge, la tentation était grande de s'emparer de la robe DKNY, mais elle la raccrocha au dernier moment dans la penderie et saisit la robe-chemisier bleue qu'elle s'était cousue lorsqu'elle était à l'université. Elle regagna la chambre sa robe sous le bras et se dirigea vers la salle de bains, surprise et déçue toutefois de ne pas avoir croisé Charlie.

L'eau bien chaude de la douche lui fit un bien fou, d'autant que celle de son appartement manquait singulièrement de pression. Mais, même ici, elle ne s'y attarda pas.

Restait maintenant à résoudre la question majeure des sous-vêtements propres, car elle se retrouvait sans rien ! Et, s'il y en avait dans la loge, elle ne voulait même pas savoir à qui ils appartenaient. Bien sûr, elle pouvait s'en passer, mais, dans cette grande ville polluée, l'idée n'était pas judicieuse.

D'un pas déterminé, elle revint dans la chambre vide de Charlie et trouva dans le deuxième tiroir de la commode ce qu'elle cherchait : un boxer noir, qu'elle lui rendrait plus tard.

Une fois habillée, elle observa attentivement son reflet dans le miroir afin de vérifier que rien ne trahissait son secret. Porter un sous-vêtement de Charlie avait quelque chose d'excitant. Peut-être pourrait-elle le mettre dans la confidence ?

Il était temps de se maquiller légèrement et de se coiffer. Bree posa ensuite le kimono sur le lit et partit à la recherche de son hôte. Ou au moins d'un mot à son attention.

Elle découvrit alors que l'appartement de Charlie occupait tout un étage de l'immeuble. L'ascenseur arrivait directement dans le hall. Son bureau, qu'elle n'avait pas encore visité, occupait presque toute la surface.

Charlie était là, assis dans une pièce gigantesque, équipée d'un si grand nombre d'ordinateurs qu'on se serait cru dans la salle de décollage d'une fusée. A sa grande surprise, elle constata qu'il portait un jean — elle ignorait qu'il en possédait un — et un superbe pull au col en V. Charlie était beau à voir, non pas parce qu'il était naturellement séduisant, mais parce qu'il était dans son élément. La différence se voyait dans son attitude tandis qu'il pianotait sur le clavier de son ordinateur et qu'il naviguait d'un poste à l'autre sur sa chaise à roulettes. Bree ne pouvait plus le quitter des yeux.

Lorsqu'il était à une soirée, dans la limousine ou lorsqu'il travaillait avec leur équipe dans la loge, Bree avait toujours le sentiment d'être observée. Charlie supervisait le moindre détail. Il se tenait toujours un peu en retrait, au-dessus de tout.

C'était l'une des raisons pour lesquelles même les personnes les plus célèbres réclamaient son attention. Il ne donnait jamais trop de lui-même. Il gardait précieusement en lui un jardin secret, qui lui permettait de juger et d'évaluer les autres. Il se montrait absolument charmant avec tout le monde et ne laissait rien transparaître de ses pensées ou de ses opinions. Il les révélait plus tard dans son blog ou, pire encore, ne les révélait pas du tout.

Pourtant, dans son immense bureau, Charlie était complètement présent. Son changement d'attitude ne pouvait pas être plus clair. Bree s'était trouvée en compagnie de ce Charlie-là à deux reprises seulement, et c'était dans son lit.

Elle frémit à ce seul souvenir. Elle avait encore du mal à croire que leur nuit avait été bien plus qu'un rêve.

Charlie n'avait pas encore remarqué sa présence. Bree n'était pas entrée dans la pièce, se contentant de l'observer depuis le pas de la porte. Peut-être valait-il mieux le laisser maintenant ? Il était tellement absorbé par son travail qu'il ne remarquerait même pas son absence. Mais elle ne pouvait pas faire ça. Pourtant, seule une imbécile verrait dans ce qui s'était passé la nuit dernière autre chose qu'un exutoire à leurs tensions. Sans rien de personnel derrière.

A condition d'occulter ce qu'elle avait ressenti lorsqu'elle s'était retrouvée nue dans ses bras, qu'elle l'avait embrassé et qu'il l'avait serrée contre lui.

La nuit dernière, elle avait obtenu tout ce qu'elle voulait de Charlie. Son corps, son attention. Elle avait eu l'impression que chacune de leurs caresses avait été électrique, unique…

— Tu es ridicule, dit soudain Charlie.

Bree se figea et retint son souffle. Charlie lui tournait le dos. Comment pouvait-il… ?

— Naomi, arrête.

Il était au téléphone ! comprit-elle, soulagée de constater qu'elle n'avait pas affaire à un télépathe.

— D'accord. Mais je te parie un mois de salaire que mon absence à la première générera plus de mouvement sur le blog que toutes les soirées de la Fashion Week.

Bree l'entendit rire doucement.

— Non, si *je* gagne, *tu* devras te montrer aimable pendant un mois.

Charlie rit de nouveau.

— Non, aimable au point de changer.

Bree commençait à tourner les talons pour partir. Elle ne pouvait pas continuer d'écouter aux portes plus longtemps.

— Naomi, pour l'amour du ciel, je pense aux chiffres, répondit-il en se propulsant vers un autre ordinateur.

C'est ça, ma motivation, mon unique motivation, même ! En ai-je jamais eu d'autres ? Dès que Bree ne sera plus rentable, je mettrai un terme à notre collaboration. Il n'y a rien de plus entre nous. Ne t'inquiète pas, c'est inutile.

Bree se figea sur place. Un aiguillon glacial parcourut son corps et lui transperça le cœur. Rien de sa détermination à garder les pieds sur terre, à rester concentrée sur son travail, n'avait porté ses fruits. Elle était une idiote. Une imbécile. L'horrible douleur qui venait de s'emparer de son âme prouvait bien qu'elle était tombée amoureuse de Charlie, qu'elle s'était bercée d'illusions, malgré toute sa lucidité. Et elle n'avait même pas compris que son rêve avait pris fin.

Elle s'éloigna à reculons, sur la pointe des pieds. Ses jambes flageolaient et elle tremblait comme si la température avait chuté de plusieurs degrés. Mais dire qu'elle était choquée aurait été exagéré, non ? Elle n'avait jamais cru que Charlie l'aimait. Pourtant, il semblait l'apprécier. S'entendaient-ils bien ? La nuit dernière avait-elle été aussi extraordinaire pour lui qu'elle l'avait été pour elle ?

Non. C'était faux. Elle n'était qu'une vitrine pour lui. Un objet publicitaire. Rien de plus. Rien de réel. Il l'avait prévenue et elle avait signé un document légal en ce sens. Ce n'était pas la faute de Charlie. Bon sang, c'était elle qui avait provoqué leur nuit de sexe, la veille. Elle ne pouvait même pas lui en vouloir.

Elle s'était mise dans le pétrin toute seule et, maintenant qu'elle était acculée, elle devait se sortir seule de ce mauvais pas. Sans tarder. Elle avait encore des obligations à tenir, des soirées à honorer. Charlie pouvait sortir de son bureau d'une minute à l'autre et elle ne voulait pas qu'il la prenne pour l'une de ces horribles indiscrètes. Elle en mourrait d'humiliation.

Hébétée, elle s'aperçut qu'elle était revenue dans le salon en voyant les restes de leur repas sur la table basse. Elle devait s'enfuir. Se ressaisir, mais ailleurs.

Elle saisit le menu du restaurant thaï et récupéra un stylo dans son sac. « Merci pour cette bonne soirée. A plus tard ! » griffonna-t-elle à la hâte. C'était ce qu'elle avait trouvé de mieux, compte tenu de son envie de se ruer vers l'ascenseur. Arrivée devant les doubles portes, elle appuya sur le bouton trois fois d'affilée.

Finalement, elle s'engouffra dans la cabine aux parois couvertes de miroirs et s'agrippa à la rampe pour ne pas tituber. Elle allait devoir affronter les agents de sécurité, le portier et appeler un taxi.

Evidemment, elle avait beaucoup appris en observant Charlie. Sourire et parler comme si de rien n'était, elle connaissait.

Elle réussit même à donner son adresse au chauffeur de taxi avant de s'asseoir sur la banquette arrière.

Mais, dès que Central Park West fut hors de sa vue, elle s'effondra.

- 14 -

Charlie reposa son téléphone sur le bureau, furieux de sa conversation avec Naomi. Il n'était pas en colère après elle, pas exactement, mais d'habitude elle ne se montrait pas si insistante. Indéniablement, cette femme supervisait sa vie. Certes, il pourrait toujours s'en sortir sans elle, mais l'idée même le contrariait. La pensée que son réseau puisse voler en éclats ne faisait que souligner l'importance qu'il accordait à sa routine.

Au centre du cercle, Naomi, les informaticiens chargés de la maintenance des serveurs, les éditeurs de son blog, étaient comme un système nerveux dont le cerveau était Naomi. Charlie avait vraiment du mal à lui mentir.

Bien sûr, il l'avait déjà fait auparavant, surtout pour se simplifier la vie. Mais uniquement pour des questions triviales. Là, le fait d'avoir raté la première du film, d'être sorti avec Bree si longtemps et de se sentir si proche d'elle, n'avait absolument rien de trivial.

Charlie contempla longuement ses écrans, incapable de traiter les données. Au lieu de se remettre au travail, il ferma les yeux en songeant au corps de Bree sous le sien et un frémissement de désir se forma aussitôt au creux de ses reins.

Il n'était pas tout à fait 8 heures. Bree devait encore

dormir. Il valait mieux la laisser se reposer. Elle était épuisée, et leur folle nuit n'avait pas arrangé les choses. Mais il brûlait d'aller la retrouver dans sa chambre pour recommencer. Bon sang, que lui arrivait-il ? Ils étaient d'accord, leur entente sexuelle était incroyable, mais ce n'était pas raisonnable. Faire entrer des sentiments dans leur aventure était une erreur de débutant. S'il ne se montrait pas plus prudent, il risquait de devenir un blogueur du dimanche, noyé parmi tant d'autres. Un blogueur qui aurait connu par le passé son heure de gloire.

Charlie jeta un œil sur l'horloge de son ordinateur. Il était l'heure d'aller réveiller Bree. Peut-être avec une tasse de thé ?

Charlie traversa la pièce en jurant intérieurement contre lui et sa bêtise. Du café, bon Dieu, du café et rien d'autre. Aujourd'hui était un jour de travail ordinaire. Sans sexe. Et sans thé.

Cette fois, il lui donnerait quelques coupures de vingt dollars et s'assurerait qu'elle les accepte. En lui expliquant qu'il pouvait les déduire de ses impôts. Ce geste permettrait de remettre les pendules à l'heure.

Bree ne pourrait pas s'attarder, de toute façon ; elle avait du travail. Et, ce soir, ils devaient se rendre à l'ouverture d'un night-club. De son côté, il lui faudrait déployer des trésors d'imagination pour écrire un article sur la première du film capable d'augmenter la fréquentation de son site.

En se dirigeant vers la cuisine pour faire du café, il aperçut le mot que Bree avait laissé. Il le contempla d'un air incrédule. Pas de doute, c'était bien son écriture. Comment avait-elle pu partir comme ça ? En lui laissant une simple note ? Cela ne lui ressemblait pas du tout. La nuit dernière avait donc été si catastrophique ?

Naomi avait peut-être raison. Il était beaucoup trop troublé pour analyser clairement les événements. Il observa longuement l'écriture fine de Bree et le pincement de déception qui l'étreignit conforta sa détermination. Bree ne tenait qu'un rôle mineur dans une pièce qui se jouait depuis longtemps. C'est ainsi qu'il fallait voir les choses, et pas autrement.

Lorsque Bree arriva au bureau, elle croisa six autres collègues déjà au travail, soit six de trop. Et, malheureusement, elle ne pouvait plus jouer à la femme invisible. Plus depuis qu'elle sortait avec Charlie Winslow. Celle dont le nom figurait en première page de *Naked New York*. Elle avait voulu être remarquée, et son vœu avait été exaucé. Si elle avait pu, elle aurait tourné les talons pour rentrer directement chez elle. Mais elle ne pouvait pas mettre en péril son emploi.

Bree s'effondra sur son siège, remerciant le ciel de pouvoir se cacher derrière les parois de son box. Avec ses yeux gonflés et son teint brouillé, elle avait une mine désastreuse, mais qui s'en souciait ? Maintenant qu'elle avait compris les raisons de son désarroi, elle se fichait pas mal de son apparence. Le réveil avait été brutal, mais inévitable. Pourtant, la nuit dernière avait été merveilleuse, n'est-ce pas ?

Non, elle ne pouvait pas se remettre à pleurer. Elle saisit une copie de son dernier article en ravalant ses sanglots. Une grosse larme glissa sur la feuille et les mots se brouillèrent derrière un sentiment qui avait le goût de l'échec.

Son article était terriblement mauvais. Elle froissa la feuille et la jeta dans la corbeille à papier sous son bureau. Evidemment, la boule tomba à côté sur la moquette bleu marine. Une couleur trompe-l'œil pour masquer la saleté. Bree ne se pencha pas pour la ramasser.

Au même moment, elle entendit son téléphone vibrer. C'était un SMS de Rebecca.

Appelle-moi. VITE ! !

Bree préféra l'ignorer. L'idée de parler à son amie lui donnait mal au cœur. Rebecca n'y était pour rien dans son malheur. Elle lui avait même rendu un inestimable service. Non, c'était elle l'unique responsable. Elle connaissait les règles et les avait acceptées en connaissance de cause.

L'idée de retravailler son article était au-dessus de ses forces. Elle songea à quitter le bureau, rentrer chez elle et s'enfoncer sous les couvertures pour le reste de la journée. Mais c'était impossible. Il fallait se ressaisir, se donner le temps de réfléchir et envisager sa vie autrement que comme une tragédie.

Pauvre d'elle… Dire qu'elle avait eu la chance de rencontrer les plus célèbres créateurs au monde et d'assister aux plus belles soirées de New York. C'était si brutal !

Elle soupira longuement. Face à elle, une pile de dossiers l'attendait. Elle saisit une poignée de rapports. Ennuyeux à mourir. Il y avait des factures, des inventaires qu'il fallait qu'elle trie avant de les classer dans des dossiers. Où était passé le prétendu bureau tout informatisé ? De la science-fiction, au même titre que les voitures volantes et les combinaisons blanches que l'on voyait dans les films.

L'image de Charlie, sillonnant son bureau dans son beau fauteuil, s'imposa à son esprit et Bree se figea. Elle eut beau cligner des yeux pour la chasser, l'image persista et sa gorge se noua douloureusement.

Son téléphone vibra de nouveau. Cette fois, c'était Lilly.

> On peut se voir pour dîner ? Ou bien CW t'emmène encore dans un endroit trop top ?

Bree poussa ses notes de frais à l'extrémité de son bureau et contempla les sept autres piles de dossiers à traiter. Elle tâchait de se concentrer sur chacune. A mesure que son travail avançait, elle alignait soigneusement les documents et les rangeait sous la photo de ses parents et les coupures de presse épinglées avec des punaises.

Son téléphone vibra encore. Un autre SMS. Sauf que cette fois, il était de…

> Salut Bree. Tu te souviens de moi ? Ta sœur ? Décroche. Ou appelle-moi. Beth.

Bree serra si fort les yeux qu'elle vit danser derrière ses paupières de petites étoiles semblables à des feux d'artifice. Sa poitrine lui faisait mal, comme prise dans un étau. Elle avait la nostalgie du pays. Elle était si désespérée ! Comme elle aurait aimé être avec sa famille, assise à la grande table du petit déjeuner !

Elle voulait manger les biscuits au miel de sa mère, et de grosses tranches de bacon avec des œufs brouillés en écoutant son père chanter faux pendant qu'il cuisinait.

Elle voulait entendre la musique tonitruante de Beth

qui faisait trembler les murs, et les aboiements de Willow courant après les poules pour les faire entrer dans le poulailler. Elle voulait redevenir une enfant, se sentir en sécurité. Se sentir pleine de rêves sans épines.

Alors que ses pensées la ramenaient vers l'Ohio, vers sa famille et ses souvenirs, son téléphone vibra de nouveau. A la lecture du message, Bree laissa échapper le document qu'elle tenait entre les mains.

> Tu m'as manqué ce matin. Ce soir, 19 heures, OK ? Nous irons d'abord dîner. Du thé ? CW.

Elle observa pensivement le message, prête à répondre. Mais elle en était incapable. Il lui suffisait de dire OK, rien d'autre. Car elle se rendrait à cette soirée. Elle avait signé un contrat, elle avait des engagements à tenir. C'était son rêve qui prenait forme, après tout.

Elle éteignit son téléphone, juste quelques minutes. Le temps de boucler ses dossiers.

Charlie avala une gorgée de scotch. Pourquoi n'avait-il pas commandé une bouteille ? songea-t-il en lançant un regard vers Bree. Depuis le début de la soirée, elle se tenait aussi loin de lui que possible.

Elle lui retourna un petit sourire pathétique.

Que se passait-il ? Elle ne lui avait envoyé qu'un seul SMS dans la journée en lui signifiant qu'elle ne pouvait pas se joindre à lui pour dîner. Pendant qu'elle se préparait dans la loge, il avait à peine eu le temps de la voir. Il aurait aimé pouvoir mettre les choses au point avec elle, parler du petit mot qu'elle lui avait laissé ce matin. Lui qui aurait dû se féliciter qu'elle soit si distante, qu'elle reste professionnelle, il se sentait au contraire plus nerveux qu'il n'aurait su le dire. Il ne décolérait pas. La faute à sa stupide lettre. Même s'ils avaient fait une erreur, Bree aurait tout de même pu lui dire quelque chose avant de partir, non ? Il détestait être pris par surprise !

Dès qu'ils étaient entrés dans le club, Bree s'était adoucie, charmant toutes les personnes avec qui elle parlait. Elle avait pris des photos, dansé avec plusieurs hommes. Mais pas lui. Lui ne dansait pas. C'était un fait dont tout le monde avait pris note.

Evidemment, certains lui avaient demandé pourquoi il n'était pas venu à la première du film, mais il avait éludé la question. Elle aussi. Charlie avait touché et même embrassé Bree durant la soirée, mais sur la joue. Ils faisaient en sorte que tout le monde croie ce qu'ils voulaient leur faire croire. Mais ces simples effleurements et ce baiser sans importance avaient suffi à éveiller son désir pour elle. Il avait même eu besoin de sortir rejoindre les fumeurs pour se calmer.

Quelles que soient les conséquences, il ne pouvait pas en rester là avec Bree. Ce soir, elle n'était pas fatiguée. Ses traits indiquaient autre chose. En dépit de ses sourires, des rumeurs, des photos et du bruit assourdissant, elle avait l'air éteint et morose. L'éclat qu'elle dégageait et qui suffisait à éclairer toute une pièce s'était assombri depuis la fabuleuse nuit qu'ils avaient passée la veille. Chaque fois qu'il la regardait, il la désirait tout en brûlant de se savoir ce qui s'était passé.

— Tu es bien silencieuse, lança-t-il après de nombreuses tergiversations.

Bree lui lança un sourire qui se voulait rassurant, mais qui ne fit qu'accentuer son inquiétude.

— J'ai travaillé plus longtemps que prévu, j'ai à peine pu faire une sieste, puis je me suis réveillée, complètement paniquée…

Il acquiesça d'un signe de tête, même s'il n'en croyait pas un mot.

— Je suis navré de t'avoir obligée à veiller si tard. Mais nous n'avons rien de prévu demain. C'est déjà ça.

— En effet, répondit-elle en contemplant ses mains.

— Bree. Est-ce que j'ai fait quelque chose que je n'aurais pas dû ? Je sais que je peux parfois me comporter comme un homme stupide et insensible.

Elle planta ses yeux dans les siens.

— Non, tu n'as rien fait de mal. Absolument rien. Tu es tel que tu t'es décrit, et c'est très bien. Vraiment très bien.

— Parfait, murmura-t-il sans conviction.

Mais, en entendant le petit discours de Bree, il avait senti son cœur se serrer.

— Je suis désolée. Aujourd'hui, j'ai reçu un appel de ma famille. Et, ajouté au manque de sommeil, je ne suis pas sûre d'être de bonne compagnie.

Pour la première fois depuis qu'il avait trouvé le mot de Bree ce matin, Charlie commença à se détendre. Les histoires de famille, il connaissait bien. Il était aussi le premier à s'en prendre à tout le monde pendant des heures dès qu'il avait des échanges houleux avec la sienne.

— Je peux faire quelque chose ? proposa-t-il.

Bree secoua vigoureusement la tête.

— Non, merci. Rien du tout. Je dois accepter les choses comme elles sont. D'ici lundi, ça ira mieux. Nous devons aller à la soirée de lancement de ce nouveau parfum, n'est-ce pas ?

— Oui. Je ne sais même pas comment une star peut faire pour trouver un parfum. Pour ma part, j'ai déjà du mal à me souvenir du nom des épices… Et ils gagnent des millions avec ça. Les gens croient-ils vraiment qu'un parfum peut les rendre plus sexy ? Leur donner plus de chances de devenir célèbres ?

Bree éclata de rire et cela illumina son humeur. C'était la plus belle chose qu'il entendait depuis leur arrivée à la soirée.

Une fois dans la limousine, Charlie se sentit mieux, même s'il faisait un peu froid. Bree se tenait toujours très loin de lui.

— Mais toi, en revanche, dit-il en s'approchant d'elle, je suis certain que tu ferais un merveilleux parfum.

Elle le contempla et, au lieu de la toucher comme il avait prévu de le faire, il se contenta de baisser le ton de sa voix.

— Tu sens le miel et la mer. Plus je m'approche de toi et plus c'est flagrant. Cette odeur te suit partout. Soit tu portes le meilleur parfum que j'aie jamais senti, soit, comme je le crains, c'est toi qui sens naturellement aussi bon.

— Je ne porte pas de parfum, confia-t-elle. Et les crèmes que je mets ne contiennent pas de miel. Quant à la mer, je ne vois pas…

Charlie ferma les yeux en inspirant profondément. Ce n'était pas une invention de sa part, l'odeur était bien là.

— C'est merveilleux, dit-il enfin. Comme toi.

Bree étouffa un soupir, et il ouvrit les yeux en souriant. Mais elle ne le regardait pas. Son visage était tourné vers la fenêtre. Son sentiment de bien-être se dissipa aussitôt.

— Bree…

— Je suis désolée, ce n'est pas ta faute, je t'assure.

— Si tu le dis…, répondit-il, mal à l'aise. Veux-tu monter ?

Bree se raidit, retint son souffle puis secoua la tête.

— Pas ce soir, mais merci pour l'invitation.

Charlie se décala légèrement pour lui faire de la place, puis il saisit son verre à moitié vide. Aucun doute, il l'aurait liquidé avant d'être rentré chez lui.

Bree avait commandé un toast nappé de sirop d'érable avec des pommes. Rebecca, Shannon et Lilly approuvèrent son choix d'un hochement de tête, puis commandèrent des œufs et du porridge. Elles s'étaient retrouvées pour bruncher ce dimanche chez Elephant & Castle. Après une demi-heure debout à attendre qu'une table se libère, Bree était affamée. Elle porta sa tasse de café à ses lèvres. Ses mains tremblaient.

— Il était sympathique, dit Shannon.

Bree sourit en regardant son amie rejeter ses cheveux roux derrière ses épaules. Shannon avait pour habitude de communiquer avec son corps. La joie illuminait son regard, la déception se lisait dans son maintien et l'inquiétude dans l'inclinaison de ses sourcils. Lorsqu'elle était en colère, elle se déhanchait en plaçant une main sur sa taille.

Dans le langage de Shannon, le fait de rejeter ses cheveux en arrière manifestait bien plus que de la déception. C'était surtout du renoncement. Et, si Bree se sentait elle aussi déçue, elle n'avait pas assez de cheveux pour copier ce mouvement. Surtout, elle n'était pas prête à renoncer. Pas encore.

— Ça aurait dû faire tilt entre nous, continua Shannon

après avoir vidé son premier cocktail. Car Dieu sait qu'il était sexy. J'ai failli l'inviter chez moi, mais cela aurait été injuste. Par rapport à sa carte, vous savez ? Il cherche une liaison à long terme. Malheureusement, il n'y a pas eu d'étincelles entre nous.

Shannon balaya le restaurant du regard, comme pour s'assurer que personne ne les écoutait.

— L'amour n'est vraiment qu'une question de chimie ? Cela semble tellement injuste.

— Eh bien, répondit Lilly en sortant une carte de son sac. Voici la mienne. Je suis certaine que tu vas passer une bonne soirée. C'est un garçon très gentil et extrêmement brillant. Il vient d'une famille aisée.

Shannon saisit la carte et donna la sienne à Lilly.

— Voici pour toi, en espérant que le contact passe entre vous.

Elles étudièrent ensemble leurs nouveaux prospects. Pendant ce temps, Bree sirotait son café. Puis elle se tourna vers Rebecca, qui ne la quittait pas des yeux.

— Qu'y a-t-il ? demanda Bree abruptement.

— C'est plutôt à moi de te poser cette question. Que se passe-t-il ?

— Rien. Tout va bien.

Rebecca saisit son cocktail, mais Bree l'entendit chuchoter « menteuse » juste avant la première gorgée.

— Rebecca, s'il te plaît.

— S'il a fait quelque chose d'horrible, tu dois me le dire.

— Il n'a rien fait.

— Donc…

— Je te dis que ce n'est rien. Tout va bien entre nous. Nous allons demain soir à la soirée de lancement d'un nouveau parfum. J'ai l'impression de ne pas avoir dormi depuis des années, et je serais volontiers dans mon lit à l'heure qu'il est si d'horribles amies n'étaient pas venues me chercher de force chez moi.

— Cela fait beaucoup trop longtemps que l'on ne te voit plus, rétorqua Shannon, et tout ce que nous savons, c'est ce que nous pouvons lire sur internet. Tout le monde se demande ce que Charlie Winslow et toi faisiez le soir où vous avez raté la première du film.

Bree sentit ses joues s'empourprer violemment. Elle troqua son café contre de l'eau glacée pour tenter de se calmer.

— Rien qui puisse porter à conséquence, expliqua-t-elle.

Les trois amies échangèrent des regards incrédules. Dans moins d'une seconde, elle prendrait ses affaires pour quitter le restaurant. Ne plus participer à ce club, ne plus jamais regarder la carte d'un bel homme à conquérir et commencer à chercher les meilleurs vols en partance pour l'Ohio.

Bree rougit de nouveau à ces pensées. Elle avait peut-être commis une erreur en ne contrôlant pas ses sentiments pour Charlie, mais elle n'allait pas quitter cette table, ni même l'Etat de New York. Ce n'était pas son genre. Peu lui importait la quantité de larmes qu'elle devrait verser pour surmonter sa peine de cœur, elle n'était pas prête à abandonner la partie. Elle n'avait pas fait tout ce chemin pour rentrer chez ses parents, la queue entre les pattes.

— Sérieusement, dit-elle en se redressant sur son siège. Il ne s'est rien passé d'extraordinaire. Nous étions surbookés. Charlie a parié que les rumeurs iraient bon train et ça a marché. Nous étions les grands absents de la Page Six du *Post*, aujourd'hui. Cela faisait partie de son plan. Le blog de Charlie vit exclusivement de ses visiteurs. C'est comme une grande formule mathématique qui détermine le prix des espaces publicitaires, lié au nombre de visites sur le blog.

— C'est tout ? demanda Lilly en arborant un air sceptique. Mais vous êtes si mignons, ensemble.

Bree se tourna vers Rebecca.

— Nous sommes censés former un beau couple, mais je suis navrée de gâcher vos illusions : je vous jure que notre relation n'est rien d'autre que du business. D'ailleurs, dès que les chiffres commenceront à chuter, vous verrez que je ne serai plus utile à son blog. Je reviendrai alors vers vous pour faire un raid sur les cartes à échanger.

— Tu es prête à remettre Charlie dans le circuit ! s'écria Shannon.

— Crois-moi. Ce n'est pas ton type. Oh ! il est gentil et tout ça, mais il ne cherche pas de relation sérieuse.

Rebecca tenta d'accrocher son regard, comme si elle avait eu le pouvoir communiquer avec elle par télépathie.

— Nous parlerons plus tard, lui chuchota Bree discrètement.

Le serveur leur apporta les plats et Bree put enfin se détendre, consciente d'avoir franchi une étape importante.

Soudain, son téléphone sonna. Elle faillit l'ignorer mais, lorsqu'elle sortit le combiné de son sac, elle sut d'emblée que c'était Charlie. Son message ne concernait pas la soirée de lundi.

On dîne ensemble ce soir ? Chez Le Bernardin ?
CW.

Bree s'emballa. Un des plus grands restaurants de la ville… Cette invitation était un pont en or ! Pour sa carrière, pour son avenir, il n'y avait pas à hésiter ! On ferait des photos d'eux et les rumeurs iraient bon train lorsqu'on les verrait sortir ensemble pour le plaisir, sans aucun prétexte de soirée à commenter derrière ! Sauf que… Sauf que ce serait tricher. Une fois de plus. Alors, pour préserver tant que faire se peut son équilibre mental, elle tapa ces quelques mots :

Désolée, mais ma soirée est déjà prise. A demain !

- 15 -

Le sourire de Charlie s'évanouit lorsqu'il décrocha le combiné de l'Interphone et qu'il entendit le gardien lui annoncer l'arrivée de sa cousine.

Déception…

Bon, admit-il pour se consoler, la visite de Rebecca n'était peut-être pas une mauvaise chose, après tout. Elle se présentait rarement chez lui ; si elle était là, c'était sans doute au nom de son amitié avec Bree, non ? Ou bien peut-être savait-elle qu'il avait annulé sa réservation chez Le Bernardin et s'était dit qu'elle pourrait en profiter à sa place ? Sauf qu'il n'avait plus faim.

Charlie se dirigea vers la table de la salle à manger sans chercher à la débarrasser du monticule d'invitations éparpillées. Sa femme de ménage s'en chargerait demain. Il s'aperçut qu'il n'était pas chaussé en allant ouvrir la porte. Il portait des chaussettes noires, un jean et son T-shirt des Yankees. Il avait déjà préparé ses vêtements pour son rendez-vous de 19 heures, mais il s'en fichait.

Comme à son habitude, Rebecca était tirée à quatre épingles, aussi élégante qu'une gravure de mode. Charlie la débarrassa de son manteau qu'il lança sur la méridienne près de la porte d'entrée en ignorant son petit cri d'indignation.

— Tu veux du café ? demanda-t-il en guise de salutation. Du vin, de la vodka ?

— Il est 14 h 30, répliqua-t-elle en faisant claquer ses talons derrière lui.

— Et alors ?

— Sais-tu seulement faire du café ?

— Que tu es drôle, Rebecca ! s'écria-t-il mi-figue, mi-raisin.

Dans la cuisine, elle partit chercher du lait pendant qu'il dosait le café. Puis il alluma la cafetière et croisa les bras sur sa poitrine.

— Donc ?

— Qu'as-tu fait, Charlie ?

— A qui ?

— Ne fais pas l'idiot. A Bree.

— Je ne lui ai rien fait. C'est elle qui est…

— Qui est quoi ?

Il haussa les épaules et se tourna pour vérifier si le café était prêt.

— Calme. Absente. Je ne sais pas comment l'expliquer.

— Peux-tu me dire pourquoi vous ne vous êtes pas rendus à la première de *Courtisane* ?

— Non.

— Parfait. Sers le café, dans ce cas. Oh ! et puis surtout, je te félicite d'avoir toujours quatorze ans. Pour un grand comme toi, c'est fantastique, tu dois être fier, ironisa-t-elle.

— Mais de quoi parles-tu ? lui demanda-t-il d'une voix excédée.

Il se tourna de nouveau vers elle, de mauvaise humeur.

— D'accord, expliqua Rebecca. Commençons par

le commencement. Crois-tu vraiment que ta famille a besoin de publicité sur tes blogs pour qu'Andrew gagne cette élection ?

— Oui.

— Dans ce cas, tu as un ego démesuré. Leur visite, Charles, était une façon de faire la paix avec toi.

— Tu crois vraiment que je vais soutenir cet imbécile ?

— Ils ne sont pas venus te demander ton soutien, je te dis, mais faire la paix avec toi. Tu acceptes de l'argent de toutes sortes de dingues. Pendant la campagne présidentielle, les deux partis se sont tiré dessus à boulets rouges dans tes blogs. Et je sais que tu n'as voté ni pour l'un ni pour l'autre.

— C'est donc toi qui me les as envoyés. Je te croyais plus maligne.

— Que dis-tu ? demanda-t-elle, l'air scandalisé.

— Tu leur as dit de venir me trouver, n'est-ce pas ?

— Non, pas du tout. J'ai entendu parler de leur visite après coup. C'est l'oncle Ford qui m'en a parlé.

— Mon Dieu, quelle famille !

— Peut-être, mais c'est *ta* famille, répondit-elle en lui prenant le bras. Bon, ouvrons le deuxième dossier… Je ne sais pas ce qui s'est passé entre Bree et toi, mais je sais qu'elle n'est pas comme les autres. Tu agis différemment avec elle, Charlie. D'ordinaire, tu ne vas jamais au-devant de tes lecteurs. Ce sont eux qui viennent à toi. Tu n'as jamais fait semblant d'avoir une liaison pendant si longtemps. Et je suis certaine que tu te fichais royalement du silence ou des bouderies de tes précédentes conquêtes.

Charlie recula et se dégagea. Il sortit deux tasses et fit le service.

— Notre relation n'a rien de personnel. Depuis le

début, les chiffres sont en hausse. Je suppose que je devrais te remercier pour ça.

— Je me fiche des chiffres.

Charlie but une gorgée, mais le café était si chaud qu'il se brûla.

— C'est tout ce qui m'intéresse.

— Oui, je vois ça.

Rebecca ajouta du lait dans sa tasse.

— Ça ne va pas être facile de revenir en arrière. Après Bree, la chute ne sera que plus dure. Du moins, je l'espère. J'ai toujours su qu'il y avait un homme bon en toi, Charlie. Je te connais depuis trop longtemps pour perdre espoir.

— Tu joues à maître Yoda, maintenant ?

Elle sourit.

— Je peux me le permettre, surtout que je suis tout sauf une sainte. Mais tu sais quoi ? Ce n'est pas parce qu'on veut libérer quelqu'un qu'il faut pour autant mettre les autres en prison. Tu vois ce que je veux dire ?

Rebecca se planta devant lui et le regarda droit dans les yeux.

— Tu m'as toujours aidée, Charlie. Toujours. Mais je t'en prie : accepte cette fois-ci que je t'aide. Réfléchis bien à ce que je t'ai dit.

Puis elle déposa un baiser sur sa joue et le laissa seul dans la cuisine.

Charlie resta un long moment à méditer les paroles de Rebecca. Lorsqu'il porta la tasse à ses lèvres, son café était froid. Mais sa décision était prise.

Il était 13 heures lorsque Charlie l'appela ce lundi. Bree décrocha à la deuxième sonnerie.

— Charlie ? Que se passe-t-il ?

— Rien, pourquoi ?

— D'habitude, tu m'envoies des SMS.

— Oh. Non, tout va bien. Comment vas-tu ?

— Bien. Très bien.

Mais cette redondance signifiait précisément le contraire.

— J'en suis ravi. Prête pour la soirée de lancement de ce nouveau parfum, ce soir ?

— Justement, j'étais sur le point de t'envoyer un message. A quelle heure veux-tu qu'on se retrouve chez toi ?

Charlie fit pivoter son siège et se tourna vers la fenêtre. La ville était plongée sous la grisaille. Déprimante.

— A 19 heures ? Ou 18 heures si tu veux qu'on aille dîner. La soirée ne durera pas très longtemps. J'avais promis à un ami d'y aller, sinon, j'aurais annulé.

Charlie attendit sa réponse et, voyant que le silence se prolongeait, il appliqua son plan B.

— De ton côté, tu n'as rien promis à personne. Cette soirée n'est pas très importante. Si tu veux faire l'impasse, c'est possible.

— Faire l'impasse ?

— Oui. Tu as eu une semaine chargée et les soirées du lundi soir sont toujours de second ordre. Je me débrouillerai pour insérer dans le blog quelque chose pour continuer à faire parler de nous. Si tu veux.

Le bruit de la respiration de Bree hachait le silence, et Charlie tenta de se l'imaginer. Etait-elle dans son bureau, dans un restaurant ? Avait-elle mis un ruban dans ses cheveux ? Comme il aurait aimé la voir à cet instant. Sa voix seule ne lui suffisait pas.

— Ce serait une bonne idée.

— OK. Dans ce cas, pas de problème. Repose-toi bien car, mardi soir, nous allons à une grande soirée.

Il grimaça en songeant qu'il avait également accepté d'assister à une vente de charité dans l'après-midi. Mais ce n'était pas le problème de Bree.

— D'accord, répondit-elle d'une toute petite voix. Je vais me reposer. Merci, Charlie. En revanche, si tu changes d'avis. Si tu crois que c'est mieux que je sois là… pour le blog…

— Non, je me charge de tout. Tu sauras tout de cette soirée demain matin dans *Naked New York*.

Il perçut de la tristesse dans son soupir. Il avait beaucoup pensé à elle la nuit dernière. Et elle lui avait manqué. Mais malgré les paroles dramatiques de Rebecca, inutile d'imaginer que Bree avait de quelconques sentiments. Bree se sentait simplement seule. Loin de chez elle. Elle vivait à un train d'enfer et subissait beaucoup de pression. La soirée de ce lundi était sans importance. Evidemment, il aurait préféré être avec elle, mais il voulait aussi lui laisser du temps pour reprendre des forces. Il aimait la voir heureuse. Il aimait la voir excitée. Il… l'aimait beaucoup.

Il était 18 h 15 lorsque Bree entra dans l'ascenseur. Mais, entre le quinzième et le seizième étage, sa raison flancha.

Ou alors sa décision de se rendre chez Charlie était le résultat direct de sa nuit sans sommeil. Elle avait essayé le thé, le yoga, la méditation, le bain et le lait chaud. Au lieu de dormir, elle avait écumé tous les articles de *Naked New York* depuis un an, tous les documents qu'elle avait pu trouver sur Google à propos de Charlie, répertorié toutes les personnes avec lesquelles il était sorti. Elle avait élaboré un nouveau plan quinquennal une demi-douzaine de fois, tous plus fous les uns que les autres. Sa journée de travail avait été une vaste fumisterie. Si elle n'était pas renvoyée à la fin de la semaine, elle ne le devrait qu'à une intervention divine car elle n'avait rien fait qui justifie son salaire. Peu lui importait ce qui allait se passer, il fallait que les choses changent. Et elle aurait besoin plus que jamais de son travail chez *BBDA* après cette visite imprévue chez Charlie.

Elle ne l'avait pas appelé pour l'informer de son arrivée. George, le concierge, n'avait pas davantage pris la peine de prévenir Charlie de sa venue, mais il lui avait demandé si elle allait bien car il ne l'avait pas vue la veille. Ainsi, tout le monde, y compris le concierge, pensait qu'elle et Charlie étaient… ce qu'ils n'étaient pas. Et elle ne savait pas si cette idée la rassurait ou non.

A mesure que l'ascenseur montait, Bree luttait contre un sentiment de panique. Que faisait-elle là ? Elle ignorait ce qu'elle dirait à Charlie pour justifier sa venue. En toute honnêteté, elle n'avait aucune envie de se rendre à cette soirée de lancement de parfum.

Mais l'idée de ne pas y aller lui procurait un horrible sentiment de malaise. Mon Dieu, comme Charlie lui manquait ! Maintenant qu'elle connaissait ses sentiments pour lui, elle avait besoin de lui comme un junky de sa drogue. La pause de ce soir était censée lui redonner de l'énergie, l'aider à se concentrer sur ses objectifs et à élaborer un nouveau plan. Ou à dormir.

L'ascenseur s'arrêta si doucement qu'il lui fallut une seconde pour comprendre qu'elle était arrivée. A l'instant où les portes s'ouvrirent, elle paniqua et appuya sur le bouton du rez-de-chaussée à deux reprises.

Les portes étaient sur le point de se refermer lorsque son bras jaillit de la cabine. Voilà à quoi se résumait sa vie. Elle était coincée. Indécise. Effrayée à l'idée de croiser son propre regard dans un miroir. Terrifiée d'aller de l'avant, et incapable de faire machine arrière.

Elle n'avait surtout aucun plan et c'était ce qui l'inquiétait le plus. Elle se décida pourtant à sortir de la cabine, se résignant à affronter ce qui l'avait poussée à venir.

Charlie ouvrit la porte d'entrée avant qu'elle ait sonné. En l'apercevant, ses grands yeux sombres s'agrandirent encore. Le sourire lumineux et sincère qu'il lui adressa la bouleversa au-delà de toute attente.

— Bree, dit-il de sa voix grave reconnaissable entre toutes. Toi ici… ?

— Salut.

— Je croyais…

— Je sais. Je n'étais pas…

— Entre. L'équipe n'est pas là, mais nous allons nous en sortir.

Il recula d'un pas. Son regard et son sourire étaient sereins et ravis.

— J'étais sur le point de manger une pizza. Fromage, champignons. Mais je peux commander autre chose si tu n'aimes pas ça. Il y a ce restaurant dont je t'ai parlé qui fait des plats au curry…

— Une pizza, c'est parfait.

Ils étaient debout dans l'entrée, elle, avec son manteau, en tenue de travail, avec sa robe et ses bottes. Car jamais elle n'avait prévu d'aller aussi loin.

De son côté, Charlie portait un jean et une chemise

violine dont il avait retroussé les manches. Il était en chaussettes. Ses cheveux en bataille lui donnaient un air plus négligé que d'habitude. En le voyant ainsi, Bree sentit sa gorge se serrer, ce qui n'avait aucun sens.

Charlie se dirigea vers elle, bras tendus vers l'avant, tandis qu'elle se contorsionnait pour retirer son manteau. Mais il la prit dans ses bras, bloquant ses mouvements. Elle n'aurait su décrire les sentiments qui l'assaillirent. Elle était au bord des larmes, son estomac était noué, ses joues étaient en feu. L'odeur de la peau de Charlie était à la fois excitante et réconfortante.

Elle se sentit un peu mieux lorsqu'il enfouit son visage dans le creux de son cou. Encore mieux lorsqu'elle sentit son corps se raidir et sa respiration s'accélérer. Visiblement, il se sentait aussi mal à l'aise qu'elle.

Lorsqu'il recula, elle constata qu'il avait rougi. C'était à la fois beau et terriblement déstabilisant. Surtout, ce n'était pas le but recherché. Pas du tout.

Lentement, elle laissa son manteau glisser au sol. C'était tout ce qu'elle pouvait faire pour ne pas flancher à son tour.

Charlie la vit vaciller. Mais devait-il la soutenir ou non ?

— Voilà, dit-elle d'une voix aussi tremblante que ses jambes.

Charlie se sentit happé par le rose qui envahissait ses joues, sa façon de frémir. Une barrette en forme de papillon retenait une courte mèche de cheveux, lui donnant un air mutin délicieux.

— Tu as été formidable avec moi, Charlie, et tu as changé ma vie. Grâce à toi, mes projets professionnels ont bondi en un temps record. J'ai bien réfléchi à tout ce que tu avais fait pour moi. Tu m'as laissée écrire dans ton blog. Tu m'as donné carte blanche pour entrer dans un monde qui m'avait toujours fascinée. Mes rêves se sont réalisés, mais ils ne sont pas tels que je les imaginais. Ils sont différents, et cela me convient dans le fond.

Elle reprit son souffle car elle venait de débiter ce long discours d'une seule traite.

Charlie l'écoutait attentivement, même si son regard restait braqué sur ses yeux, ses lèvres roses et ses mains délicates qu'elle écartait lorsqu'elle insistait sur un mot. Il lui souriait toujours.

— Ce n'est pas toi, le problème, ajouta-t-elle. J'ai juste transgressé les règles. La règle d'or. Celle qui peut tout gâcher. Je ne m'en suis pas rendu compte. Je n'avais rien prévu. Je m'étais fait une promesse. Celle de ne pas me lier à un homme. Toutes mes amies qui sont tombées amoureuses ont vu leurs rêves se… volatiliser. Je sais qu'il ne faut pas se comparer aux autres, mais je me connais. Je suis obstinée et c'est une grande qualité pour construire mon avenir, mais, si je me laisse engloutir par l'amour, je ne réponds plus de rien. L'amour est une chose merveilleuse en soi, mais mes objectifs sont… disons qu'ils constituent pour moi une priorité. Je veux faire mes preuves avant de me caser. Regarde, toi-même, c'est exactement ce que tu as fait. Tu n'as jamais rien laissé entraver ta route et tu as réussi de manière formidable. Tu es l'homme le plus talentueux que je connaisse, sans pour autant être devenu le plus beau des salauds. Tu as des principes, tu as été charmant avec moi, et je n'ai même pas…

Dieu du ciel ! Charlie la contempla en cillant et son sourire se ternit. Etait-ce de l'amour, ce qu'il ressentait pour elle ? Vraiment ? De l'amour ?

Non, mille fois non. Cela ne se pouvait pas. Bree avait d'immenses qualités. Vraiment. Plus que bien d'autres femmes qu'il avait croisées dans sa vie. L'alchimie de leurs corps était fabuleuse, certes, et il aimait passer du temps avec elle. Mais de là à parler… d'amour ?

Non, ça ne pouvait pas arriver. Ce n'était pas au programme. Cela ne lui ressemblait pas. Il n'était pas ouvert à ce genre de discussion.

Pourtant, un cœur normalement constitué ne battait pas à cette vitesse, ne put-il s'empêcher de remarquer.

— … mais cette vision idéalisée des choses, poursuivit Bree d'une voix de plus en plus hésitante, c'est à cause de Cendrillon, Blanche-Neige et tout ça. Bien sûr, je n'ai jamais espéré ce genre de fin heureuse. Ce serait de la folie. Tu es Charlie Winslow, le modèle à suivre, et tu es resté célibataire. Je ne suis que la groupie. Je sais tout ça, et ça me convient. J'ai même signé un contrat en ce sens. J'avais tout planifié, tu comprends : la manière dont j'allais mener ma vie en général, et ma vie amoureuse en particulier. Et puis j'ai tout gâché. J'ai fait quelque chose de stupide. On ne peut pas dire que je sois exactement tombée amoureuse de toi, mais je n'en suis pas loin et si je ne fais pas attention…

Elle déglutit.

— Tu ne remarqueras rien, je te le promets. Mais si cela devait te mettre mal à l'aise, dans ce cas…

Elle pinça les lèvres l'espace d'une seconde, tandis qu'un éclair de douleur traversait son visage. Ou était-ce de la confusion ?

— Eh bien, je m'éclipserai. En revanche, si les chiffres

de ton blog comptent toujours pour toi, je tiendrai mes engagements. Je serai la meilleure groupie qui soit, et je ne te gênerai pas, promis. C'est mon problème, pas le tien. Sérieusement. Tu as été si gentil avec moi ! Je te dois tellement que je ne pouvais pas ne pas te dire ce que je ressentais.

Il lui fallut longtemps pour prendre la mesure de ses propos. Mais peut-être n'avait-il pas tout saisi ? Avait-elle dit qu'elle était tombée amoureuse de lui ? Ou bien qu'elle avait peur de tomber amoureuse de lui, mais qu'elle ne voulait pas car ce serait enfreindre les règles, qu'il était un garçon modèle et elle, une groupie ? Une nouvelle Cendrillon ?

Il ne savait plus où il en était. En revanche, il était certain de l'avoir entendue dire que c'était son problème à elle et non le sien, même si c'était contestable. Il lui fallait un peu de temps pour réfléchir à tout ça.

— Tu n'as pas l'air bien, remarqua-t-elle. Je suis navrée. Je ne suis pas… une fan complètement folle, ni une femme prête à te harceler, ni rien de tout ça d'ailleurs.

Bree fit une petite grimace et son joli visage tout crispé le bouleversa.

— Hum, pardon, je me suis laissé emporter, dit-elle à voix basse.

Charlie se racla la gorge.

— Bree, nous devrions peut-être manger quelque chose. Nous calmer, discuter tranquillement.

Le regard insistant de Bree lui fit soudain prendre conscience que quelqu'un frappait à la porte. Qui diable était-ce ?

— Une seconde, dit-il en allant ouvrir.

*
* *

Soudain, Mia Cavendish fut dans la pièce, vêtue d'un immense manteau en fausse fourrure, maquillée comme pour une séance de photos, avec un air de profond ennui sur le visage.

Elle dévisagea Bree, puis son regard glissa vers sa montre avant de se poser sur Charlie.

— Je suis arrivée trop tôt ? Naomi m'a demandé d'être là à 18 h 30.

Bree eut l'impression de recevoir un coup de poing dans le ventre. Elle inspira profondément tout en priant pour que la terre l'avale ou pour avoir la force de foncer vers l'ascenseur avant qu'il reparte au rez-de-chaussée. Elle n'était qu'une idiote, doublée d'une menteuse !

— Naomi ? demanda Charlie, visiblement perdu.

— Pour la fête de ce soir, répondit Mia en entrant dans l'appartement comme si elle était chez elle.

Le jeune mannequin sourit à Bree, même s'il était clair qu'elle se fichait complètement d'elle.

— Je pense que c'est la tenue que je vais porter, mais je vais regarder dans la penderie, déclara-t-elle en laissant tomber son manteau sur la méridienne dans l'entrée. Je rêve d'une coupe de champagne.

Elle regarda de nouveau Bree.

— Où est Anna ? demanda-t-elle. Oh ! elle est certainement partie. Charlie ?

— Mia, quand as-tu parlé à Naomi ?

— Cet après-midi, vers 13 h 30. Pourquoi ?

Bree les entendit discuter, mais leurs voix lui parvenaient comme étouffées. Vite, elle devait prendre son manteau, l'enfiler, et sortir d'ici. Tout de suite. Avant que Charlie la remarque.

Mais pourquoi se soucierait-il d'elle ? L'une des plus belles femmes au monde était à deux pas de lui. Grande, élancée, avec un visage d'ange, le genre de créature faite pour Charlie Winslow.

— Donne-moi une petite minute, Mia. Pendant ce temps, sers-toi, il y a du champagne dans le réfrigérateur.

Le mannequin ne sembla pas ravi, mais elle s'éloigna d'un pas sûr, perchée sur ses bottes aux talons vertigineux.

Bree en profita pour se mettre en mouvement. Elle saisit son manteau. Le tissu était frais sur ses bras, lourd sur ses épaules, mais il était épais et, lorsqu'elle le noua autour de sa taille, elle se sentit protégée.

— Je dois partir, dit-elle précipitamment en évitant soigneusement le regard de Charlie.

Lorsqu'il se planta devant elle, elle fit un rapide pas de côté.

— Tu sais le plus drôle ? demanda-t-elle en s'éloignant à reculons.

— Bree, attends !

— Je viens de Hicksville, dans l'Ohio, et c'est une vraie ville de ploucs.

— Je ne comprends rien, dit Charlie en regardant par-dessus son épaule en direction de la cuisine. Attends, tout va trop vite. Ne t'en va pas, s'il te plaît !

— Tu dois te préparer, dit-elle en secouant tristement la tête. Tu as promis d'aller à la soirée et tu ne peux pas y échapper. Je m'en veux déjà de t'avoir détourné de ta routine. Les gens t'attendent. Et Mia Cavendish ! Il y a de quoi susciter l'étonnement, non ? Tu vas faire la une des journaux avec elle.

Bree continua de s'éloigner sans qu'il puisse la retenir.

— S'il te plaît…

— Tout va bien. Nous parlerons plus tard de tout ça. Je dois vraiment m'en aller.

La sonnerie indiquant l'arrivée de l'ascenseur retentit alors. Bree inspira longuement. Jamais un bruit ne lui avait procuré plus de soulagement. Elle appuya frénétiquement sur le bouton pour fermer les portes et Charlie ne passa pas son bras pour la retenir. Pourquoi l'aurait-il fait ? Charlie Winslow savait exactement à quel monde il appartenait. Et ce monde n'était pas le sien.

- 16 -

Charlie aurait tout donné pour échapper à la soirée au Canal Room. L'endroit était bondé et peuplé des mêmes têtes qu'il avait croisées samedi, mardi et mercredi derniers. Les mêmes journalistes et pique-assiettes, faisant toujours le même bruit. Il avait l'impression d'assister perpétuellement à la même pièce ; seuls les costumes changeaient.

Il ignorait où se trouvait Mia. Elle avait manifesté un peu de surprise qu'il se tienne si loin d'elle, mais n'avait pas approfondi la question. Pendant le trajet, il n'avait pas ouvert la bouche une seule fois. Mais, face aux objectifs, il était censé faire des efforts. La demande était là.

Seulement, Charlie s'en souciait comme de sa dernière chemise. La presse pourrait dire ce qu'elle voulait. Il se contenterait de répondre de manière outrancière, et tout continuerait comme avant. Ce jeu ne s'apparentait même pas à une partie d'échecs : ils n'étaient que des pions.

Debout au fond de la salle, près d'une porte de sortie, il ne cessait de penser aux deux femmes qui remplissaient sa vie. Bree et Rebecca.

Rebecca avait toujours été son alliée depuis l'enfance. Quant à lui, il n'avait rien fait qui puisse la blesser ou l'embarrasser. Rationnellement, il n'avait donc aucune raison de penser qu'elle venait de se retourner contre lui. D'autant qu'ils n'étaient pas simplement cousins, ils étaient aussi des amis et des confidents. Compte tenu de ces considérations, il était peut-être bien dans son intérêt de méditer sur le discours qu'elle lui avait tenu, songea-t-il en se rappelant son « sermon ». Rebecca n'avait rien à gagner au fait qu'il modifie ses relations avec ses parents, avec Bree ou dans son travail. Ce qu'elle lui avait suggéré ne le visait que lui. Et, s'il opérait un virage complet dans ces trois aspects de sa vie, son amitié avec sa cousine resterait intacte.

Dans ce cas, de quoi avait-il peur ? Craignait-il le changement ? Tout bouleversement risquait de compromettre le confort de sa vie. Mais supposons qu'il veuille rompre avec ses schémas habituels ? Rien n'était immuable alors pourquoi ne pas y réfléchir sérieusement ?

Il n'était nullement obligé de faire ce que ses parents attendaient de lui. Cela faisait des années qu'il fonctionnait ainsi. Sa vie lui appartenait. En échange, rien de ce qu'il faisait ou disait ne pouvait influencer ses parents, sauf si ces derniers en avaient décidé ainsi.

Charlie absorba une gorgée de scotch qui lui brûla la gorge. Il croyait avoir cessé de fuir depuis des années, mais Rebecca avait raison : il courait toujours. La réponse horrifiée de ses parents à la création de son blog et à sa notoriété l'avait réjoui. Son entreprise représentait tout ce qu'ils évitaient comme la peste : les intérêts vulgaires, l'exposition, les idées avant-gardistes... Rien de tout cela ne leur ressemblait. Charlie n'avait eu de cesse de faire monter les enchères, et ses parents avaient réagi à coups de menaces et de chantage. Mais parmi toutes les choses intéressantes qui s'offraient à un homme plein de ressources, pourquoi avait-il choisi de jouer à ce jeu ridicule ? Pour les stars de cinéma ? Pour la mode ? Pour l'amour des scandales ? Il ne pensait pas qu'il faille cracher sur la célébrité, pas du tout. Les hommes avaient créé cette culture parce qu'ils étaient faits pour rêver. Les commérages étaient nés avec la parole. La technologie permettait simplement de les propager plus vite…

Mais, en dehors des bénéfices qu'il en tirait, il ne leur accordait pas beaucoup de crédit.

Son verre à la main, il se dirigea vers la sortie. Il n'avait pas récupéré son manteau et il gelait à pierre fendre, mais Charlie n'avait aucune envie de retourner dans la salle. Pas tout de suite.

Il commença à descendre la rue. Même à 23 heures passées, les trottoirs étaient pleins de monde, les lumières des restaurants et des bars bondés étaient allumées. Comme il aimait cette ville et son bouillonnement incessant ! Elle le fascinait toujours et il était un sacré veinard de pouvoir y vivre. Mais savait-il seulement quoi faire de ce monde à portée de sa main ? Si demain il quittait *Naked New York*, rien d'important ne se passerait. Il continuerait de diriger son groupe de communication. Cette tâche était intéressante et il était fier de ce qu'il avait bâti. En revanche, quelle importance s'il n'assistait plus à ces soirées, ces premières ou ces ouvertures de club ? Manhattan trouverait un autre roi de la nuit. Ses parents cesseraient d'être gênés par les femmes avec lesquelles il s'affichait. Bon sang…

Bien sûr, Rebecca deviendrait insupportable, songea-t-il en riant doucement, elle l'aurait influencé considérablement et ne manquerait pas de s'en enorgueillir. Il ne connaissait personne d'aussi suffisant qu'elle. Mais il avait une dette envers elle.

Cela dit, il n'était pas prêt à prendre du recul avec son travail. Pas encore. Cette décision était trop grave pour l'envisager sérieusement entre deux gorgées de scotch par une nuit aussi confuse. Il devait aussi penser à son équipe. Aux transitions, aux changements, aux répercussions financières.

Gelé jusqu'aux os, il tourna les talons et regagna le club. Il n'en avait aucune envie, mais il ne pouvait pas partir sans prévenir Mia. Il affronta les regards perplexes des personnes postées à l'entrée qui venaient juste de le voir sortir. Il devait avant tout retrouver sa cavalière. Renoncer à être au centre de *Naked New York* était une grande décision, mais elle n'était pas la plus importante. Car ses pensées le conduisaient vers la deuxième femme de sa vie.

Charlie s'apprêtait peut-être à sauter dans le vide sans parachute, mais il était certain de ne pas vouloir le faire seul.

Bree se trouvait dans sa chambre aussi étroite qu'un réduit, allongée sur le canapé qui lui servait de lit. La pièce était sans doute minuscule, mais la porte était assez épaisse pour que personne ne l'entende pleurer.

D'ailleurs, elle ne pleurait plus. Elle contemplait fixement son téléphone. Elle s'était résignée à ne pas repartir au plus vite dans l'Ohio, mais ne se sentait pas non plus l'âme d'une amazone. Elle était tout simplement triste. Plus triste que jamais.

Pourtant, elle ne pouvait pas s'apitoyer sur son sort alors que tant de gens avaient de vrais problèmes ! Bree n'était pas aimée en retour, c'était là l'unique grain de sable dans sa vie. Ce n'était pas la fin du monde et bien des gens se trouvaient dans la même situation qu'elle.

Oui, sauf qu'aucune autre femme ne pouvait dire, comme elle, que Charlie Winslow était le grand amour de sa vie… Sa rencontre avec lui était-elle une façon de tester sa détermination à bâtir son avenir ? Ou bien la vie se chargeait-elle de lui rappeler qu'elle possédait un cœur en état de marche, et qu'il fallait à l'avenir qu'elle fasse beaucoup plus attention à ses émotions ?

Qui sait, ses sentiments n'avaient peut-être rien à voir avec l'amour réel… Charlie était un homme de conte de fées, un être magique. Et elle qui avait été bercée par les dessins animés de Walt Disney et les idées romantiques, bien sûr, elle était tombée sous son charme. C'était humain…

Son erreur avait été de croire qu'elle avait pu, en retour, le séduire lui aussi.

Bree prit son téléphone, cliqua sur le bouton « Contacts » et parcourut la liste. A qui se confier ? Elle aimait beaucoup Rebecca, mais son amie était trop liée à Charlie. Quant à Lilly, elle était très gentille, mais elle ne se sentait pas assez proche d'elle.

Quant à sa famille… Bree était beaucoup trop gênée pour appeler l'Ohio. Elle s'était sentie si… supérieure à eux et à leurs tragiques erreurs. Et elle ne voulait pas mettre à mal son ego.

Pourtant, ce soir, elle n'avait personne d'autre vers qui se tourner.

Sa sœur Beth avait deux ans de plus qu'elle et avait connu une douloureuse peine de cœur avant de rencontrer Max. Elle saurait l'écouter, et Dieu savait à quel point Bree avait besoin de parler.

Beth décrocha dès la première sonnerie.

— Oh ! mon Dieu ! s'écria immédiatement sa sœur. Je sais que quelque chose ne va pas. Dis-moi tout, insupportable petite peste.

A ces mots, Bree prit une profonde inspiration et lui raconta son histoire depuis le début.

Charlie contemplait d'un air absent les flammes de la cheminée. Il était tard ou, plus exactement, très tôt. Il était épuisé, mais il s'était passé beaucoup de choses depuis son retour chez lui et il n'arrêtait pas d'y penser.

Dès l'instant où il était entré, il s'était précipité dans son bureau. L'écriture du blog du lendemain avait été une tâche aisée. Il avait couvert la soirée et parlé du parfum — après tout, la marque dépensait beaucoup d'argent pour faire la promotion de son nouveau produit dans ses blogs —, et il avait veillé à continuer de parler de Bree. Il avait éprouvé une grande satisfaction à citer Mia comme une vieille amie. Elle détesterait lire ça. Surtout l'adjectif « vieille ». Mais sa colère ne durerait qu'un temps. Bien sûr, il faudrait qu'il brode sur les prochains événements, sur les hommes et les femmes qui comptaient à Manhattan. Il envelopperait ensuite le tout avec quelque chose de… plus personnel.

En songeant aux objectifs et aux rêves que Bree lui avait confiés, Charlie avait réfléchi à ses propres ambitions et relu son plan d'origine. Quelle révélation ! Beaucoup de chemin parcouru depuis ce temps-là… En revanche, il avait constaté que, sur certains aspects, il n'avait pas avancé d'un pouce. Tout près de son dossier d'archives trônaient les articles du scandale dont il avait fait l'objet après avoir été reçu à la faculté de droit de Harvard.

Il avait réussi à se faire accepter dans la prestigieuse université dans le seul but de prouver à sa famille qu'il valait quelque chose. Puis il s'était fait volontairement arrêter pour possession de drogues. Il avait tout prévu, jusqu'à la moindre photographie, mais il avait veillé à plonger seul et à détenir trop peu de stupéfiants pour être jugé. Les dégâts s'étaient résumés à quelques commérages, critiques et photos dans le *Post* et autres journaux à scandales.

Mais, aujourd'hui, il pouvait s'arrêter, faire une pause pour sa famille et ses parents.

Il s'était comporté en imbécile. Bien sûr, avec une famille aussi détestable, il avait été à bonne école. Mais il fallait tourner la page et avancer.

Il avait donc un nouveau plan. Il se trouvait dans une position où il pouvait changer la vie des gens. Il avait de l'argent, des relations, du pouvoir. D'emblée, il écarta l'idée de faire de la politique. Il pouvait résoudre sa problématique de manière plus créative, mais il ne voyait pas encore comment.

Avec Bree à ses côtés ?

Charlie retint son souffle à mesure qu'une image se formait devant lui. Rien de noble ou de dramatique. Juste eux deux, allongés dans un lit, dans l'obscurité. Nus. Après l'amour. Mais le fantasme consistait en ce qui venait *après*. En une conversation à voix basse au milieu de la nuit, par exemple. Caresser Bree parce que c'était permis, et elle le caressant en retour.

Il songea ensuite aux dernières réflexions de Rebecca. A l'idée de se battre pour être heureux et non pour montrer à tous que l'on avait raison. Charlie n'avait pas su s'y prendre. Mais, maintenant, il s'en sentait capable. C'était une des décisions les plus faciles qu'il ait eu à prendre depuis des lustres. Il pouvait encore sentir l'immense plaisir qu'il avait eu à tenir Bree dans ses bras pendant qu'elle dormait contre lui. Il s'était senti plus détendu, plus heureux que jamais. Et pourquoi ? Pas seulement parce qu'il avait pensé à Bree. Dans le fond, il avait d'abord pensé à lui.

Bon sang…

Charlie détourna son regard des flammes, traversa le salon et se dirigea vers son bureau. L'ordinateur était encore allumé. Il ne l'éteignait jamais.

Tandis que ses doigts volaient sur le clavier, un sourire fleurit sur ses lèvres. Plus le ciel de Manhattan se teintait des lueurs de l'aube et plus il s'approchait du vide. Sans filet de sécurité.

Cette dernière semaine, Bree avait appris à faire semblant de sourire. Elle testait à présent ses nouvelles compétences sur le gardien à l'entrée de l'immeuble de Charlie.

— Heureux de vous revoir, mademoiselle Kingston.

— Merci, George.

Elle salua d'un signe de tête le concierge dans le hall et se dirigea vers l'ascenseur. Elle ne reprit son souffle qu'une fois seule dans la cabine, portes fermées. Son doigt trembla en appuyant sur le bouton du dix-huitième étage. C'était étrange. Après tout, elle ne venait que pour travailler. Elle avait révélé le pire à Charlie et, ce soir, ils se rendraient ensemble à une simple soirée. Elle aurait de nouveau l'occasion d'apprendre des choses et d'accroître son réseau. C'était la version qu'elle avait soutenue à sa sœur et qu'elle s'était répétée inlassablement.

D'une main tremblante, elle appuya au dernier moment sur le bouton du dix-septième étage. L'ascenseur s'immobilisa doucement et Bree sortit précipitamment de la cabine.

Par chance, elle pénétra dans un hall. Elle n'avait même pas envisagé que les autres étages pouvaient également être des appartements privés, comme ceux de Charlie. De là où elle se trouvait, elle ne distinguait que deux portes.

La moquette, d'un parme profond, était incroyablement épaisse. Les murs étaient peints dans un jaune crémeux et des consoles en fer forgé s'ornaient de superbes compositions florales. Tout était disposé avec tellement de goût. Jamais elle n'aurait imaginé qu'elle se tiendrait un jour dans un hall comme celui-ci. Feutré, élégant, sophistiqué, luxueux à l'extrême. Cela n'avait aucun sens. Mais plus rien n'avait de sens. Et, par-dessus tout, l'idée que Charlie Winslow puisse un jour vouloir de Bree Ellen Kingston, fille de Hicksville dans l'Ohio, ancienne scout, était aussi absurde que ridicule.

Elle sortit son téléphone et cliqua sur l'unique SMS qu'elle avait reçu de Charlie aujourd'hui.

18h ? CW.

Sa réponse à elle avait été laconique :

OK.

Bree afficha le post de Charlie sur la soirée de lancement du parfum. Le gros de l'article ne lui apprenait rien de plus que ce qu'elle avait vu à la télévision : les participants, les rumeurs, et encore des rumeurs. A peine un mot à propos de Mia Cavendish.

Mais le dernier paragraphe…

Bree le relut plusieurs fois. Cette fois, son cœur s'emballa et son souffle s'accéléra.

> La soirée aurait été plus réussie si les fumeurs avaient pu être de la partie, mais leur exclusion n'est pas une nouveauté. Les améliorations apportées au Canal Room sont minimes, mais réussies. Les toilettes pour hommes, le salon à l'étage et les nouveaux barmen valent le détour. Je suppose que les toilettes pour dames ont également été rénovées, mais je n'en ai pas la confirmation. Et que dire de la raison même de cette soirée, le parfum Cocktails et Jazz ? Sachez qu'il possède un flacon aussi sexy que son nom, et qu'il sent diablement bon.
>
> Pas autant que le parfum mêlé d'océan et de miel, mais son odeur est tout de même délicieuse.

Mon Dieu…

Non, s'arrêter au dix-septième étage n'avait pas fonctionné. Ce hall ne l'avait pas guérie de Charlie ; ce moment de lucidité n'avait pas suffi à lui rendre la raison. Allons, du courage ! Elle réussirait à surmonter cette soirée car elle n'était plus une enfant. En se maquillant avant de venir, elle avait enfilé un masque, une armure. Elle était prête à se montrer aimable, attentive et heureuse.

Bon, disons au moins aimable et attentive.

Elle attendit l'ascenseur avec une pointe d'appréhension et soupira de soulagement en constatant que la cabine était vide. Puis elle contempla son reflet dans le miroir, se redressa et sourit. Attention, il ne fallait pas qu'elle en fasse trop. Voilà. Elle était prête. Même lorsque son cœur se serra en voyant Charlie, elle ne vacilla pas.

- 17 -

En voyant Bree pénétrer dans l'entrée, Charlie se figea. Il était en train de dire quelque chose à Sveta, mais perdit aussitôt le fil. C'était sans importance.

— Salut Bree, dit-il en l'invitant à entrer d'un geste de la main. Bien reposée ?

— Oui, répondit-elle en fuyant son regard. Merci.

— Il y a des plats indiens dans la cuisine. Tu veux manger avant de te préparer ?

Bree se dirigea directement vers le couloir qui conduisait à la loge.

— Non, merci. Je n'ai pas faim.

Charlie la suivit l'air maussade. Son plan pour la soirée venait de tomber à l'eau. Il entendait déjà les membres de son équipe bavarder tandis qu'ils approchaient de la loge. Il songea alors au festin qui attendait dans la cuisine. Dire qu'il avait commandé tous les plats préférés de Bree.

Elle disparut bientôt de sa vue et il s'arrêta en chancelant. Dans le plan qu'il avait élaboré pour la subjuguer, et où tout était minutieusement préparé, de l'éclairage parfait à la bande-son personnalisée, il avait oublié l'essentiel : Bree elle-même.

Bientôt, Sveta se présenta devant lui, rejeta ses

cheveux en arrière d'un geste théâtral, puis le mitrailla de questions sur la soirée littéraire à venir.

Il contempla la jeune femme sans répondre et se laissa entraîner vers la loge où se déroulait l'action. En pénétrant dans cet antre de folie, il jeta un rapide coup d'œil à Bree dans le grand miroir. Elle lui retourna son regard et ses yeux exprimaient une telle douleur qu'il en fut bouleversé.

La veille, il avait pris l'importante décision de quitter le devant de la scène en tant que rédacteur en chef de son groupe de communication. Mais ce saut qu'il était prêt à faire n'était pas anodin. Il ne s'agissait pas de franchir un petit ruisseau, mais de bondir par-dessus les chutes du Niagara ! Il s'était forgé un monde fondé exclusivement sur ses propres règles, où seuls ses intérêts personnels comptaient, où seuls ses désirs et ses impératifs modelaient chaque instant. La seule chose sur laquelle il était prêt à faire des compromis était son blog, mais uniquement par obligation et dans un but d'amélioration, ce qui revenait à servir son entreprise. On ne pouvait donc pas vraiment parler de compromis.

Charlie se sentait bien dans la peau du roi. Et, pourtant, comment avait-il fait pour ne pas remarquer que le roi était seul, désespérément seul ?

Rebecca avait raison sur ce point. Elle lui avait dit que cela finirait par arriver. Qu'avoir raison avait ses limites. Aujourd'hui, il en voulait plus. Il souhaitait mettre Bree au centre de son univers.

Mais en était-il capable ? Pouvait-il changer au point de faire partie d'un couple ? Que Bree devienne sa priorité ? Ce concept était si nouveau pour lui.

Son esprit avait été tellement occupé par ce grand geste qu'il avait complètement occulté ce qu'il s'apprêtait à lui demander. Elle aussi était animée par des rêves, des objectifs et son merveilleux plan quinquennal. Accepterait-elle sa proposition ? Peut-être ferait-il mieux d'attendre et de réfléchir encore. Ce n'était pas dans sa nature d'agir précipitamment. Ce qu'il s'apprêtait à faire était de la folie.

Charlie reporta son attention sur Bree. Elle ne s'était pas du tout retournée. Mais elle cachait sa douleur avec tact. Tout le monde croyait que son sourire était sincère, que ses yeux brillaient d'excitation et d'impatience. Mais lui qui l'avait déjà vue vraiment heureuse pouvait faire la différence.

Au diable ses doutes ! Il se lança.

— Pourrais-je avoir votre attention, s'il vous plaît ?

Le groupe se retourna vers lui et se figea aussitôt.

— Il y a du nouveau. Nous n'allons finalement pas à cette soirée. Vous pouvez remballer vos affaires.

Charlie savait que son équipe allait réagir, manifester de l'étonnement, mais son regard resta braqué sur le reflet de Bree dans la glace. Elle semblait complètement perdue.

— Ne t'inquiète pas, murmura-t-il à son attention, soucieux de ne pas maintenir le suspense trop longtemps.

Puis il s'éclaircit la voix et s'adressa de nouveau à l'équipe.

— Vous serez tous payés pour le travail de ce soir. Vous trouverez aussi dans la cuisine de nombreux plats que vous pouvez emporter chez vous. Nous ne pourrons pas tout finir. Merci à tous et désolé pour le dérangement.

Sveta le fixa d'un air incrédule, puis entreprit de raccrocher les vêtements sur les cintres en s'assurant que tout soit en ordre pour la prochaine soirée. L'équipe l'imita et, en quelques minutes, tout le monde était prêt à quitter la pièce.

Bree se leva à son tour, saisit son sac à main et tira sur sa robe vintage. Comme elle était belle ! Charlie sentit son cœur se serrer. Il brûlait de lui dire qu'il l'aimait, oui, avec une violence qui dépassait tout ce qu'il avait vécu jusque-là.

Il avait conscience du regard de son équipe braqué sur eux. Quelle importance !

Bree garda la tête baissée en suivant le groupe, mais son maintien était droit et digne. Charlie saisit son poignet à l'instant où elle arrivait devant la porte.

— J'aimerais que tu restes, dit-il. S'il te plaît.

Dès qu'ils furent seuls et que les pas du reste de l'équipe se furent évanouis, elle croisa son regard.

— Que se passe-t-il ?

— J'avais tout planifié, répondit-il précipitamment. Comme une pièce de théâtre. Nous étions censés aller à la soirée, mais nous ne serions pas restés trop tard. Je t'aurais convaincue de rentrer avec moi. La scène aurait été fantastique. Digne d'un drame romantique.

Il plongea dans ses merveilleux yeux verts.

— Mais la seule chose qui compte maintenant, continua-t-il, c'est l'envie folle que j'ai de t'embrasser.

— Tu as annulé la soirée de dédicace parce que tu as envie de m'embrasser ? lança-t-elle d'un air mi-amusé, mi-sceptique.

— Non, répondit-il en grimaçant. Enfin, si.

— Oh ! fit-elle comme si elle avait tout compris.

Mais, une seconde plus tard, elle secouait la tête d'un air incrédule.

— Je ne comprends rien, Charlie. Qu'est-ce…

Il ne pouvait pas attendre une seconde de plus : il

se pencha vers elle et l'embrassa fougueusement. Le petit jeu avait assez duré, il ne voulait pas lui cacher les choses plus longtemps, ce n'était pas juste pour elle. Dès qu'il mettrait fin à son baiser, il lui dirait tout.

Charlie ne pensa à rien d'autre quand Bree l'embrassa à son tour.

Dieu merci ! songea-t-il, soulagé. C'était tout ce dont il avait besoin. Tenir Bree dans ses bras, sentir ses lèvres sous les siennes. Le goût mentholé de son haleine, le glissement de sa langue ne firent qu'accroître son impatience.

— Charlie, murmura-t-elle.

Il n'en fallait pas plus pour attiser les braises. Il s'approcha si près d'elle qu'il aurait pu se fondre en elle. Mais, à la place, il la plaqua contre le mur sans cesser de l'embrasser, comme si sa vie en dépendait.

Bree poussa un petit gémissement. Ses lèvres gonflées et humides étaient irrésistibles.

Charlie dut faire un effort pour se retenir. Il effleura ses lèvres doucement. Tendrement. Mais ce n'était pas assez. Il la tira de nouveau contre lui. Sa bouche se fit plus sauvage, plus désespérée, plus affamée, tandis qu'il approfondissait son baiser. Leurs langues se caressèrent, leurs dents s'entrechoquèrent, le rendant chaque seconde un peu plus fiévreux.

S'écartant de sa bouche avide, Bree reprit son souffle en s'affairant sur les boutons de sa chemise. Ses yeux étaient agrandis par le désir, animés d'une flamme intense pendant qu'elle s'activait en jurant.

— Bree…

Elle jeta l'éponge et passa à la boucle de sa ceinture.

— Non, pas ici, dit-il d'une voix rauque.

Il l'enlaça étroitement et la souleva du sol. Aussitôt,

elle enroula ses jambes autour de sa taille. Il n'aspirait plus qu'à une chose : l'emmener dans sa chambre. Mais, comme toujours, il ne put résister à l'envie de l'embrasser, encore et encore. Il vacilla comme s'il était soûl, ivre de la sentir tout contre lui, fort de la promesse de ce qui restait à venir.

Ils arrivèrent tant bien que mal jusqu'à sa chambre et se déshabillèrent à la hâte. Sans délicatesse, sans séduction. Ils avaient besoin d'être nus. Tout de suite.

Il l'allongea sur le lit, enlaça ses poignets et les leva au-dessus de sa tête en se couchant sur elle. Sur le visage de Bree planait l'aube d'une vie nouvelle.

Le regard de Charlie exprimait tant de choses que Bree s'immobilisa. Quelle folle, de céder à la passion, de se laisser emporter par le corps de Charlie. Lorsqu'il murmura son prénom, d'une voix lente et grave, l'air se chargea d'électricité et de désir.

La bouche de Charlie déposait des baisers brûlants et humides le long de sa joue et de son cou. Puis de sa poitrine. Sa langue s'enroula autour de la pointe rose de son sein, et il gémit en le sentant durcir.

Bree se cambra sous l'effet du plaisir et il recommença. Puis il fouilla à l'aveugle dans le tiroir de la table de nuit avant d'en sortir un préservatif. D'un geste fébrile, il se protégea puis vint se caler entre ses cuisses. La lune diffusait dans la pièce une douce lueur, si lumineuse que Bree distinguait chacun de ses traits. Mais elle connaissait déjà intimement les contours de son visage, de ses muscles virils. Elle aurait pu en dessiner chaque courbe.

— Tu m'as manqué, chuchota-t-il.

Ses mots se transformèrent en gémissement lorsqu'il plongea en elle.

Tandis qu'il la pénétrait, Bree ferma les yeux et son pouls s'accéléra lorsqu'elle se cambra pour aller à sa rencontre.

Ils firent l'amour en silence, trop occupés à jouir de chaque étreinte, chaque baiser, chaque nouveau coup de reins qui les entraînait toujours plus loin. Lorsque Charlie atteignit ses limites, ils s'immobilisèrent ensemble. Leurs halètements emplissaient toute la pièce mais, très vite, ils n'en eurent pas assez et elle se cambra de nouveau.

— Bouge, dit-elle en pressant ses seins contre son torse.

— Oui, répondit-il d'une voix qui couvrait à peine les battements de son propre cœur. C'est si bon, ajouta-t-il en prenant en coupe son visage.

Puis il se retira doucement et l'embrassa après avoir taquiné du bout de la langue la pointe de son sein.

La tendresse de Charlie lui coupa le souffle. Bree s'était préparée à du sexe effréné, mais pas à ça.

Elle glissa les mains vers ses hanches et Charlie la pénétra plus durement, plus profondément. Bree renversa la tête en arrière en murmurant son prénom et il lui fit l'amour comme si c'était la dernière fois. Inlassablement, le contrôle qu'il exerçait sur chaque coup de reins la rendait folle. Le battement de son cœur résonnait dans ses oreilles, se mêlant à leurs murmures et leurs cris, leurs gémissements entrecoupés.

Lorsque les doigts de Charlie glissèrent entre leurs corps, il eut à peine besoin de la toucher. Le temps s'étira infiniment dans les limbes si doux et si insupportables qui précédaient l'orgasme. Lorsqu'il la transperça comme un éclair, elle s'agrippa à lui violemment, et cria de plaisir d'une voix rauque qu'elle ne reconnut pas elle-même.

Charlie ne la lâcha pas, ne s'arrêta pas. Il ponctua chacun de ses spasmes, il murmura son prénom, inlassablement, puis à un rythme plus effréné. Sa voix s'amplifia et il la remplit tellement qu'elle le sentit jouir avec force.

Au bout de quelques instants, il se laissa tomber à côté d'elle. Bree se sentait minuscule, fragile à côté de son corps couvert d'une fine pellicule de sueur. Puis son esprit embrumé s'éclaircit et tout lui parut parfait. C'était si beau. Mais peu à peu, insidieusement, un sentiment de panique vint ternir sa lucidité.

Oh ! mon Dieu, elle avait encore cédé. Cela ne ferait qu'empirer les choses, une fois de plus. Elle aurait dû partir pendant qu'il en était encore temps et prendre ses jambes à son cou. Car ils avaient fait l'amour, et la voix haletante de Charlie psalmodiant son prénom resterait gravée à tout jamais dans sa mémoire. Elle était perdue.

Bree roula loin de lui, sortit du lit et saisit sa robe étalée au sol. Avec un peu de chance, elle pouvait encore décamper au plus vite et sauver une partie de son cœur.

Charlie saisit son poignet et l'arrêta.

— Je dois partir, dit-elle d'une voix tremblante.

— Non, s'il te plaît, attends. Je t'en prie.

Bree prit une profonde inspiration avant de lui faire face.

— J'apprécie tout ce que tu as fait pour moi, Charlie, mais nous avons une fois de plus commis une erreur.

Nous le savons tous les deux. Je ne peux plus me raconter d'histoires. Pas après ce que nous venons de vivre. Je dois mettre un terme définitif à tout ça. J'ai dépassé les limites et il n'y a aucun moyen de faire machine arrière, à moins de rester loin de toi.

Charlie s'assit à ses côtés et lâcha son poignet.

— Bree, s'il te plaît, écoute-moi. Ensuite, je promets de ne pas chercher à te retenir. Donne-moi dix minutes. C'est tout ce que je demande.

Bree n'avait pas enfilé sa robe, qui pendait comme un chiffon devant elle. Elle contempla l'étoffe quelques secondes comme si elle n'avait jamais vu de sa vie ce vêtement. Puis elle cligna des yeux plusieurs fois, inquiète. Tout se mélangeait de nouveau et elle avait déjà tellement dépassé les limites fixées avec Charlie. Elle avait dérogé à toutes ses règles. Impossible de le nier. Elle était amoureuse de lui. Rien ne pouvait y remédier, hormis le temps et la distance. Mais quel autre risque pouvait-elle prendre en dix minutes ? La seule chose à faire en l'état était de se passer un vêtement pour ne pas rester nue face à lui.

Elle s'habilla rapidement puis vint s'asseoir près de lui, pas trop près. Si jamais il la touchait, le peu de courage qu'il lui restait risquait de s'envoler en fumée.

— Je t'écoute, dit-elle en soupirant.

Charlie hocha la tête en cherchant à tâtons son caleçon. Puis il lui adressa un petit sourire qui ne risquait pas de l'aider. Dix minutes, c'était déjà neuf minutes et cinquante-neuf secondes de trop. Elle aurait dû fuir en courant tant qu'il était encore temps.

*
* *

Charlie s'apprêtait à dévoiler son plan à Bree, et il sentait planer un vent de panique. Il s'assit et chercha son regard. Il allait faire le grand saut.

— D'accord, commença-t-il, avec l'impression de se jeter dans le vide. Je dois d'abord te poser une question. As-tu passé une bonne soirée, vendredi soir, lorsque nous avons raté la première du film ?

Elle hocha la tête, l'air confus.

— Oui, bien sûr.

— T'es-tu sentie heureuse ?

Un éclair de douleur traversa ses beaux yeux verts, puis s'évanouit dans un soupir.

— Oui, très, avoua-t-elle.

— Moi aussi.

Bree le contempla comme s'il avait perdu la raison. Peut-être était-ce le cas ?

— Je me suis senti si bien ce soir-là, confia-t-il. Je me fichais complètement du tapis rouge ou du blog. J'étais exactement où je voulais être. Avec toi. Et je ne m'attendais pas à ça.

— C'est…, bredouilla-t-elle, stupéfiant.

— Oui, c'est exactement ça. Je n'ai jamais ressenti ça avec personne. Je suis si bien avec toi.

Ne pas pouvoir la toucher était un véritable supplice. Il s'approcha plus près d'elle et lui prit la main.

— Je n'ai jamais eu envie de parler à quelqu'un comme à toi. Cette semaine, les soirées auxquelles nous sommes allés m'ont fait l'effet d'une révélation. Et travailler ensemble, eh bien…

Il perdit le fil de ses idées tandis qu'elle le contemplait la bouche ouverte, plus choquée que surprise.

— J'en suis heureuse, dit-elle. Vraiment. Ce que tu m'as donné, c'est… Mais je dois me concentrer sur mes objectifs. Surtout depuis qu'ils ont changé. Je ne sais plus exactement à quoi j'aspire, mais je sais qu'il est important de garder les pieds sur terre. Ne pas me laisser distraire… Désolée, Charlie, mais il faut en rester là. Tu es la plus belle distraction que j'ai jamais connue.

— Non, Bree, attends. Ne prends pas encore de décision. Je veux te parler aussi de changement. Pour le meilleur, j'espère. Je ne veux pas que tu mettes de côté tes rêves. Je crois en toi. Tu es un écrivain de talent et tu as l'œil pour les détails et pour la mode. Quoi que tu décides de faire, tu réussiras. Et j'ai bien l'intention de t'aider autant que je le pourrai.

— Comment ? dit-elle en soupirant.

— J'ai décidé de démissionner de mon poste de rédacteur en chef de *NNY.*

— Quoi ?

L'exclamation résonna dans toute la pièce et arracha à Charlie un sourire.

— Il est temps de relever de nouveaux défis, expliqua-t-il. Qui n'impliquent ni les célébrités, ni les top models, ni les défilés de mode. Je ne sais pas ce qui m'attend. Je sais juste que les choses ne seront plus comme avant.

— Oh ! répondit-elle en fronçant les sourcils, comme si son esprit luttait pour donner du sens à ses mots.

Charlie caressa sa joue du bout des doigts. Comme il voulait lui dire ce qu'il ressentait pour elle !

— Nous sommes bien ensemble. Nous nous entendons à merveille. J'ai envie d'explorer cette relation avec toi. Moi qui ne me suis jamais engagé, j'ai compris que je pouvais trouver mon bonheur ailleurs que dans ma vie professionnelle. Rien ne nous empêche de découvrir ce que nous voulons faire de nos vies, chacun de notre côté. Mais la chose la plus importante, la seule dont je sois absolument certain, c'est que je suis amoureux de toi.

« Amoureux de toi… » Bree n'en crut pas ses oreilles. Avait-elle bien entendu ? Elle plongea son regard dans les yeux brillants de Charlie ; oui, elle avait bien entendu. Il disait la vérité : il l'aimait.

— Oh ! mon Dieu, murmura-t-elle dans un souffle.

— Oui, répondit-il avec un rire nerveux.

— Tu m'aimes ? Moi ?

Charlie hocha la tête.

— Je ne suis pas certain d'être très doué pour ça. C'est la première fois.

Elle déglutit en luttant de toutes ses forces pour cacher sa panique.

— Comme tu es très doué pour le reste, je suis certaine que tu apprendras vite, s'exclama-t-elle encore hébétée.

— J'y compte bien, Bree…

C'était son tour de le toucher, de faire glisser sa main sur son bras puis de la promener sur sa joue. Le sentir ainsi en chair et en os rendait la scène bien réelle, et cette sensation lui parut aussi familière que merveilleuse.

— Tu es certain de ce que tu avances, Charlie ? Vraiment sûr ?

— Oh que oui.

— C'est complètement insensé. Ce n'est même pas quelque chose que j'aurais pu imaginer, pas même quand j'avais sept ans et que je rêvais de devenir une licorne.

Charlie rit de bon cœur en l'attirant vers lui. Une

licorne ! Il reconnaissait bien là son caractère original ! Ses lèvres s'emparèrent des siennes et elle put goûter à son sourire et sentir son excitation. Elle se sentait flotter dans les bras du roi de Manhattan, un roi sur le point d'abdiquer. Et au diable les licornes ! Elle était Bree, et ce soir elle n'aurait changé ça pour rien au monde.

Elle songea à ses amies de l'église St. Mark, à leurs espoirs et à leurs craintes lorsqu'elles avaient choisi une carte. L'amour réservait bien des surprises et Bree était impatiente de leur dire de ne pas abandonner. Jamais. Tout était possible. Absolument tout.

Le lendemain, Charlie et Bree se précipitèrent sur les gros titres des journaux :

Huffington Post : CHARLIE WINSLOW DEMISSIONNE !

New York Post : AUJOURD'HUI, DANS PAGE SIX... LA FIN DE NAKED NEW YORK ?

Charlie serra la main de Bree contre son cœur et l'embrassa longuement. Puis il lui lança un sourire irrésistible et pianota sur le clavier de son ordinateur. Bree ferma les yeux. Elle était heureuse, tout simplement heureuse ; elle découvrait la sensation parfaite d'une matinée pleine de promesses. Elle se tourna vers Charlie, puis regarda l'écran derrière lui. Tout son visage s'illumina.

Facebook

« Modifier profil »
Charlie Winslow
Rédacteur en chef/PDG de Naked New York Media Group

Etudes : Commerce et marketing à l'université de Harvard

Vit à Manhattan

En couple avec Bree.

STEPHANIE BOND

Un désir sans fin

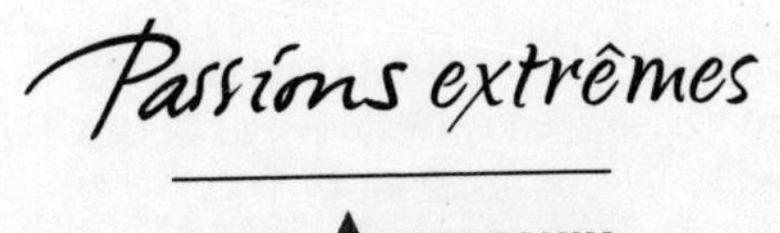

Titre original : HER SEXY VALENTINE

Traduction française de EMMA PAULE

83-85, boulevard Vincent-Auriol, 75646 PARIS CEDEX 13.
Service Lectrices — Tél. : 01 45 82 47 47
www.harlequin.fr

- 1 -

« A la Saint-Valentin, Cupidon ne fera pas de quartier… »

Carol Snow ne put s'empêcher de remarquer la carte de Saint-Valentin sur le bureau de son assistante. Celle-ci représentait le célèbre et traditionnel chérubin en tenue de camouflage, arc armé et bandé. Machinalement, elle l'ouvrit et jeta un coup d'œil au message qu'elle contenait.

« Par conséquent, rien ne sert de lutter », était-il écrit sur fond de drapeau blanc mollement agité. Le bas de la carte était barré par le prénom « Stan ».

Elle retourna le bout de papier cartonné et ne fut pas franchement étonnée de constater qu'il s'agissait d'un des multiples produits que fabriquait Mystic Touch Greetings Cards, l'entreprise pour laquelle elle travaillait. Ce Stan devait être un des employés qui cherchait à impressionner Tracy, son assistante. Pour sa part, elle détestait ce genre de sentimentalisme qu'elle jugeait puéril et ridicule. Dieu merci, elle ne travaillait pas dans le département création et n'avait donc pas à nager toute la journée dans ce genre de niaiseries.

Elle reposa la carte sur le bureau et reporta son attention sur son assistante. Visiblement inconsciente de sa présence, Tracy lui tournait le dos et parlait à mi-voix dans le téléphone, activité qui — d'après ce qu'elle avait pu en voir — lui avait occupé la majeure partie de la journée. Un nouveau petit ami, à n'en pas douter, songea-t-elle, excédée. Tout en essayant de réprimer son agacement, elle jeta un coup d'œil à sa montre — si ça continuait, elle serait en retard pour la réunion mensuelle de son club de lecture.

Elle s'éclaircit bruyamment la gorge. Tracy sursauta légèrement, fit pivoter sa chaise et, après avoir posé la main sur le micro du téléphone, elle leva vers elle un visage plein d'appréhension.

— Oui, madame Snow ?

— Je dois vous parler de ce projet avant de partir.

— D'accord.

— Et je dois partir tout de suite, ajouta-t-elle, furieuse que son assistante ait osé marquer une hésitation.

— Mais il n'est que 18 heures… D'habitude, vous ne partez jamais avant 20 ou 21 heures, répliqua Tracy en regardant la pendule.

Carol se raidit. Non seulement le ton de Tracy était clairement désagréable, mais en plus elle ne put s'empêcher d'y voir un commentaire un peu moqueur. Tracy n'était-elle pas en train d'insinuer qu'elle n'avait pas de vie en dehors du travail ?

— Pas ce soir.

— Etes-vous souffrante ?

— Non, riposta Carol, de plus en plus contrariée. Pourriez-vous, je vous prie, raccrocher ce téléphone afin que nous puissions parler ?

Tracy murmura quelques mots tout bas et reposa le combiné.

— Que se passe-t-il ?

— *Que se passe-t-il ?* répéta Carol. Il se passe que

ce mémo pour le rapport trimestriel est truffé de fautes ! répondit-elle en lui tendant une feuille sur laquelle elle avait entouré les erreurs au marqueur rouge.

— Oh. Je vais le refaire, dit Tracy en se mordant la lèvre.

— Je veux trouver une version corrigée sur mon bureau en arrivant demain matin, dit Carol qui ne cherchait même plus à dissimuler sa contrariété.

— Oui, madame.

— Au fait, Tracy ? Vous avez passé énormément de temps au téléphone aujourd'hui — ce qui nous a mises toutes les deux terriblement en retard.

— Oui, madame. Je suis désolée, répondit Tracy en hochant la tête.

Après avoir marmonné un vague au revoir, Carol regagna son bureau. Spacieux, sobrement meublé, il convenait tout à fait à son statut de directrice du département financier. Une grande fenêtre lui offrait une agréable vue sur les gratte-ciel d'Atlanta tout en laissant la place nécessaire aux grandes armoires-classeurs qui couvraient la majeure partie des murs.

Elle mit de l'ordre sur sa table de travail pourtant déjà impeccablement rangée et rassembla son sac, son attaché-case, sans oublier le cabas rouge plein de livres pour la réunion du club de lecture. Alors qu'elle passait devant le bureau de Tracy, elle faillit s'étrangler en s'apercevant que la jeune femme était encore au téléphone. Agacée, elle secoua la tête mais renonça à intervenir et se dirigea à grands pas vers l'ascenseur. Si elle continuait à faire passer sa vie amoureuse avant son travail, Tracy allait au devant d'une énorme déception.

Ne. Jamais. Faire. Confiance. Aux. Hommes.

Ça, il faudrait que quelqu'un du département création l'imprime sur une des cartes Mystic Touch.

Un léger *ding* annonça l'ouverture des portes de la cabine d'ascenseur. Elle allait s'y engouffrer lorsqu'elle remarqua que la cabine n'était pas vide. Une personne s'y trouvait déjà et pas n'importe laquelle : Luke Chancellor, directeur des ventes et accessoirement le plus grand play-boy de toute l'entreprise. Quand il l'aperçut, son beau visage se fendit d'un sourire.

— On rentre de bonne heure, Snow ? Un rendez-vous torride pour une nuit de mardi glaciale, voilà ce qu'il vous faut.

Elle réprima une repartie cinglante — elle n'était pas d'humeur pour une petite joute verbale avec Luke Chancellor.

— Tout bien réfléchi, Chancellor, je vais descendre à pied.

Sur ce, elle tourna les talons et partit à grands pas vers la cage d'escalier en ignorant le rire tonitruant qui avait accueilli sa déclaration. Luke Chancellor était un séducteur impénitent, et de toute évidence il l'avait prise pour cible. Bien décidée à arriver au rez-de-chaussée avant lui, elle dévala l'escalier quatre à quatre, enfin du moins aussi vite que le lui permirent ses talons hauts. Une fois dans le hall d'entrée, elle fut soulagée de voir que l'ascenseur n'était pas encore là. Ses affaires dans les bras, elle passa la porte au petit trot et fila en direction de sa voiture. Si tous les feux étaient verts entre Buckhead et le centre-ville d'Atlanta, elle arriverait *peut-être* à temps à la réunion du club.

— Eh, Carol !

La voix de Luke derrière elle la fit tressaillir, mais elle n'en continua pas moins à avancer. Dans sa hâte pourtant, un talon de ses escarpins rouges se prit dans un trou du trottoir et la fit trébucher. Son sac à main, son cabas rouge et son attaché-case lui échappèrent et allèrent s'éparpiller sur le sol. Elle aurait suivi le même chemin, si au dernier moment deux bras puissants ne l'avaient retenue, lui évitant d'aller s'affaler la tête la première sur le bitume.

— Je vous ai eue, lui murmura Luke à l'oreille, et son souffle lui donna la sensation d'une brise tiède dans ces frimas de février.

Le parfum de son eau de toilette lui emplit les poumons et, l'espace d'un instant, elle eut l'impression que son souffle se bloquait dans sa poitrine. Dans sa confusion, elle enregistra vaguement le fait qu'il la touchait, ses doigts laissant une marque brûlante sur ses épaules et ses bras effleurant ses seins à travers son tailleur. Un frisson de désir la traversa de part en part avec une fulgurance qui lui rappela cruellement que cela faisait une éternité qu'elle n'avait pas été aussi proche d'un homme. La sensation — pour le moins indésirable — lui fit l'effet d'un électrochoc.

— Lâchez-moi, dit-elle entre ses dents en se dégageant de son emprise.

Elle se redressa et épousseta ses vêtements.

La bouche de Luke — une bouche incroyablement sensuelle — s'étira en un demi-sourire.

— Quand vous voulez, répondit-il sèchement avant de se pencher pour ramasser ses affaires répandues sur le sol.

Il portait un costume marron à la coupe impeccable qui mettait en valeur ses cheveux et ses yeux sombres. Un style plutôt classique s'il n'y avait eu cette pochette de soie rouge dans sa poche de poitrine. Cette excentricité vestimentaire tranchait avec la culture très formelle et un peu guindée de l'entreprise. Luke était d'ailleurs connu pour son style rebelle et son humour. Il avait intégré Mystic Touch Greetings Cards deux ans plus tôt et avait sauté les échelons jusqu'à devenir lui aussi directeur de département. Ils étaient donc au même niveau hiérarchique. Bien sûr, elle avait trouvé scandaleux ces promotions si soudaines, soupçonnant l'entreprise de favoriser les hommes au détriment des femmes, mais elle devait bien reconnaître que, depuis son arrivée, Luke avait fait grimper notablement la courbe des ventes.

A quelques jours seulement de leur plus gros marché de l'année — la Saint-Valentin —, la compagnie engrangeait des bénéfices record et en tant que directrice financière elle affichait, quoique à contrecœur, du respect pour les prouesses de Luke.

Se sentant un peu coupable de sa brusquerie, elle se pencha pour l'aider à ramasser ses affaires.

— Désolée, murmura-t-elle, vous m'avez fait peur. Merci de… m'avoir rattrapée.

— Je vous en prie, répondit-il avec une certaine nonchalance. Je vous ai sans doute distraite en criant votre prénom.

— Oui, acquiesça-t-elle en ramassant sac à main et attaché-case. Que vouliez-vous, Luke ? Je suis en retard pour ma réunion de club de lecture.

— Eh bien !

Il brandit les livres qui s'étaient échappés de son cabas rouge et éparpillés sur le trottoir.

— *L'Amant de lady Chatterley ? La Vénus à la fourrure ? Mémoires de Fanny Hill ? L'Esclave ?*

Après un petit examen des couvertures, son sourire s'agrandit.

— Dites-moi, de quel genre de club de lecture êtes-vous membre ?

— Ce ne sont pas vos affaires, répliqua-t-elle, mortifiée.

— Acceptez-vous des membres masculins ? insista-t-il cependant, en se penchant vers elle.

Il avait énoncé la question sur un ton innocent, mais il était évident que le double sens du propos était tout à fait voulu, et son regard brillait d'une lueur malicieuse.

En guise de réponse, elle tendit le bras pour lui arracher les livres, des classiques de la littérature érotique, mais il les tint hors de sa portée. Elle sentit une bouffée de colère et d'indignation l'envahir.

— Mais quel âge avez-vous, à la fin, dix ans ? Donnez-moi mes livres !

Il fronça les sourcils, feignant une concentration extrême et inspecta une fois encore les jaquettes aux illustrations relativement osées.

— J'étais sûr que vous aviez un côté flamboyant, Snow. Vous le cachez bien.

Luke Chancellor semblait bien décidé à la pousser à bout, or elle n'allait pas lui faire ce plaisir. Réprimant un soupir d'agacement, elle croisa les bras sur sa poitrine.

— Que vouliez-vous, Chancellor ?

Pour toute réponse, il la parcourut d'un regard appréciateur qui la déstabilisa un peu. Mais elle était résolue à lui tenir tête et réussit à conserver une expression dédaigneuse et imperturbable.

Luke esquissa un petit geste d'impuissance et, enfin, il accepta sa défaite.

— D'accord, revenons au travail. Je me suis dit que

ça pourrait être sympa de donner une petite fête dans l'entreprise pour la Saint-Valentin.

— La Saint-Valentin ? répéta-t-elle.

— Et pourquoi pas ? On pourrait faire cela vendredi dans l'après-midi.

— Vendredi 13 ?

— Ça pourrait coller, non ? C'est la veille du jour J. La Saint-Valentin est une date importante dans notre calendrier des ventes. De plus, la fête serait une bonne occasion pour distribuer des primes, ne pensez-vous pas ?

— Je pense que la compagnie n'a encore jamais donné de primes, riposta-t-elle d'une voix cassante.

— Pas jusqu'à présent, acquiesça-t-il. Mais Mystic a fait une si bonne année que je trouverais juste de répandre un peu d'amour, si vous voyez ce que je veux dire. Je suis certain que les autres directeurs seraient d'accord avec moi.

Mais pour qui se prenait-il ? Cet homme était vraiment incroyable ! Distribuer des bonus sur une augmentation du chiffre d'affaires qui lui était partiellement imputable ferait de lui un véritable héros aux yeux des cinq cents et quelques employés. Il voulait sans doute être nommé au poste de président-directeur général avant la fin de l'année…

Furieuse, elle redressa les épaules et prit sa voix la plus autoritaire :

— A mon avis, et afin de préserver la santé financière de la compagnie, le plus prudent serait d'investir les bénéfices dans de nouvelles technologies.

Le sourire qu'affichait Luke ne vacilla pas.

— A *mon* avis, vous devriez renoncer à la réunion

de votre club de livres érotiques afin que nous puissions discuter de tout cela devant un verre.

L'attirance qu'exerçait le corps de Luke sur le sien était indéniable, et s'il continuait de la fixer de ses yeux bruns hypnotiques elle serait sans doute capable de le suivre n'importe où. A sa grande honte, elle sentit ses mamelons se durcir et une douce chaleur l'envahir juste entre ses cuisses. Elle ouvrait la bouche quand elle se rendit compte, horrifiée, qu'elle était sur le point d'accepter.

Elle rejeta sèchement la tête en arrière.

— C'est impossible.

Les mots, soigneusement détachés, étaient sortis plus fort qu'elle ne l'avait prévu — pour se convaincre, elle-même ?

— Nous aurons tout le temps de discuter de cette petite fête et des primes demain matin, lors du comité de direction — et en public.

— Vous n'êtes pas drôle.

— Mes livres, je vous prie ? dit-elle encore en tendant la main et en agitant les doigts.

Il les lui abandonna, à regret, comme un enfant l'aurait fait de son jouet préféré.

— Jusqu'à présent, on ne m'avait encore jamais préféré un livre.

— Ou, alors, on ne vous l'a pas dit. Au revoir, Chancellor, rétorqua-t-elle avec un sourire pincé en fourrant les livres dans son cabas rouge.

Elle fit volte-face et se dirigea vers sa voiture. Elle était définitivement en retard pour sa réunion du club et tout cela à cause de cet odieux personnage.

— Au lieu de lire, vous devriez parfois passer aux travaux pratiques ! cria Luke derrière elle.

Elle ravala la repartie cinglante qui lui brûlait les lèvres et résista à la tentation de se retourner. Ils avaient déjà suffisamment attiré l'attention des employés présents sur le parking et elle n'avait aucune envie de se donner en spectacle. Par ailleurs, elle n'avait pas non plus envie de faire attendre trop longtemps les membres du club de lecture.

Et, surtout, *surtout*, elle ne voulait pas donner à Luke Chancellor la satisfaction de voir les larmes que son dernier commentaire avait fait briller dans ses yeux.

- 2 -

Evidemment, Carol dut s'arrêter à tous les feux de signalisation entre son bureau et le centre-ville d'Atlanta. Peut-être la ville commémorait-elle la Saint-Valentin, à sa façon ? songea-t-elle non sans une certaine ironie. Enfin, toujours est-il qu'après de longues minutes dans les embouteillages, elle arriva en retard à la réunion du club de lecture du Cabas Rouge.

En fait, elle était tellement en retard qu'une fois arrivée sur le parking de la bibliothèque publique d'Atlanta, où se réunissait le club, elle envisagea de faire demi-tour. Elle jeta un coup d'œil au paquet de macarons aux amandes qu'elle avait acheté pour le partager avec les autres membres du club en discutant littérature. Elle pourrait toujours les manger pour son dîner — les amandes n'étaient-elles pas riches en fibres ? A l'idée de ce qui l'attendait à l'intérieur, elle fut prise de l'envie soudaine de tout laisser tomber. Elle ne leur manquerait pas tant que ça. Si ça se trouve, elles seraient même peut-être ravies de son départ.

Elles devaient probablement être déjà en train de se moquer d'elle, la rabat-joie solitaire qui avait refusé d'accepter l'expérience suggérée par leur coordinatrice : chaque membre du groupe devait mettre en pratique les leçons apprises dans les pages des romans érotiques qu'elles devaient lire afin de séduire l'homme de ses rêves.

Toutes les autres filles avaient relevé le défi avec enthousiasme. Elle en revanche avait été beaucoup moins emballée à cette idée.

Un petit bip l'informa qu'un texto venait d'arriver sur son portable.

> Es-tu coincée dans les embouteillages ? On n'a pas voulu commencer sans toi. Gabrielle.

Gabrielle était la coordinatrice du club de lecture du Cabas Rouge. Et Carol ne put retenir un sourire de soulagement — les filles s'inquiétaient pour elle. Elle répondit aussitôt qu'elle n'allait plus tarder, et empoigna le paquet de gâteaux ainsi que le fameux cabas rouge contenant les précieux livres. Car, oui, ces derniers mois, ils lui avaient été bien précieux, occupant ses soirées solitaires. Elle verrouilla sa voiture, et se dirigea à grands pas vers l'entrée de la bibliothèque.

Elle poussa la porte et pendant un instant elle savoura cette odeur caractéristique des livres, le bourdonnement plaisant des ordinateurs et des voix contenues. Toute son enfance durant, elle avait été une grande lectrice, en grandissant, pourtant, elle avait peu à peu renoncé à lire pour le plaisir. Et puis, un jour, elle était tombée sur une annonce vantant les mérites d'un club de lecture pour des femmes désireuses d'ajouter un peu de piment à leurs vies d'amoureuses grâce aux livres. Cela l'avait intriguée, mais avait aussi éveillé sa méfiance. Toutefois, lors de la première réunion à laquelle elle avait assisté, elle s'était découvert de nombreuses affinités avec les autres participantes — la trentaine, cultivées et célibataires.

A un détail près tout de même : *contrairement* à elle, toutes les membres du club paraissaient désireuses de trouver soit un petit ami soit un amant. Alors que pour elle, ni l'un ni l'autre ne présentait aucun attrait.

Elle parcourut un dédale de couloirs afin de rejoindre la salle isolée dans laquelle se réunissait le groupe. A l'abri des oreilles indiscrètes. Leur choix de livres et leurs discussions n'étaient pas pour toutes les oreilles, ni pour tous les publics. Elle gratta à la porte, et fut accueillie par le regard bleu méfiant de Cassie Goodwin, l'une des membres du groupe. Sa mine soupçonneuse se mua aussitôt en un sourire chaleureux et elle ouvrit grand la porte pour accueillir Carol. Les trois autres membres du groupe — Page Sharpe, Wendy Trainer et Jacqueline Mays — était assises autour de la table à la tête de laquelle se tenait Gabrielle Pope, leur coordinatrice.

— Nous étions en train de porter un toast à Gabrielle, pépia Cassie en tendant à Carol un verre de vin rouge — de la contrebande, introduite en douce pour l'occasion.

Carol prit place sur l'une des chaises vides et jeta un coup d'œil à Gabrielle. Celle-ci affichait une mine resplendissante assez éloquente. Autrement dit, même Gabrielle, avec son physique quelconque et ses éternels cardigans, s'était trouvé un homme. Carol sentit l'appréhension lui nouer le ventre.

— Ce n'est pas à moi qu'il faut porter un toast, mais à la séduction par le livre ! se récria Gabrielle, même s'il était évident que l'attention qu'elle suscitait la comblait de joie.

Carol fut la dernière à lever son verre, et elle croisa le regard de ses compagnes avec un sourire pincé. Ces derniers mois, les quatre autres membres du groupe avaient toutes choisi un livre érotique afin d'y piocher des astuces pour séduire un homme, et toutes avaient réussi. A présent, même Gabrielle avait trouvé un amant, et peut-être même l'amour s'il fallait en juger par l'éclat dans ses yeux.

« Et la rabat-joie reste seule », songea ironiquement Carol en buvant une grande gorgée de merlot. Elle demeurait une anomalie, celle qui refusait de faire comme tout le monde.

Elles se répandirent en compliments et en vœux de réussite à l'intention de Gabrielle, puis elles l'écoutèrent leur révéler joyeusement des détails sur son amant et la façon dont leur relation était devenue vraiment intense et sérieuse dès lors qu'ils s'étaient trouvé de véritables affinités sexuelles. Elle parla ouvertement de leurs expériences tantriques. N'était-ce pas d'ailleurs la philosophie du groupe ? D'avoir des discussions toujours franches et honnêtes ? Gabrielle leur avait déclaré dès le départ qu'aucun sujet ni aucun vocabulaire n'était exclu ni tabou. Si Carol devait bien s'avouer que la teneur des discussions l'avait poussée à rester, elle savait aussi qu'elle y avait bien moins participé que les autres. Elle observait, parlait peu, et elle avait bien perçu que les autres filles lui en voulaient de cela — à des degrés divers.

Cette fois encore, elle se sentit exclue alors que Gabrielle leur exposait en détail des aspects de sa nouvelle relation. Elles se penchaient les unes vers les autres pour partager des conseils et des secrets sans même songer à l'inclure dans leurs confidences. Elles ne lui faisaient pas confiance, c'était évident. Etait-ce parce qu'elle refusait de dépendre des hommes, et parce qu'elle refusait de prendre les mêmes risques qu'elles ?

Elle se tassa sur sa chaise et regretta de n'avoir pas suivi sa première impulsion : s'en aller. Elle ne se faisait aucune illusion, les autres membres du club la croyaient froide et indifférente… et peut-être même que certaines pensaient qu'elle était lesbienne. Si seulement elles savaient… Autrefois, elle avait été exactement comme elles — l'œil rêveur, le cœur à prendre et n'espérant qu'une chose : croiser l'homme idéal. Et ça avait été le cas.

James l'avait séduite, courtisée jusqu'à ce qu'elle tombe folle amoureuse de lui. A tel point que le soir de la Saint-Valentin, huit ans plus tôt, elle avait rassemblé son courage et *lui* avait demandé sa main. Cependant, au lieu du « Oui » enthousiaste et passionné qu'elle espérait, la soirée avait mal tourné et ses espoirs comme ses rêves avaient été réduits à néant. Depuis ce jour-là, elle s'était blindée. Plus jamais elle ne laisserait un homme lui briser le cœur et, pour cela, elle tenait tout le monde à bonne distance.

A ce souvenir, elle sentit son cœur se serrer douloureusement. Une sensation si dure, si violente qu'elle en fut tout étonnée. Etonnée, et aussi furieuse contre ce qu'elle estimait être une impardonnable faiblesse. Cela faisait huit ans, n'arriverait-elle donc jamais à tourner la page ? Baissant les yeux, elle s'efforça de reprendre contenance.

C'est alors qu'elle aperçut une petite enveloppe blanche qui dépassait de l'un des livres fourrés dans son cabas.

En tant qu'employée d'une entreprise qui fabriquait des cartes de vœux, elle avait l'habitude de semer des cartes autour d'elle : dans son sac, sur son bureau, dans sa voiture — c'étaient généralement des échantillons, des maquettes ou des excédents. Celle-ci, en revanche, était cachetée et semblait avoir été glissée là à dessein. D'un bref regard circulaire, elle vérifia qu'aucune de ses compagnes ne faisait attention à elle, mais toutes étaient bien trop occupées à féliciter Gabrielle ou à papoter entre elles. Toutes l'ignoraient.

Elle se pencha et s'empara de l'enveloppe.

L'illustration de la carte était une photographie de paysage en tout début de printemps, quand les pousses vertes des fleurs à bulbe pointent le nez hors de la terre. En fond, une unique et spectaculaire stalactite étincelait. Elle ouvrit la carte et lut le message.

« Le printemps est venu, et pourtant Carol Snow est toujours aussi froide. »

Bien évidemment, l'épigramme n'était suivie d'aucune signature.

Une claque en pleine figure n'aurait pas été plus douloureuse. Elle savait qu'au travail, elle avait la réputation d'être distante et que les gens la trouvaient rigide et insensible. Bouleversée, elle passa en revue les noms et les visages des gens avec qui elle travaillait. Qui avait bien pu prendre le risque de glisser cette note dans son livre ?

Soudain, elle sut. C'était cet horrible Luke Chancellor, bien sûr ! Ce n'était pas pour parler de primes qu'il l'avait retenue tout à l'heure… il cherchait juste une occasion de lui jouer son sale tour. Enfin, elle comprenait le véritable sens de la dernière pique qu'il lui avait lancée !

« Au lieu de lire, vous devriez parfois passer aux travaux pratiques ! »

Des larmes brûlantes lui vinrent aux yeux et elle dut émettre un son quelconque car, brusquement, toutes les têtes se tournèrent vers elle.

— As-tu dit quelque chose, Carol ? lui demanda Page.

Ses compagnes la regardaient en silence, la mettant au défi de parler, de rejoindre enfin leur sororité de filles sexuellement actives. Sa répugnance à participer à leurs expériences de séduction faisait tache dans le décor, elle le savait. Dans les premiers temps, elle avait trouvé une parfaite justification à son manque d'engagement dans le groupe : elle ne devait aucune explication à ces femmes puisqu'elle ne les connaissait pour ainsi dire pas.

Mais, au fil des réunions mensuelles, les choses avaient changé. Elle se sentait plus proche de ces femmes que de n'importe qui d'autre dans sa vie, et elle avait vraiment envie de s'intégrer à leur groupe, d'être acceptée. Le plaisir que lui avait procuré le court texto attentionné de Gabrielle dans le parking en disait beaucoup : elle avait besoin d'elles, besoin de ces réunions.

Si elle devait en juger par sa réaction face à Luke Chancellor un peu plus tôt, elle devait bien admettre que l'apaisement, fût-il seulement physique, que pourrait lui apporter une quelconque entreprise de séduction ne serait pas un luxe. Pour ne pas dire qu'il lui ferait le plus grand bien. Cependant, si elle entreprenait de séduire un homme, ce ne serait pas avec des étoiles dans les yeux et le cœur battant… non, ce serait par pures représailles. Elle se vengerait de la façon dont les hommes l'avaient traitée, James bien sûr, mais tant d'autres encore qui lui avaient donné le sentiment d'être impuissante… des hommes dans le genre de Luke…

Ça ferait beaucoup de bien à ce coureur de jupons si elle le séduisait pour, ensuite, le laisser tomber… en bref, si elle inversait les rôles.

— Est-ce que ça va ? lui demanda Cassie d'une voix douce.

— Je me disais juste…, répondit Carol en s'humectant les lèvres.

Autour d'elle le changement d'attitude était palpable : les yeux s'écarquillèrent, les épaules se détendirent. Elle-même se sentait différente, son malaise avait laissé place à une véritable audace. Enfin, une audace qui n'allait pas non plus sans une certaine appréhension.

— Oui, Carol ? demanda Gabrielle, rompant ainsi le silence qui s'était installé. Qu'avais-tu en tête ?

Carol réussit à sourire malgré l'émotion qui lui nouait la gorge.

— J'ai décidé moi aussi de me lancer un défi.

Un concert de hochements de tête et d'approbations s'éleva dans la salle et les visages de ses amies s'illuminèrent d'immenses sourires. Toutes paraissaient aussi ravies que surprises. Et Carol ne put s'empêcher de se demander quelles seraient leurs réactions si elle leur précisait que son objectif n'était ni la séduction ni l'érotisme, mais simplement le désir d'humilier et, avec un peu de chance, de faire souffrir un homme. De toutes les femmes présentes, seule Gabrielle afficha une mine réservée et l'observa par-dessus le bord de son verre. Et Carol fut incapable de soutenir son regard.

— Alors, ne nous laisse pas dans l'expectative ! Qui est l'heureux élu ? voulut savoir Wendy, qui faisait carrément de petits bonds sur sa chaise.

— C'est quelqu'un avec qui je travaille, répondit Carol en feignant une nonchalance qu'elle était loin d'éprouver. Il s'appelle Luke.

— A t'entendre, il doit être sexy, commenta Jacqueline en souriant.

— Il est parfait, acquiesça Carol entre ses dents.

Sous la table, elle chiffonna la carte avec le glaçon et la réduisit en une petite boule au creux de son poing. Elle se rendit compte, mais trop tard, que Gabrielle la fixait. Avait-elle remarqué quelque chose ? Impossible à dire, mais, une chose était sûre, elle avait bel et bien vu une étincelle traverser le regard de la coordinatrice — de l'appréhension ?

— C'est parfait, ton opération séduction tombera pile pour la Saint-Valentin, poursuivit Cassie, qui tout comme les autres filles était parfaitement inconsciente de l'échange muet qui venait de se jouer entre Carol et Gabrielle. As-tu un plan ?

— Pas vraiment, avoua Carol. Quoique… il y a bien cette petite fête pour la Saint-Valentin.

— Ça paraît prometteur, dit Wendy avec un petit sourire. Peut-être que Luke et toi pourriez vous éclipser dans un placard à fournitures.

Elles s'esclaffèrent et firent passer à la ronde les macarons apportés par Carol. C'était bien la première fois qu'elle se sentait vraiment à l'aise en compagnie des autres membres du club. Au fur et à mesure que la soirée avançait et qu'elles discutaient de titres pour la prochaine sélection, elle participa à l'échange avec l'impression d'être enfin acceptée. Et elle aurait été parfaitement heureuse si elle n'avait pas senti le regard pensif de Gabrielle posé sur elle.

A la fin de la réunion, Gabrielle descendit au parking avec elle. Il faisait si froid que des petits nuages s'échappaient de leur bouche à chaque respiration.

— Il commence vraiment à faire froid, dit Gabrielle. J'ai entendu dire qu'il risquait de neiger.

— Je crois que ça, c'est une rumeur que les supermarchés répandent chaque année pour que les gens sortent vite faire des provisions, répondit Carol en riant. Il ne neige jamais à Atlanta.

Gabrielle hocha la tête, puis parut se concentrer sur ses pensées.

— J'avoue que ta décision de te lancer dans l'opération séduction m'a un peu surprise. C'est une véritable volte-face. Si tu me permets, qu'est-ce qui t'a fait changer d'avis ?

Carol tenta d'éluder la question d'un mouvement d'épaule.

— Est-ce que cela a vraiment de l'importance ?

— Non, admit Gabrielle. C'est juste que… réfléchis bien à tes motivations, sinon ça pourrait bien être toi qui finirais par souffrir.

— Ça, ça ne risque pas d'arriver, la rassura Carol.

— En ce cas, répondit Gabrielle avec un sourire, je suis désolée pour Luke.

Gabrielle s'éloigna, et tout en la suivant du regard Carol se permit un sourire suffisant. Tant mieux si elle était désolée pour Luke. Car, à l'image du Cupidon d'opérette en tenue de camouflage sur cette stupide carte de vœux, elle ne ferait aucun quartier.

- 3 -

Carol consulta sa montre, cela faisait maintenant de longues minutes qu'elle attendait, garée sur le parking de Mystic Touch. Agrippant le volant à deux mains, elle résista à l'envie d'entrer dans le bâtiment. Il était 7 h 50 du matin, et à cette heure-là elle avait généralement bien entamé sa journée de travail, mais Luke Chancellor était presque toujours en retard, alors…

Comme par magie, ou comme si penser à lui avait suffi à le faire apparaître, elle vit sa BMW gris anthracite s'engager sur l'aire de stationnement. Elle le suivit des yeux dans son rétroviseur et nota l'emplacement où il se garait. Puis elle minuta précisément l'instant où elle quitterait son propre véhicule — bien moins tape-à-l'œil — afin que leurs chemins se croisent précisément devant la porte du bureau. Le froid mordant de cette matinée d'hiver et le vent qui s'engouffrait sous sa jupe lui donnèrent des frissons. Elle s'efforça de les ignorer et ralentit l'allure afin de permettre à Luke de la rattraper. Il sifflotait tout bas et avait remonté le col de sa chemise blanche pour y nouer une cravate jaune. Il ouvrit de grands yeux en la voyant et regarda ostensiblement sa montre.

— Bonjour, Snow, dit-il avec un sourire. Encore deux minutes et vous auriez eu besoin d'un mot de retard.

— Bonjour, Chancellor, répondit-elle aussi aimablement que possible.

Ce qui ne fut pas une mince affaire, compte tenu du fait qu'elle n'avait toujours pas digéré le coup de la carte de vœux.

— Comment s'est passée votre réunion de club de lecture ?

— Bien, dit-elle en se demandant si cet homme était télépathe, par-dessus le marché.

A cette simple idée, elle sentit son cœur battre un peu plus fort. Pourrait-il deviner ce qu'elle s'apprêtait à faire ?

— Il y a quelque chose de différent, dit-il en l'inspectant de la tête aux pieds.

— Pardon ? fit-elle en se raidissant.

— Vous avez mis une jupe, précisa-t-il en admirant ses jambes. Joli.

Cette fois, il l'avait prise de court. Cela faisait si longtemps qu'un homme ne lui avait pas fait de compliment qu'elle ne sut comment réagir.

— Mer… ci ?

— Est-ce une question ? lui demanda-t-il en la dévisageant, tête penchée sur le côté.

De plus en plus mal à l'aise, elle fixa son regard sur le col ouvert de sa chemise.

— Vous n'avez pas eu le temps de vous habiller, chez vous ?

— Peut-être que je n'étais pas chez moi, ce matin.

Elle s'apprêtait à lever les yeux au ciel, mais se souvint au dernier moment des quelques tuyaux que lui avaient donnés les filles — paraître intéressée… chercher le contact oculaire… flirter… établir un contact physique…

— Eh bien, euh… où étiez-vous donc ? lui demanda-t-elle en battant des cils.

— J'étais à la salle de sport, répondit Luke. Avez-vous une poussière dans l'œil ?

— Euh, oui, mentit-elle en se frottant la paupière du bout du doigt.

— Laissez-moi regarder, dit-il en se penchant vers elle.

Prise au dépourvu par cette soudaine proximité, elle prit une grande inspiration. Une grossière erreur puisque, ce faisant, elle respira l'odeur de savon et de crème à raser qui émanait de lui. Elle avait eu beau mettre des escarpins, il faisait encore une tête de plus qu'elle, et ses mèches encore humides firent naître en elle des images totalement incongrues : Luke Chancellor sous la douche de la salle de gymnastique… évacuant la sueur de son corps puissant et musclé. Tandis qu'il inspectait son œil, elle se figeait et s'efforça de rester indifférente aux vibrations viriles et sensuelles qu'il dégageait.

En vain. Même ici, debout dans la bise glaciale, elle pouvait sentir les vagues de chaleur monter du plus profond d'elle-même et se répandre dans tout son corps.

— Mmm…, murmura-t-il. Je ne vois rien. Ah, si, attendez une minute — il y a quelque chose.

— Quoi donc ? dit-elle en le regardant.

Il se redressa.

— Une paire de grands et superbes yeux verts.

Elle voulut émettre un son dédaigneux, mais celui-ci sortit plutôt comme… un soupir ! Puis elle se rappela qu'elle était *censée* se montrer réceptives à toutes tentatives de séduction. Ces émotions totalement contradictoires la décontenancèrent.

Le pire, c'était que Luke en revanche paraissait beaucoup s'amuser. Il repartit d'une démarche nonchalante en direction de la porte d'entrée. Elle réussit quand même à sortir de sa torpeur et se précipita à sa suite et ils pénétrèrent ensemble dans le grand vestibule de l'entreprise. Une cabine d'ascenseur attendait, portes ouvertes. Luke y entra et la regarda.

— Vous venez, ou vous prenez l'escalier ?

Il se moquait d'elle, maintenant ! Et elle était si nerveuse qu'elle fut presque tentée de courir jusqu'à la cage d'escalier. Après tout, peut-être que cette opération séduction n'était pas une si bonne idée que cela. Subir sa présence à l'extérieur était déjà assez difficile… alors être confinée avec lui dans un espace aussi exigu… elle n'était pas sûre d'être préparée à affronter cela.

Elle était encore en train de tergiverser quand une autre femme pénétra dans l'ascenseur. Une petite brune très mignonne aux cheveux courts qui travaillait au marketing, se souvint Carol. La fille adressa un sourire éclatant à Luke et les portes commencèrent à se fermer. Au dernier moment, Carol inséra une main entre les portes, qui se rouvrirent aussitôt. Elle entra dans la cabine et, tournant le dos à Luke et à l'autre jeune femme, elle garda le regard braqué sur les portes. En inspectant son reflet sur l'acier poli, elle se rendit compte qu'il n'y avait rien de « mignon » dans la façon dont elle rassemblait ses cheveux épais et brun doré sur sa nuque.

Toute cette histoire allait finir par lui donner des boutons, ou au moins des complexes.

— Est-ce que vous avez des projets pour la Saint-Valentin, Luke ? demanda la jeune femme d'une voix ouvertement aguicheuse, et pleine d'espoir.

— Je dîne avec une dame très exceptionnelle, répliqua-t-il sur le ton de la raillerie.

Carol put pratiquement entendre la fille suffoquer alors qu'elle se faisait joliment rabattre le caquet, mais elle était aussi indignée par l'attitude de Luke. Pourquoi passait-il son temps à flirter s'il avait une petite amie ? Décidément il était bien temps que quelqu'un le remette à sa place, son plan n'était peut-être pas une si mauvaise idée au fond.

La fille quitta l'ascenseur au premier étage, les laissant seuls dans la cabine pour les dix étages suivants. Carol vit Luke tendre la main et presser les boutons de tous les étages.

— Que faites-vous donc ? s'exclama-t-elle d'un ton outré.

— J'ai juste besoin de quelques minutes pour finir de nouer ma cravate, répondit-il avec nonchalance en portant les mains à son col. Je ne suis pas certain de comprendre jamais pourquoi les hommes portent ces machins.

Les portes s'ouvrirent à l'étage suivant, et une femme qui passait par là leur jeta un regard étrange.

— Les ragots vont commencer à courir sur notre compte, grommela Carol en fusillant Luke du regard.

— Ce sera une bonne chose pour votre réputation… et la mienne, répondit-il aimablement. Voilà une situation dans laquelle tout le monde est gagnant.

Elle s'apprêtait à lui lancer une repartie cinglante, quand elle se rappela qu'au contraire, elle était censée le séduire. Mais comment allait-elle faire, alors qu'il se montrait si arrogant, si agaçant ! Tandis que l'ascenseur poursuivait son ascension, ouvrant et refermant ses portes à chaque étage, elle était bien consciente qu'elle devrait tirer avantage de ces instants seuls avec lui. Qu'allait-elle bien pouvoir lui dire ? Cela faisait si longtemps qu'elle n'avait pas fait ce genre de chose.

— Qu'est-ce que ça rend ? dit-il en tirant sur sa cravate.

— Elle est de travers, dit-elle en ne pouvant retenir un sourire à la vue du nœud de guingois.

— Un coup de main, Snow ?

Quand elle s'approcha de lui, elle fut frappée par une impression de déjà-vu. Elle avait toujours aidé James à nouer sa cravate. C'était il y a longtemps… allait-elle se souvenir de la façon dont il fallait procéder ? La taille des nœuds évoluait selon les modes et elle se rappela quelque chose à propos d'un petit creux bien placé.

Elle posa ses mains vaguement tremblantes sur la cravate de soie sauvage de Luke. Alors qu'elle refaisait le nœud, elle crut percevoir les battements de cœur de Luke sous le costume. Elle croisa son regard sombre et, l'espace d'une seconde, elle crut y lire la même expression de confusion et de surprise qui lui tordait le ventre. Mais, tout aussi rapidement, cette expression laissa place à un éclair de pure sensualité.

— La pensée que vous lisez ces livres cochons m'a empêché de dormir, la nuit dernière. De toute évidence il y a bien plus en vous que vous ne voulez bien le montrer.

Le simple son de sa voix grave lui mettait les nerfs à vif et provoquait dans son ventre des réactions depuis longtemps oubliées. Elle mourait d'envie de lui demander ce que penserait de cette remarque la « dame » avec qui il devait dîner le soir de la Saint-Valentin ? Cet homme était vraiment incroyable !

Elle effleura son torse et perçut la fermeté de ses

muscles sous la chemise. Elle afficha son sourire le plus aguicheur avant de dire :

— Vous me faites penser à un chien qui poursuit une voiture en aboyant, Chancellor. Que feriez-vous si vous finissiez vraiment par la rattraper ?

A sa grande satisfaction, elle vit son visage se décomposer. Au même moment, l'ascenseur s'arrêta à son étage.

— On se revoit la réunion directoriale, dit-elle avant de tourner les talons et de s'éloigner.

Elle pouvait sentir son regard se poser sur elle, avant que les portes ne se referment.

Enfin, elle put reprendre son souffle. Bien sûr elle avait anticipé, s'était préparée à la difficulté que ce serait pour elle de se retrouver dans un rapport de séduction et de sensualité avec un homme. Mais elle avait totalement oublié cette sensation de pouvoir absolu que le jeu de la séduction pouvait procurer. Elle se redressa, un sourire satisfait aux lèvres. Elle allait séduire Luke Chancellor !

Elle allait le mettre au supplice, allumer en lui un feu dont il n'imaginait même pas la force et, ensuite, elle le laisserait se consumer tout seul.

— Est-ce que ça va, madame Snow ?

La voix de Tracy lui fit tourner la tête.

— Bonjour. Oui, ça va très bien. Pourquoi posez-vous la question ?

— Vous êtes en retard, répondit la jeune rouquine en posant sur elle un regard méfiant.

— Je ne suis pas en retard.

— Pour vous, il est tard. Et vous êtes toute rouge. Vous sentez-vous malade ?

— Pas du tout, répondit Carol en se reprenant. Avez-vous corrigé le mémo dont nous avons parlé ?

— Il est sur votre bureau, répondit Tracy en la suivant à l'intérieur. Aimeriez-vous du café ?

Carol posa son attaché-case et tourna un regard surpris vers Tracy — celle-ci ne lui avait encore jamais proposé d'aller lui chercher un café.

— Ce serait très agréable, surtout que je dois me rendre à une réunion.

— La réunion des directeurs, je sais, dit Tracy. Il paraît qu'on pourrait avoir des primes, cette année !

— Vous ne devriez pas écouter les bavardages de machine à café, rétorqua Carol qui se rembrunit. L'idée n'a même pas encore été exposée devant les directeurs. Et, même si c'est le cas, il faudrait que ce soit une décision unanime.

La mine penaude, Tracy sortit du bureau. Par la porte ouverte, Carol jeta un coup d'œil à l'immense open space dans lequel travaillaient ses employés. La plupart étaient encore debout et discutaient par-dessus les cloisons de leur box. Une excitation régnait dans les bureaux, pas de doute là-dessus. Elle marmonna un juron à mi-voix. Que Luke Chancellor aille au diable ! C'était lui qui avait lancé la rumeur, certainement dans l'espoir que les employés fassent pression sur leurs responsables directs et qu'ils approuvent cette idée de primes. Ce geste, destiné à lui attirer les bonnes grâces de tous, était irresponsable. Et la plaçait, elle directement, dans une situation plus que délicate.

Elle songea à son propre plan. Si elle voulait séduire Luke, elle allait devoir le caresser dans le sens du poil. Toutefois, pouvait-elle mettre de côté ses principes professionnels et soutenir cette campagne autocomplaisante uniquement parce qu'elle souhaitait se venger des hommes ?

Tout en réfléchissant, elle parcourut le mémo qu'avait corrigé Tracy et secoua la tête en y découvrant de nouvelles erreurs. Elle les entoura au marqueur rouge, prit un bloc et un stylo et sortit de son bureau.

— Voici votre café, madame Snow… vous le prenez noir, c'est bien ça ?

— Oui, je vous remercie, dit Carol en prenant le gobelet et en lui rendant le mémo. Encore quelques fautes, Tracy… J'aimerais en avoir une copie corrigée sur mon bureau en revenant de la réunion.

— Oui, madame, répondit Tracy, l'air un peu accablé.

Alors que Carol longeait les bureaux de ses employés, elle remarqua que leurs discussions animées cessaient à son passage. Tous lui décochaient de furtifs coups d'œil et se mettaient à chuchoter avec des airs de conspirateurs. Ce qui ne fit qu'accroître son ressentiment envers Luke. Elle était franchement à cran quand elle pénétra dans la salle de réunion où s'étaient rassemblés les autres directeurs — à l'exception notable de Luke. Le petit groupe avait laissé libres les deux sièges au bout de la table de conférence. Par un accord tacite, un siège était réservé à la personne chargée de diriger la réunion mensuelle et l'autre à leur héros Luke, qui arriverait comme d'habitude en retard.

Puisque c'était son tour de diriger la réunion, elle s'installa dans le fauteuil qui lui était destiné et échangea des banalités avec ses collègues tout en consultant le planning qui passait de main en main. Il y était prévu que Luke fasse un bref exposé sur les ventes, mais elle ne vit nulle part mention de primes. Toutefois, elle avait entendu quelques directeurs chuchoter plusieurs fois le mot « bonus ».

Décidément, cet homme avait sa propre équipe de relations publiques.

— On peut commencer ? demanda Carol.

— Ne devrions-nous pas attendre Luke ? répondit Teresa Maitling, directrice du marketing.

La rumeur disait qu'elle et Luke étaient sortis ensemble… ou quelque chose dans le genre. Apparemment conscient des dangers et des possibles implications légales des relations intimes entre collègues, Chancellor veillait à ne fréquenter que des femmes ayant le même statut hiérarchique que lui. Carol fit le tour de la table des yeux et se rendit compte qu'elle était sans doute la seule des directrices de service célibataire avec laquelle il n'avait pas eu de liaison. Et elle ne put s'empêcher de se demander si une des femmes présentes était celle avec laquelle il devait dîner le soir de la Saint-Valentin.

— Non, répondit sèchement Carol avant de tourner les yeux vers une autre membre du fan-club de Luke Chancellor : Janet, c'est à vous de commencer par les dernières nouvelles du département artistique.

Aussitôt, Janet distribua des échantillons des cartes Mystic Touch destinées à être vendues plus tard dans l'année pour Halloween, Thanksgiving et Noël.

— Nous développons des motifs en y incluant des thèmes militaires et musicaux. Ce sont visiblement les dernières tendances, commença-t-elle avant de jeter un regard dans le fauteuil toujours vide : Je suis certaine que Luke vous en dira plus sur les meilleures ventes de la saison.

— Je suis sûre qu'il le fera, si jamais il arrive un jour, maugréa Carol.

— Il a dû se passer quelque chose, dit quelqu'un.

— C'est cela. Nous, en revanche, nous n'avons rien d'autre à faire et jamais d'urgence, repartit-elle sèchement.

Ils suivirent le planning de la réunion jusqu'au moment où Luke aurait dû prendre la parole, mais ce dernier brillait toujours par son absence.

— Je suppose que cela clôt la réunion, dit-elle, soulagée de congédier tout le monde avant même que la question des primes soit mise sur le tapis.

Mais bien sûr, pile à ce moment-là, la porte s'ouvrit à la volée sur un énorme bouquet de ballons rouges en forme de cœur et gonflés à l'hélium. Tous les directeurs se mirent à rire alors que Luke faisait le tour de la table pour distribuer ses ballons.

Elle accepta le sien à contrecœur, consciente de se faire manipuler comme tous les autres. Luke se tourna vers elle et lui adressa un clin d'œil discret qui suffit à lui donner envie de l'étrangler avec le ruban du ballon qu'il venait juste de lui fourrer dans la main.

— N'est-ce pas agréable de recevoir quelque chose à quoi on ne s'attend pas ? lança Luke à la cantonade.

Elle fit son possible pour ne pas lever les yeux au ciel quand tous les autres l'approuvèrent bruyamment.

— Et, en tant que fabricant de cartes de vœux, n'est-ce pas ce à quoi nous nous consacrons tous ? Le plaisir de recevoir quelque chose à quoi on ne s'attend pas ?

Il y eut une nouvelle salve d'ovations, et il ne lui resta plus qu'à ravaler sa rage et à regarder le spectacle. Cet homme était un magicien capable d'hypnotiser n'importe qui.

— C'est la raison pour laquelle je propose que nous donnions une petite fête impromptue vendredi après-midi afin de célébrer la Saint-Valentin, notre plus gros jour de vente de l'année, poursuivit-il avec un sourire magnanime. Et, comme elle n'a rien à voir avec une fête religieuse, nous n'aurons pas à craindre de froisser quiconque ni à nous soucier de nous montrer politiquement corrects — nos employés pourront s'amuser en paix.

A voir les hochements de tête et les sourires qui s'ensuivirent, elle comprit que cette fête était une affaire réglée. Ce n'était pas une mauvaise idée, pour tout dire elle pensait même que ce pourrait être très agréable, mais elle n'arrivait pas à faire taire son côté pragmatique et rationnel de directrice financière.

— A partir du moment où nous établissons un budget raisonnable, objecta-t-elle.

Luke lui sourit.

— Je me suis dit que je laisserais ce dernier point aux bons soins de notre directrice financière. Et, tant que nous y sommes, j'aimerais suggérer que nous donnions à chaque employé une prime de mille dollars.

Elle resta un instant bouche bée. Il devait plaisanter, forcément. Puis la rage succéda à la surprise et l'idée de se montrer gentille avec Luke afin de le séduire déserta son esprit.

— Un demi-million de dollars en primes ? Mais c'est de la folie !

— Une prime d'un moindre montant serait une insulte, répliqua Luke. Nous avons fait une année record.

— Pour la première année ! s'exclama Carol avec feu. L'année prochaine pourrait s'avérer une tout autre histoire. Ne vaudrait-il pas mieux prendre cet argent et l'investir dans du matériel qui nous permettrait d'améliorer notre production ? Mon département aurait grand besoin de nouveaux ordinateurs sur tous les bureaux. Ou alors, peut-être, pourrions-nous augmenter les primes d'assurance santé des employés ?

— Cela n'est pas tangible, objecta Luke en secouant la tête. Pourquoi ne pas donner l'argent aux travailleurs afin qu'ils le dépensent comme bon leur semble ?

— Parce que ce n'est pas prudent, riposta Carol en croisant les bras.

Une posture qui aurait été infiniment plus menaçante si le geste n'avait pas eu pour effet de faire rebondir le ballon en forme de cœur sur son nez. Elle l'écarta d'une petite tape agacée, et en lâcha le ruban par la même occasion. Le ballon monta tout droit au plafond et explosa au contact d'un des néons.

Tout le monde sursauta.

— Bien, poursuivit-elle. Je conviens que l'idée d'une fête a du mérite — ce serait parfait si nous la donnions dans le bâtiment, et tout le monde pourrait en profiter. En revanche, je ne suis pas persuadée que donner des primes aux employés soit la meilleure façon de dépenser un demi-million de dollars.

Janet se mordit la lèvre et tourna la tête vers Luke.

— Carol n'a pas tort, sur ce point, Luke. Le vote doit être unanime et, quand il traite d'aspects financiers, je suis toujours les recommandations de Carol.

Sur un hochement de tête, Luke tapa dans ses mains.

— Puisque nous sommes tous d'accord pour la fête, pourquoi ne pas nous concentrer là-dessus et prendre le temps de réfléchir à la question des primes ? lança-t-il.

Carol le regarda avec méfiance. Si elle comprenait bien le sens caché de ses paroles, « prendre le temps », pour lui, signifiait prendre le temps *de faire campagne*.

— Nous pourrions nous retrouver vendredi matin,

ajouta-t-il avant de tourner les yeux vers Carol : Si, ce matin-là, nous arrivions à un accord, est-ce que ce serait possible d'avoir les chèques imprimés à temps pour les distribuer aux employés au cours de la fête de l'après-midi ?

Elle fit la moue et réfléchit un instant.

— *Si* nous arrivions à un accord, oui, ce serait possible, je suppose.

— D'accord, répondit Luke en souriant. Bon, alors commençons par organiser la fête !

Lorsque la réunion se termina, et que tout le monde commença à rassembler ses affaires, Carol fut surprise de remarquer à quel point Luke captait toutes les attentions. Il parlait avec animation à Teresa, directrice du marketing, dont l'équipe se chargeait des événements internes et qui coordonnerait donc la réception. Tout en l'observant, elle repensa à ce qui s'était passé un peu plus tôt dans l'ascenseur, quand elle avait arrangé la cravate de Luke. L'espace de quelques brèves secondes, elle avait détecté quelque chose entre eux et, pendant un instant également, elle avait presque été… *excitée* par la perspective de le séduire. A présent, elle éprouvait une sensation étrange… oui, ce pouvait être de la déception. Elle était persuadée d'avoir pris la bonne décision en restant strictement professionnelle, mais alors pourquoi ne pouvait-elle s'empêcher de penser à ce qui aurait pu être ? D'accord, elle avait prévu de le plaquer après l'avoir séduit… mais ç'aurait été amusant…

Soudain, Luke releva les yeux vers elle par-dessus l'assemblée, et l'expression possessive dans son regard éveilla en elle un désir dont la violence la bouleversa. Luke la regardait comme si elle était la colline sur laquelle il voulait planter son drapeau et elle repensa à la carte de vœux avec le Cupidon en tenue militaire. L'amour ne faisait pas de quartier…

Cette expression, elle savait exactement d'où elle venait : il était déterminé à la faire changer d'avis au sujet des primes. Et la question était : jusqu'où le laisserait-elle aller pour remporter son adhésion ?

En s'opposant à lui, elle avait inversé le processus de séduction. A présent, *qui* séduisait *qui* ?

- 4 -

Le lendemain matin, jeudi, Carol arriva au bureau à son heure habituelle. Il était si tôt que seuls les vigiles étaient déjà présents dans le bâtiment. Cependant, elle repéra vite une autre voiture sur le parking — une BMW gris anthracite — et ne put s'empêcher de sourire quand elle vit Luke en sortir, réprimer un bâillement et se diriger d'un pas rapide vers elle. Luke avait bel et bien commencé sa campagne et de toute évidence il ne reculerait devant rien pour la faire changer d'avis, pas même à se réveiller aux aurores. Belle preuve de ténacité !

Elle descendit de voiture. La matinée était silencieuse et glaciale, l'air si froid qu'il lui piquait la gorge et les yeux. Elle leva la tête vers le soleil qui se levait et découvrit un halo rougeâtre et presque surnaturel à l'horizon. L'étrange couleur de ce ciel d'hiver lui laissa une drôle d'impression, la même qui l'enveloppait chaque année à la même époque. Un frisson la parcourut. Elle était impatiente de voir enfin se terminer cette nouvelle Saint-Valentin.

Un tintement lui apprit qu'elle venait de recevoir un texto. Le message émanait de Gabrielle Pope.

> Impression que tout ne va pas bien, espère avoir tort… dis-moi si je peux t'aider.

Carol fut très surprise. Comment Gabrielle aurait-elle pu savoir que quelque chose avait déraillé dans son entreprise pour séduire Luke ?

D'ailleurs, ce dernier venait de la rejoindre.

— Bonjour, Snow.

Déjà contrariée par le message de Gabrielle, Carol le fut encore plus en constatant les effets que provoquait en elle la vue de Luke dans son costume anthracite, sa chemise blanche et sa cravate vert tilleul. Quel genre d'activité sportive pouvait vous procurer un tel bronzage et une telle silhouette ?

Et aussi *quand* elle-même était devenue si réceptive à ce genre d'attributs.

— Un texto de votre amoureux, de si bon matin ? demanda-t-il en louchant sur son téléphone portable.

— Non, répondit-elle en plaquant l'appareil contre sa poitrine.

— Pas de texto, ou pas d'amoureux ? la taquina-t-il.

— Vous arrivez bien tôt, Chancellor, constata-t-elle, de mauvaise humeur.

— J'ai très mal dormi cette nuit. Parce que je pensais à vous, Snow, répondit-il avec un grand sourire.

Elle se rembrunit encore un peu plus.

— Ça ne vous fatigue pas d'utiliser toujours le même boniment ?

— J'ai réfléchi plus spécialement à ce que vous aviez dit à la réunion, hier, à propos de votre département qui aurait grand besoin de nouveaux ordinateurs. J'ai peut-être une solution.

Elle lui jeta un regard en coin alors qu'il lui tenait la porte et s'effaçait pour la laisser entrer.

— Je vous écoute.

— Il vaudrait mieux que je vous montre, répondit-il

alors qu'ils se dirigeaient vers les ascenseurs. Faites-moi confiance, ajouta-t-il en souriant quand elle lui jeta un regard soupçonneux.

Elle détourna les yeux. Elle ne lui faisait pas confiance, pas plus qu'à elle-même. Pourquoi s'était-elle fourrée dans cette situation ? Avant d'adhérer à ce club de lecture, sa vie sentimentale était un désert, certes, mais un désert qui lui apportait toute satisfaction. Elle concentrait son énergie sur sa carrière. Et, dans ces conditions, qui avait vraiment besoin d'un homme ? Depuis qu'elle avait décidé de séduire Luke, celui-ci semblait déterminer à occuper toutes ses pensées… et ses fantasmes.

Comme pour se rappeler le but de son entreprise, elle tripota la carte de vœux chiffonnée qu'elle avait laissée dans sa poche de manteau. S'il était aimable avec elle, c'était juste parce qu'il voulait qu'elle soutienne son idée de primes quand ils en reparleraient demain en comité de direction. Voilà tout.

Ne. Jamais. Faire. Confiance. Aux. Hommes.

Une fois entrés dans la cabine d'ascenseur, il appuya sur le bouton du sous-sol.

— Ou m'emmenez-vous ? lui demanda-t-elle, légèrement paniquée.

— Vous verrez bien, répondit-il en lui adressant un clin d'œil.

Il était toujours si nonchalant, si confiant. Il ne transportait jamais ni attaché-case ni ordinateur portable, se dit-elle avec irritation. A côté de lui, elle avait l'impression d'être l'éternelle bûcheuse, celle qui emportait tous ses livres chez elle le soir pour étudier et qui n'arrivait toujours que deuxième tandis que les types comme Luke raflaient la première place sans lever le petit doigt.

Le court trajet en ascenseur lui parut durer une éternité. Elle regarda le plafond, ses pieds, n'importe où pour éviter de croiser les yeux de Luke… et de se perdre dans la contemplation de son magnifique costume et de son bronzage parfait.

— Alors, est-ce que vous vous êtes pelotonnée dans votre lit avec un livre, hier soir ? lui demanda-t-il.

— En quoi le fait que je lise ou non au lit peut-il vous intéresser ?

— Tout m'intéresse en vous, Carol, mais vous n'êtes pas la personne la plus facile à aborder… ou à apprendre à connaître.

Elle releva brusquement la tête et le regarda droit dans les yeux. Il avait l'air presque… *sincère*. Et le regard qu'il posait sur elle était étrangement intense.

— Laissons tomber les livres que vous lisez, reprit-il paisiblement. Quelle est *votre* histoire ? Pourquoi êtes-vous si distante ?

Elle se raidit — qui était-il pour la juger ?

— Ce n'est pas parce que je suis immunisée contre vos charmes, Chancellor, que quelque chose ne va pas chez moi.

Il se pencha plus près, si près qu'elle put distinguer l'épaisseur de ses cils.

— Je ne crois pas que vous soyez aussi immunisée que vous voulez bien le dire, Snow. Vos lèvres disent une chose, mais la coloration de vos joues en suggère une autre, bien différente.

— Vous ne savez pas de quoi vous parlez ! riposta-t-elle avec véhémence.

Mais sa dénégation ne convainquit personne, à commencer par elle.

Quand les portes de la cabine s'ouvrirent, elle ne rêvait plus que d'une chose : échapper le plus rapidement possible à la compagnie de Luke. Elle s'efforça de recouvrer son calme, mais il lui fut impossible de maîtriser la chaleur qui inonda son sexe et à sa grande honte elle sentit ses tétons se durcirent.

— A propos, c'est ici que nous allons donner la réception, dit-il alors qu'ils s'avançaient dans un vaste espace ouvert.

Tout au fond, elle reconnut les bureaux du personnel des services généraux et de l'informatique. Derrière la vitre d'un bureau, quelqu'un leva la main dans leur direction et Luke lui rendit son salut. Il semblait vraiment connaître tout le monde, ici.

Elle le suivit alors qu'il empruntait un couloir obscur qui paraissait ne mener nulle part.

— Avez-vous l'intention de me retenir en otage afin que le comité vote les primes ?

L'éclat de rire tonitruant de Luke se répercuta dans l'espace ouvert.

— Non, j'ai une bien meilleure idée.

Il s'arrêta et alluma une lumière révélant une porte sans aucune indication. Il entra un code sur le clavier installé près du chambranle, il y eut un cliquetis et il poussa la porte.

— Après vous, dit-il en s'effaçant et en lui faisant signe d'entrer.

Sa curiosité l'emporta sur son scepticisme, et elle pénétra dans une grande pièce pleine de fournitures diverses et d'équipements électroniques.

Et cela n'avait rien à voir avec un quelconque *débarras*

— il y avait de jolis bureaux de bois surmontés de leurs crédences, des bibliothèques vitrées, des écrans plats d'ordinateur, des unités centrales verticales et des ordinateurs portables extra-minces. Elle nota aussi des sièges de bureau en cuir, des imprimantes couleur, des scanners, des claviers sans fil, des webcams et bien d'autres choses encore.

Elle entreprit de longer les rangées de meubles et de rayonnages. Luke la suivit et elle entendit se refermer la lourde porte derrière eux.

— Quel est donc cet endroit ? La caverne d'Ali Baba ? lui demanda-t-elle.

— C'est là que nous entreposons les surplus et les échanges.

— Mais d'où tout cela vient-il ?

— Des équipes de vente sur le terrain, pour la majeure partie.

Elle resta une seconde bouche bée avant de reprendre :

— Tout ce qui prend la poussière ici est bien plus beau que les meubles et les équipements sur lesquels travaillent quotidiennement les employés de mon département ! Pourquoi n'ai-je pas été avertie de l'existence de cette pièce ?

— Vous l'êtes… maintenant.

Elle posa son attaché-case, fit la moue et regarda autour d'elle, encore sous le coup de la surprise.

— Qu'est-ce que c'est que tout cela, une sorte de secret d'entreprise ?

— Je ne qualifierais pas cela de secret, répondit-il prudemment. D'un point de vue purement technique, tout cet équipement, tout ce qu'il y a ici appartient au département des ventes.

Elle savait mieux que quiconque que les ventes

avaient toujours la meilleure part dans le budget administratif — un budget qui augmentait régulièrement depuis la nomination de Luke au poste de directeur. En vue d'attirer les talents, il avait convaincu le comité exécutif d'allouer davantage de fonds aux commissions et d'augmenter les avantages en nature. Les commerciaux avaient donc des ordinateurs haut de gamme et des frais de représentation accrus. Si ces dépenses s'étaient vite avérées être un excellent investissement, elles avaient aussi provoqué le ressentiment de certains autres employés.

Elle releva le menton en un geste de défi.

— M'avez-vous fait descendre ici pour me narguer ?

Luke se retourna vers elle et elle comprit soudain à quel point sa position était vulnérable… seule, ici, avec lui. Oh ! elle n'avait pas peur de lui, elle avait juste peur de ses propres réactions. Déjà son souffle était plus court, et puis il y avait ce délicieux frisson qui montait du plus profond d'elle-même. Des réactions qu'elle pouvait heureusement facilement dissimuler sauf qu'il avait cette manière de la regarder, comme s'il était conscient de l'effet qu'il avait sur elle. Et c'était déroutant. Sa réflexion un peu plus tôt sur le fait que son langage corporel la trahissait lui donna l'impression d'être encore plus exposée.

— Et pourquoi voudriez-vous que je vous nargue ? murmura-t-il.

Elle fit son possible pour trouver une repartie acerbe et bien sentie, mais les mots refusèrent de se former. Comment pourrait-elle parler alors qu'il l'encerclait littéralement de ses deux bras, l'acculant contre le rayonnage d'une bibliothèque, la dominant de tout son corps viril et musclé ? Sa volonté et sa maîtrise d'elle-même pourtant légendaire l'avaient désertée et elle sentait qu'elle était à sa merci. Elle leva lentement les yeux, passant de son torse large à son nœud de cravate de travers, puis à la bouche sensuelle pour enfin croiser ces yeux qui paraissaient l'attirer à lui. Elle essaya de se raccrocher à sa logique et à sa raison, mais tout ce à quoi elle put songer c'était que, peut-être, la présence de tout ce matériel informatique devait créer des ondes puissantes. Car c'était bien de l'électricité qu'elle sentait crépiter entre eux.

Elle se rendit compte qu'il allait l'embrasser, et pire encore qu'elle n'avait aucune envie de l'en empêcher. Alors que les traits de Luke devenaient plus doux et que sa bouche descendait sur la sienne, elle se rappela son plan. Elle était en train de parvenir à ses fins, non ? Au fond peu importait qui prenait l'initiative…

Soudain, Luke se redressa et afficha une expression impénétrable.

— Je suis désolé, je…, dit-il en se passant une main sur la bouche. Carol, je ne sais pas ce qui m'a pris. On aurait dit…

Il regarda autour de lui et parut seulement prendre conscience de l'endroit où il se trouvait, puis il recula d'un pas et l'examina de la tête aux pieds.

— Est-ce que ça va ?

Elle hocha la tête alors même qu'une bouffée de colère s'emparait d'elle.

— Je vais bien, Chancellor. Est-ce ici que vous amenez toutes vos conquêtes ?

— Hein ? Non, bien sûr que non. Je n'ai jamais…

Il s'interrompit et leva les deux mains en un geste d'excuse.

— Je vous présente mes excuses… J'ai perdu la tête,

dit-il avant de s'éclaircir la gorge, visiblement remis de ses émotions. On est toujours bons amis ?

Jamais elle ne serait amie avec Luke Chancellor, songea-t-elle en ravalant son humiliation. Elle avait tant désiré ce baiser ! Elle savait qu'elle devrait lui être reconnaissante d'avoir eu le bon sens de tout arrêter à temps, mais cela lui avait laissé un intense sentiment de frustration, comme si on lui avait volé quelque chose. De mauvais souvenirs remontèrent à la surface et elle fourra ses mains dans ses poches de manteau comme si cela allait lui permettre de garder une contenance. Ses doigts tremblants rencontrèrent une fois encore la fameuse carte de vœux. La carte qui prouvait que Luke se jouait d'elle et qu'elle l'avait échappé belle.

— Allez-vous me dire, oui ou non, pourquoi vous m'avez amenée ici ? maugréa-t-elle entre ses dents.

Il se gratta la tempe, comme s'il avait oublié.

— J'avais prévu de vous aider à, euh, choisir les équipements dont a besoin votre département, quels qu'ils soient.

Elle ne sut trop quoi répondre. Sa première impulsion était évidemment de refuser tout ce qu'il pourrait lui proposer. Cependant, son côté pragmatique reprit le dessus. Ses équipes travailleraient dans de meilleures conditions avec du matériel neuf. Luke avait en sa possession quelque chose dont elle avait besoin, et il le lui donnait. Jamais elle n'accepterait de voter pour les primes, mais rien ne l'empêchait de profiter de la situation pour doter ses employés d'ordinateurs flambant neufs.

— D'accord, dit-elle. Comment allons-nous faire ?

— Je dois passer une partie de la journée ici, pour

préparer la fête, le mieux c'est que vous me retrouviez ici ce soir, une fois que tout le monde sera parti.

Aussitôt, elle fut sur ses gardes. C'était comme si une alarme avait retenti dans son esprit. Après le travail… seuls… dans un espace confiné… *Danger !*

— Je promets de me conduire du mieux possible, dit Luke en levant une main.

— D'accord, s'entendit-elle dire.

Ce poids dans sa poitrine quand il lui avait assuré bien se tenir, était-ce du soulagement… ou de la déception ?

- 5 -

Peu importèrent les efforts que fit Carol pour s'occuper et ne pas penser à son rendez-vous avec Luke, la journée lui parut interminable. Bizarrement, son corps bourdonnait d'énergie. Sans doute était-ce dû au caractère légèrement illicite de leur entreprise ? Après tout, ils allaient ni plus ni moins détourner les biens de l'entreprise. Toutefois, le baiser manqué de ce matin la hanta toute la journée — elle pouvait pratiquement sentir le contact de ses lèvres sur les siennes. Pourquoi avait-il fallu que, pour une fois, il se comporte de manière délicate et sensée ? Si elle voulait mener à bien son opération séduction, il semblait de plus en plus évident que ce serait à elle de prendre le contrôle. Elle coucherait avec lui *une fois* et, avec tout ce qu'elle avait appris dans ses récentes lectures, elle ferait en sorte que ce soit l'instant le plus torride de la vie de Luke. Et, quand le moment serait venu, elle lui parlerait de la carte de vœux et lui dirait d'aller au diable.

Enfin, enfin, la pendule de sa table de travail afficha 17 heures. Son manteau déjà sur le dos et son attaché-case à la main, elle sortit de son bureau.

Tracy ne put masquer sa surprise en la voyant.

— Vous rentrez chez vous ?

— C'est exact, répondit Carol en réprimant l'envie

de préciser à son assistante qu'elle n'avait nul besoin de justifier ses faits et gestes.

— Mais… il est seulement 17 heures. Quelqu'un serait-il mort ?

— Non, répondit Carol en pinçant les lèvres.

Elle tendit à Tracy la dernière version du mémo.

Il restait encore quatre fautes cerclées de rouge.

— Merci de me reprendre cela une fois encore.

— Oui, madame, soupira Tracy.

Carol jeta un regard circulaire dans l'open space que se partageaient les employés du service financier. Les ordinateurs étaient hors d'âge et certaines des assistantes devaient même en partager un. C'était une situation à laquelle elle entendait bien remédier au plus vite. Elle remarqua aussi les regards noirs que lui jetaient les gens avant d'échanger des hochements de tête entendus. D'abord interloquée, elle se fit la réflexion que ses employés l'avaient évitée toute la journée…

Elle se tourna vers Tracy et lui demanda :

— Tracy, se passe-t-il quelque chose dont je devrais être informée ?

La jeune femme ouvrit et ferma la bouche. De toute évidence, elle se demandait quelle attitude adopter : mentir ou dire la vérité.

— Euh… Il se raconte à la machine à café que vous vous opposez à ce que tout le monde obtienne une prime.

Carol accusa le coup. L'hostilité collective la visait, elle, personnellement. Elle fut surprise de la douleur que cela lui procurait et, quand elle reprit la parole, son ton était encore plus cassant qu'à l'accoutumée :

— Je crois effectivement qu'un meilleur usage de cet argent serait de le réinvestir pour le bien-être de l'entreprise. Nous serions tous bénéficiaires sur le long terme.

— Vous aurez le mémo révisé sur votre bureau dans la matinée, madame Snow, dit Tracy qui s'était clairement rembrunie.

— Merci. Bonsoir.

Tandis qu'elle s'en allait, Carol sentit la brûlure des regards furieux qui se concentraient sur elle. Mais, en tant que comptable de l'entreprise, c'était son travail de prendre des décisions impopulaires. Avec un peu de chance, les nouveaux équipements adouciraient un peu les choses.

Comme tous les soirs, les rues d'Atlanta étaient embouteillées, mais elle tua le temps en admirant les teintes splendides du ciel, tout en nuances de rouge et d'orange. Un présage de mauvais temps ? Quelle qu'en soit la cause, ce ciel la perturba sans qu'elle puisse comprendre pourquoi.

Une fois chez elle, elle se changea, en étudiant son corps d'un œil critique, chose qu'elle n'avait pas faite depuis longtemps. Au cours des années qui avaient suivi sa rupture avec James, elle avait accepté deux rendez-vous arrangés par des amis qui n'avaient rien donné. Elle avait peur de ne plus savoir s'y prendre. Comment ferait-elle lorsqu'elle aurait attrapé Luke dans ses filets ?

Elle pourrait toujours mettre en pratique ce qu'elle avait lu dans ses livres érotiques.

En repensant au club de lecture, le texto de Gabrielle lui revint soudain à l'esprit. Elle n'y avait pas encore répondu, et se sentit à présent tenue de le faire, ne serait-ce que pour éviter que cette dernière, toute bien intentionnée qu'elle soit, ne vienne interférer dans ses affaires. Elle sortit donc son portable et rédigea un bref message :

> Merci de t'inquiéter pour moi, mais tout se passe comme prévu.

Elle pressa la touche Envoi un peu mal à l'aise de ce petit mensonge, mais elle connaissait assez Gabrielle pour savoir que, dans le cas contraire, celle-ci se ferait du souci.

Lorsqu'elle revint au bureau, un peu plus tard dans la soirée, elle eut l'impression d'être une cambrioleuse. D'un signe de la main, elle salua le vigile avant de prendre l'ascenseur pour descendre au sous-sol. Une fois sur place, elle constata que l'immense espace était bien plus sombre qu'il ne l'avait été ce matin. La moitié seulement des bureaux étaient encore éclairée. Elle eut même du mal à voir où elle mettait les pieds.

— Luke ? murmura-t-elle. Etes-vous là ?

Elle se retourna et percuta quelque chose de dur. Elle recula, croyant que c'était un mur ou un meuble, mais deux bras la rattrapèrent et l'empêchèrent de tomber.

— Je vous ai eue, lui murmura-t-il à l'oreille.

— Pourquoi n'avez-vous rien dit ? riposta-t-elle.

— Je me suis dit que vous pourriez tâtonner un peu plus longtemps… et me trouver.

Ses yeux commençaient à s'accoutumer à l'obscurité, et cela lui permit de constater qu'il avait une lueur malicieuse dans le regard. Elle sentit les muscles de son sexe se contracter et une douce chaleur l'envahir. Une sensation délicieuse, si cela ne lui rappelait pas à quel point elle était exposée et vulnérable. Il la taquinait et elle, elle marchait comme un petit soldat.

— Ne devrions-nous pas nous y mettre ? l'interrogea-t-elle en essayant de reprendre le contrôle de la situation.

— Oui, bien sûr. Par ici, répondit-il avec une voix de petit garçon qui vient de se faire réprimander.

Il referma sa main sur la sienne et l'entraîna dans le couloir. Ses doigts forts et tièdes autour des siens éveillèrent aussitôt en elle des pensées interdites. Elle imagina ces mêmes mains et ces mêmes doigts courir sur son corps nu. Quel effet cela ferait ? Elle plaqua sa main libre contre le mur.

— Ne pourrait-on pas allumer une lumière ?

— J'aimerais autant ne pas trop attirer l'attention sur notre petite mission.

Elle le suivit sans rien ajouter. Enfin, il s'arrêta et lui lâcha la main. De nouveau il entra un code et de nouveau la porte s'ouvrit. Ce ne fut que lorsque la porte se referma derrière eux qu'il alluma les néons.

Alors qu'elle cillait pour se protéger les yeux de l'afflux brutal de lumière, Luke émit un sifflement à mi-voix. Quand elle parvint enfin à adapter, elle se rendit compte que c'était elle qu'il regardait.

— Vous avez lâché vos cheveux. Ça me plaît beaucoup.

Gênée, elle passa sa main dans ses longues mèches.

— Merci.

— Et je ne crois pas vous avoir jamais vue dans autre chose qu'un tailleur, Snow. Joli.

Pour son équipée nocturne, elle avait enfilé une tenue intégralement noire : jean, col roulé, bottes et blouson d'aviateur. Le compliment la toucha bien plus qu'elle ne l'aurait souhaité et elle fit tout son possible pour ne pas le montrer.

— Contrairement à la croyance populaire, j'ai non seulement une garde-robe mais aussi une vie en dehors du bureau, répondit-elle avant de désigner du menton la tenue de Luke. Vous aussi, vous me paraissez bien plus à l'aise que la dernière fois que je vous ai vu.

A la vérité, il était carrément époustouflant de beauté dans son jean noir, son pull en V rouge sur un T-shirt blanc et ses chaussures de sport éraflées. Il lui sourit, hocha la tête puis se pencha vers elle.

— Intéressantes, vos boucles d'oreilles.

— Merci.

Elle caressa du doigt un des cylindres d'argent sertis d'une rangée d'émeraudes qui oscillaient à ses oreilles. C'était James qui les lui avait offertes… en précisant que les émeraudes étaient « les pierres de l'amour qui dure ». Autant de paroles vides et creuses, et de mensonges ! Elle les avait justement mises ce soir pour se rappeler qu'elle devait toujours se méfier des hommes. Elle allait utiliser Luke pour obtenir ce dont ses employés avaient besoin, et par ailleurs elle ne se faisait aucune illusion quant aux propres motivations de Luke.

— Avez-vous établi une liste ? lui demanda-t-il.

Elle sortit une liasse de papiers roulée de sa poche de blouson.

— Oui. J'ai dressé un inventaire de l'équipement dont dispose mon département, et une liste de ce qu'il nous faudrait.

Luke déroula les feuilles et prit le temps de les parcourir attentivement.

— Bien. Commençons par la liste de ce qu'il vous faudrait. Une imprimante laser couleur.

A partir de là commença une véritable chasse au trésor. Ils sillonnaient les allées et inspectaient les rayonnages à la recherche d'un matériel figurant sur la liste. Sitôt qu'un élément était découvert, il était annoncé à voix haute et rayé de la liste. C'était plutôt amusant, d'ailleurs. Tandis qu'elle arpentait les rayonnages, elle se surprit plus d'une fois à suivre Luke de regard. Ce jean lui allait vraiment bien…

— Ainsi donc, parlez-moi un petit peu de cette vie que vous avez en dehors du bureau, lui cria-t-il à un moment.

Elle hésita un instant, mais le fait d'être dissimulée derrière une étagère lui procura un sentiment de sécurité qui la mit en confiance.

— J'adore faire la cuisine, répondit-elle sur le même ton.

— Voulez-vous m'épouser ?

Elle fronça les sourcils. Avait-elle bien entendu ?

— Qu'est-ce que vous avez dit ?

Quelques rangées plus loin, elle vit apparaître la tête de Luke. Il lui décocha un sourire.

— Je plaisantais, dit-il avant de disparaître de nouveau. Poursuivez. Qu'est-ce qui vous plaît dans la cuisine ?

Elle recula et tripota une souris sans fil sur l'étagère devant elle.

— Je crois que j'aime toutes les choses qui vont avec la cuisine. L'été, je m'occupe d'une petite parcelle bio dans le jardin communautaire de Piedmont Park.

— Sympa ! Qu'y faites-vous pousser ?

— Oh ! rien de bien incroyable — du maïs, des haricots verts, des poivrons, des tomates…

— J'adore les tomates du jardin, l'entendit-elle lui répondre d'une voix étouffée.

— Les légumes paraissent toujours meilleurs quand

on les a fait pousser soi-même, renchérit-elle. Mais j'aime aussi beaucoup faire mon marché.

— Je fais un saut au marché de Dekalb Farmers une ou deux fois par mois, dit Luke.

— Ah oui ? fit Carol, impressionnée malgré elle.

— Ils ont la meilleure sélection de bières internationales de la région.

— C'est vrai, enfin je crois, répondit-elle en riant.

Soudain, il se matérialisa à l'extrémité de la rangée où elle se tenait.

— Donc, qui profite des fruits de votre travail ?

Prise de court par sa soudaine proximité, elle le regarda, interloquée.

— Pardon ?

— Pour qui cuisinez-vous ?

Elle évita son regard et fit mine de scruter quelque chose en haut d'une étagère.

— Oh… vous savez bien… des amis… et tout.

Personne.

— Pas de famille dans le coin ?

Elle secoua la tête en risquant un regard dans sa direction.

— Je n'ai plus de famille. Mes parents sont morts tous les deux, et j'étais fille unique.

— Je suis désolé, dit-il avec un éclair de compassion dans les yeux.

— Merci, répondit-elle en esquissant un geste comme pour dire que cela n'avait pas d'importance, mais cela fait maintenant longtemps que je suis seule.

— Je m'en sentirais presque coupable de toutes les fois où j'ai rêvé que ma famille disparaissait et me laissait un peu tranquille.

— Vous avez une famille nombreuse ?

— Trois sœurs, trois frères, les maris, femmes, nièces et neveux qui vont avec, et mes parents, qui sont toujours là et se portent comme des charmes.

— Ça doit faire de grands rassemblements, les jours de fête, dit-elle avec une pointe d'envie.

— Le chaos, vous voulez dire !

Cela lui semblait plutôt le paradis, mais elle n'en dit rien.

Il disparut de nouveau, puis cria qu'il avait trouvé un autre élément de la liste. Elle le reporta aussitôt sur la liste.

— Avez-vous déjà été mariée, Snow ?

Cette question la prit au dépourvu et elle releva la tête. Une image de James se forma aussitôt dans son esprit, et elle se sentit rougir. La honte était toujours aussi cuisante.

— Non. Et vous ?

— Non. Et fiancée, l'avez-vous jamais été ?

— Pas vraiment, dit-elle. Et vous ?

— Non.

Etant donné qu'il ne pouvait pas la voir, elle se permit un sourire en coin. Autrement dit, ce n'était pas sérieux, cette « dame » avec qui il devait dîner le soir de la Saint-Valentin ? Rien de bien surprenant.

C'était lui qui avait abordé le sujet, mais il semblerait tout de même que cela ne lui soit pas indifférent, car il se montrait bien silencieux tandis qu'il vérifiait l'état de marche des ordinateurs.

Ils firent de multiples voyages le long des travées, ouvrirent des cartons et firent le tri dans ceux qui contenaient des équipements divers. En l'espace de deux heures, ils purent trouver à peu près la moitié de ce qui figurait sur la liste, et il y avait assez d'ordinateurs neufs pour remplacer toutes les machines plus anciennes sur lesquelles travaillaient les employés de son département. Ils parvenaient au bout de la liste quand Luke reprit la parole.

— Donc, Snow, lança-t-il depuis un coin obscur, dites-m'en plus sur ce club de lecture coquin auquel vous appartenez.

— Il n'est pas « coquin », répliqua-t-elle. Nous lisons et discutons de littérature érotique, certes, mais il s'agit de grands classiques.

— En ce cas, je me corrige — c'est encore plus cochon que je le pensais !

Elle ne put s'empêcher d'éclater de rire.

— Il n'y a rien de *cochon* là-dedans, voyons !

Le visage de Luke apparut soudain l'autre côté du rayonnage devant lequel elle se tenait.

— Pourriez-vous me laisser mes fantasmes ?

Elle éprouva un brusque élan de désir. Au lieu de répondre, elle brandit un objet qui faisait songer à un pistolet et le pointa vers lui.

— J'ai trouvé un scanner manuel.

Il se plaqua une main sur le cœur et fit semblant de tituber en arrière.

— Vous m'avez eu ! Moi disparu, vous pourrez faire ce que vous voulez du demi-million de dollars.

Elle poussa un soupir au souvenir des regards meurtriers de ses propres employés.

— Ce n'est pas ce que *je* veux, Chancellor — c'est ce que je pense être le mieux pour l'entreprise.

Il hocha la tête, son expression ne trahissant aucune animosité, bien au contraire.

— Tant que vous ne vous opposez pas aux primes pour la simple raison que l'idée vient de moi…

Cette seule réplique suffit à lui rappeler quel genre d'homme il était. Une bouffée de colère l'envahit — colère contre Luke Chancellor l'enfant prodige, et colère contre tous les hommes qui passaient leur vie à tout écrabouiller sur leur passage, brisant les espoirs, les cœurs et les carrières de tous ceux qui se trouvaient sur leur chemin, après les avoir utilisés à leurs propres fins égoïstes. Mais elle réussit à se maîtriser. Luke récolterait tôt ou tard ce qu'il avait semé.

— Non, dit-elle calmement en se rapprochant pour épousseter de la main une poussière sur l'épaule du pull rouge de Luke.

Ce n'était pas une caresse, à peine un effleurement, mais c'était comme si elle s'était brûlé les doigts.

— En fait, j'ai décidé d'aborder la réunion de demain matin avec l'esprit ouvert.

— C'est vrai ? dit Luke en suivant sa main du regard alors qu'elle descendait sur sa manche.

— Oui.

— C'est bien, dit-il en souriant. Votre flexibilité est une bonne chose.

— Je fais du yoga, lui répondit-elle en souriant également. Alors je suis tout, sauf inflexible.

Elle le déstabilisait, elle le savait et en éprouva une certaine jubilation. Mais c'est alors qu'il eut ce geste : il s'humecta les lèvres de la langue. A peine une seconde, mais qui réussit à briser toutes ses résistances. Son ventre se contracta. Si seulement Luke n'était pas aussi… sexy.

Il la regarda fixement.

— Et… quoi, maintenant ?

Son pouls s'accéléra. Devait-elle faire le premier pas ? L'embrasser ? Déchirer son pull rouge ? Ou, au contraire, le gifler ? Elle essaya de se rappeler ce qu'elle avait lu dans les livres… Des livres où les héroïnes avaient comme point commun de prendre le contrôle de leur sexualité.

Cela faisait si longtemps…

— Qu'aviez-vous en tête ? lui demanda-t-elle.

— Je me disais que ça allait nous prendre la majeure partie de la nuit.

Quelle présomption ! En même temps, il était difficile de ne pas être impressionnée par une telle assurance.

— P-probablement. Chez moi ?

Elle avait fait le plein d'huile corporelle et de préservatif. Une vraie pharmacie !

— Chez vous, bien sûr, répondit Luke avec un petit rire. Si vous êtes d'accord, je vais superviser.

Elle s'apprêtait à acquiescer quand un soupçon lui traversa l'esprit.

— Superviser ?

— Pour faire en sorte de ne rien casser, répondit-il en désignant l'écran plat d'ordinateur derrière lui. Ce serait dommage de déménager tout ce fourbi jusqu'à votre département et de l'abîmer en chemin.

Elle se rendit alors lentement compte que Luke et elle menaient deux conversations différentes. Pour une fois, c'était *elle* qui pensait sexe et *lui* qui parlait matériel informatique.

— Vous voulez tout déménager ce soir ?

— Je pense que la manœuvre serait plus discrète si tout était déjà en place quand votre équipe arrivera demain matin, qu'en dites-vous ?

— Probablement.

— Rentrez chez vous, dit-il. Je vais m'occuper de

tout. Au cas où quelqu'un voudrait savoir ce qui se passe, je ne veux pas que vous ayez des ennuis.

Sa déception à l'idée qu'ils ne passeraient pas la nuit ensemble fut noyée par un autre sentiment plus diffus mais tout aussi violent. Quand est-ce que quelqu'un s'était montré aussi *protecteur* vis-à-vis d'elle. ?

— D'ac… cord.

La chaleur et la sincérité qu'elle lisait dans les yeux de Luke la désorientèrent. Ce soir, elle était venue dans l'intention de l'aguicher et de le manipuler. Mais, lui, il avait tout gâché en se montrant si… gentil.

— A demain ? dit-il.

— A demain, dit-elle en reculant vers la porte — loin de ce regard si chaleureux.

Son cœur se mit à battre la chamade alors qu'elle regagnait sa voiture dans le froid glacial de la nuit. Elle ne tomberait *pas* amoureuse de Luke Chancellor… elle ne le permettrait pas. Elle rentra chez elle les mains fermement accrochées au volant, déterminée à reprendre le contrôle de ses émotions. Toutefois, quand elle pénétra dans son appartement, un seul regard au miroir de l'entrée lui confirma ses pires craintes — yeux brillants, joues roses… Elle était en train de succomber au charme de Luke Chancellor.

Puis, elle porta la main à son oreille et poussa un petit cri. Une de ses boucles d'oreilles en émeraude n'était plus là ! Bouleversée, elle retourna à sa voiture et la fouilla consciencieusement, mais n'y trouva rien.

Des larmes brûlantes jaillirent de ses yeux — comme par hasard, elle venait de perdre le seul joli cadeau que James lui avait fait, et surtout la seule chose qui lui rappelait pourquoi elle avait raison d'avoir barricadé son cœur.

Elle entendit la sonnerie de son portable lui annoncer l'arrivée d'un nouveau message. Elle sut qu'il venait de Gabrielle Pope sans même regarder.

> Souviens-toi juste que les plans les mieux ourdis partent souvent de travers.

Elle ferma les yeux. Tout allait de travers, comme toujours d'ailleurs à la Saint-Valentin, mais elle ne capitulerait pas !

- 6 -

Carol avait prévu d'arriver de bonne heure le lendemain matin afin de voir la tête que feraient ses employés en découvrant leurs nouveaux ordinateurs, mais la circulation et les éléments se liguèrent contre elle.

Les gros nuages rougeoyants qui traversaient rapidement un ciel menaçant paraissaient avoir un effet inverse sur les conducteurs. Un concert de Klaxon accompagnait la progression des voitures mètre après mètre et pare-chocs contre pare-chocs. A la radio, des experts en météorologie proposaient aux non-initiés des explications à cet étrange phénomène. Des théories contradictoires, évidemment, mais l'hypothèse dominante suggérait que la récente sécheresse avait provoqué une accumulation massive dans l'atmosphère de poussière provenant de l'argile rouge de Géorgie, ce qui expliquait la teinte plus ou moins surnaturelle des nuages. Quelle qu'en soit l'origine, elle aurait tout donné pour revoir un ciel bleu.

Elle ne pénétra sur le parking que quelques minutes après 8 heures. Une bise glaciale la piqua à travers son manteau et son foulard alors qu'elle se dirigeait vers le bâtiment à pas pressés. Il ne faisait pratiquement jamais aussi froid à Atlanta. C'était… insolite.

Son cœur battait de plus en plus fort alors que l'ascenseur grimpait jusqu'à son étage. L'idée de faire plaisir à ses employés lui procurait une très grande satisfaction et, soudain, elle se mit à songer aux primes avec un état d'esprit tout à fait différent. Hier soir, Luke l'avait surprise par sa chaleur et son intérêt… Peut-être s'était-elle trompée sur lui et sur ses motivations.

Les portes s'ouvrirent, et le brouhaha de voix excitées qui lui parvint aussitôt la fit sourire. Elle pénétra dans la grande salle, ravie de voir que les imprimantes et les autres périphériques avaient été installés et que de « nouveaux » ordinateurs portables étaient posés sur tous les bureaux. Tracy, qui caressait presque son nouvel ordinateur de la main, tourna vers Carol un visage rayonnant.

— Regardez un peu ça… n'est-ce pas fabuleux ?

Carol hocha la tête et ouvrait la bouche pour répondre : « Je vous en prie, ce n'est rien », quand la jeune femme poursuivit, la mine rêveuse :

— Et c'est Luke Chancellor que nous devons remercier pour tout cela.

— Luke Chancellor ? répéta bêtement Carol.

— Vous pouvez le croire, vous ? Il a apparemment passé toute la nuit à installer des machines rénovées qu'il a trouvées Dieu sait où.

— Ah, vraiment ? répliqua Carol que la colère commençait à gagner.

— Ça fait si longtemps que tout le monde dans ce département avait besoin de nouveaux ordinateurs — je sais que vous avez essayé, et tout fait, pour nous les obtenir. Luke a dû tirer énormément de ficelles pour arriver à ses fins.

— Ça, il a tiré quelque chose, ironisa Carol. Comment savez-vous que c'est grâce à lui ?

— Tout le monde le sait — tout le bâtiment. Et tout le monde attend avec impatience la fête de cet après-midi. Apparemment, c'est lui aussi qui en a eu l'idée… en même temps que celle des primes, répondit son assistante avant de lui jeter un regard méfiant et de brandir une feuille de papier : J'ai refait le mémo.

— Merci, dit Carol en le lui prenant des mains.

Alors qu'elle partait vers son bureau, le prénom de Luke lui parvint à plusieurs reprises. Les employés s'écartaient devant elle et leurs mines excitées à l'idée de leur nouveau matériel se muaient en mépris indifférent quand ils la regardaient. Le message était clair : « Luke Chancellor fait des choses pour nous, mais pas vous. » Et inutile d'essayer de se défendre, ils croiraient tous qu'elle essayait de sauver la face en s'attribuant un crédit qui ne devait revenir qu'à leur nouveau dieu : Luke Chancellor.

Lui revinrent alors les paroles prononcées par Luke la veille au soir. « Rentrez chez vous. Je vais m'occuper de tout. Au cas où quelqu'un voudrait savoir ce qui se passe, je ne veux pas que vous ayez des ennuis. »

Et dire qu'elle avait cru qu'il se montrait protecteur…

Une immense fureur s'empara d'elle alors qu'elle posait son attaché-case et suspendait son manteau à la patère. Il s'était bien moqué d'elle ! Non seulement tout le monde s'imaginait qu'elle était la seule personne à s'opposer aux primes, mais il avait en plus réussi à faire croire qu'il s'intéressait plus qu'elle à son propre département.

Des larmes brûlantes lui vinrent aux yeux, mais elle les refoula avec force. Il était hors de question que quelqu'un la voie s'effondrer. Surtout *ici*. Elle avait juste besoin de s'échapper quelques minutes afin de se reprendre avant le comité de direction. Elle envisagea un instant de filer aux toilettes, puis elle se souvint de la boucle d'oreille manquante — elle l'avait très certainement perdue la veille au soir dans la salle des fournitures. Là-bas, elle pourrait être seule.

Elle repartit vers l'ascenseur et fit de son mieux pour ignorer les regards accusateurs que lançaient les gens sur son passage — selon toutes apparences, la nouvelle s'était propagée à la vitesse de la lumière. Alors qu'elle attendait l'arrivée de la cabine, quelqu'un marmonna « Reine de glace » et le déguisa sous une quinte de toux parfaitement simulée. Quelques-uns ricanèrent. Rouge de honte et de colère, elle pénétra dans la cabine et réussit même à le faire la tête haute. Ce port altier, elle le conserva jusqu'à parvenir au sous-sol.

Là, elle constata que les préparatifs pour la réception de l'après-midi allaient bon train. Des Cupidon et des cœurs rouges étaient accrochés un peu partout et des agrandissements de cartes de vœux de la Saint-Valentin étaient appuyés contre les murs, y compris celle qu'elle avait vue sur le bureau de son assistante… « Cupidon ne fera pas de quartier… » Le personnage avait l'air encore plus menaçant en taille réelle.

Dieu merci, elle ne repéra pas Luke parmi les volontaires… mais ceux qui l'aperçurent lui jetèrent un regard dédaigneux avant de retourner à leur tâche. Piquée au vif, elle se précipita vers l'entrepôt. Elle entra le code qu'elle avait vu Luke composer et se glissa à l'intérieur.

Quand la porte se referma derrière elle, elle se laissa aller quelques instants contre la fraîcheur du battant. Quel merveilleux silence ! La semaine avait été plutôt déstabilisante et éprouvante. Si seulement il pouvait y avoir un moyen de retourner en arrière !

Malheureusement, dans la vie, il n'y a pas de télécommande.

Elle finit par tâtonner à la recherche de l'interrupteur et alluma les lumières. Les rayonnages étaient bien plus vides que la veille… la razzia opérée en faveur de son département ayant fait une grande brèche dans l'inventaire. Enfin, elle relâcha son souffle et versa quelques larmes.

Comment en était-elle arrivée là ? Elle avait toujours pensé qu'elle serait maintenant à l'apogée de sa carrière, mariée à un homme bien et peut-être même en train de commencer à fonder une famille. Au lieu de cela, elle avait l'impression d'avoir régressé jusqu'à l'époque du lycée — quoi qu'elle fasse, personne ne l'aimait.

Et elle était seule. Complètement, absolument, irrémédiablement seule.

Faute d'avoir une quelconque réponse sous la main, elle dénicha un mouchoir en papier et se moucha, puis entreprit de parcourir les travées à la recherche de sa boucle d'oreille. Plus elle cherchait, plus la frustration lui enserrait la poitrine — frustration envers James qui avait si cyniquement joué avec son cœur, et envers Luke qui avait si facilement usurpé son autorité, et l'avait abusée au moyen de quelques questions probatoires et d'une tonne de compliments.

Plus loin sur le sol, un scintillement métallique lui attira enfin l'œil. Soulagée, elle se rendit compte que c'était sa boucle d'oreille en argent et émeraudes. Elle voulut s'agenouiller pour aller la récupérer sous l'étagère du bas, mais perdit l'équilibre et heurta accidentellement le rayonnage. Il y eut un bruit sinistre au-dessus de sa tête et, quand elle leva les yeux, ce fut pour s'apercevoir que quelque chose d'énorme était en train de lui dégringoler dessus.

Elle n'eut pas le temps de se protéger, ni même de s'écarter et une douleur violente explosa dans sa tête. Puis ce fut le noir.

- 7 -

Quelqu'un secouait Carol par l'épaule.

— Madame Snow… madame Snow ?

Elle ouvrit les yeux et plissa les paupières en découvrant le visage de Tracy penché sur elle. Puis la douleur qui lui martelait la tempe lui arracha une grimace.

— Oh ! Dieu merci… elle ouvre les yeux, s'écria Tracy. Est-ce que ça va, madame Snow ?

Carol se rassit et porta une main à sa tête. Elle avait une énorme bosse.

— Je crois, oui. Je me suis penchée pour récupérer une boucle d'oreille que j'avais perdue et quelque chose m'est tombé sur la tête.

— C'est cette unité centrale, dit un jeune homme en désignant un gros carton retourné. Elle aurait pu vous tuer, vous savez. Vous avez eu beaucoup de chance.

— Qui êtes-vous ? demanda Carol en se tournant vers lui.

— C'est Stan, mon petit ami, intervint Tracy. Il travaille ici, au sous-sol, et il passait devant la porte quand il a entendu un grand vacarme. Il m'a prévenue en vous reconnaissant. Voulez-vous que j'appelle une ambulance ?

— Non, répondit Carol en se relevant à grand-peine. Je me suis juste fait une bosse sur la tête. Ça va aller.

— Vous êtes certaine ?

— Bien sûr que j'en suis certaine, riposta aigrement Carol. Il faut que j'aille à une réunion.

— En fait, le comité de direction a déjà commencé, lui répondit Tracy en consultant sa montre.

Carol épousseta ses vêtements et redressa son badge.

— En ce cas, je ferais mieux d'y aller, dit-elle en jetant un coup d'œil au petit ami de Tracy. Merci d'être venu à mon secours.

Elle s'en alla d'un pas raide, gênée d'avoir été découverte dans une telle situation pour le moins ridicule. Elle palpa la bosse qu'elle avait sur le front. Un sérieux mal de tête lui martelait le crâne et la douleur lui fit une fois encore monter les larmes aux yeux, mais elle était plus que jamais déterminée à tenir bon face à Luke Chancellor. Après un bref arrêt aux toilettes pour se recoiffer et faire en sorte de dissimuler la bosse sous ses cheveux, elle s'en fut vers la salle où avait lieu la réunion.

Lorsqu'elle poussa la porte, ses collègues relevèrent la tête vers elle et il fut très clair pour elle qu'aucun n'était particulièrement soulagé de la voir. Luke Chancellor, assis en bout de table, lui sourit.

— Nous étions sur le point d'envoyer une équipe de recherches, Carol.

— Je n'en doute pas un seul instant, répondit-elle, tout miel, avant de s'installer sur un siège libre. Désolée pour le retard.

— Nous avons entendu dire qu'un bon samaritain a équipé de nouveaux ordinateurs votre département ce matin, dit Janet, directrice du département artistique, en souriant.

Tous les regards se tournèrent vers Luke. Il leva haut les deux mains et protesta :

— C'était l'idée de Carol. Je lui ai juste… facilité les choses.

Elle manqua s'étrangler de rage — comment diable arrivait-il à faire cela ? Réussir à paraître humble et, en même temps, récolter tous les lauriers ?

— Avez-vous déjà traité de la question des primes ? demanda-t-elle afin de ramener la conversation sur le sujet et motif de cette nouvelle réunion.

Tout en parlant, elle jeta un regard méprisant à Luke.

Il s'en aperçut, et la confusion se peignit sur son visage… quel comédien !

— Nous allions justement y venir, répondit-il avant de s'éclaircir la gorge. Il est clair, je pense, que quiconque s'oppose à cette distribution de primes suit votre exemple, Carol. Alors je crois que nous pourrions couper au plus court et vous demander, à vous, si vous avez changé d'avis quant au fait de procéder à une distribution exceptionnelle de chèques de gratification.

Tous les regards se tournèrent vers elle. Celui de Luke était plein d'espoir, et elle comprit qu'il se souvenait du commentaire qu'elle avait fait la veille au soir, et selon lequel elle pourrait bien réviser sa position. Mais ça, c'était quand elle était sous le charme qu'il savait si bien diffuser à l'aide de son séduisant visage et de quelques paroles flatteuses. C'était *avant* qu'il l'ait fait se sentir stupide pour avoir cru à sa comédie, *avant* qu'il la mette dans l'embarras, *avant* qu'il lui gagne l'inimitié totale de ses employés. A présent, elle tenait peut-être sa seule chance de remettre Luke Chancellor à sa place.

— Non, je n'ai pas changé d'avis. Ni à propos des

primes, ni à propos de beaucoup d'autres choses, déclara-t-elle posément.

La déception de Luke était manifeste. Il serra les lèvres, haussa les épaules.

— Je crois que tout est dit.

— Je le crois aussi, répliqua Carol d'une voix un peu trop aiguë avant de se lever. Si c'est tout, il faut vraiment que je retourne au travail. Avec cette réception, je vais devoir faire en quatre heures ce que je fais normalement en huit.

— C'est tout, maugréa Luke entre ses dents.

Elle lui décocha un regard triomphant avant de s'en aller. Une fois parvenue dans son département, elle traversa une marée de regards meurtriers et referma la porte de son bureau derrière elle. Là, elle avala de l'aspirine, se massa les tempes dans l'espoir d'alléger son mal de tête et attendit que se calme cette sotte envie qu'elle avait de se justifier. Pourquoi ne pouvait-elle se réjouir ? Elle était parvenue à ses fins, non ? Elle venait d'apporter la preuve à Luke que son opinion avait encore de la valeur ici… et qu'il y avait au moins une femme qu'il ne pouvait pousser à se soumettre en lui faisant du charme.

Mais à présent, dans le sillage de sa démonstration de pouvoir, sa victoire lui parut étrangement vaine. Elle se secoua et essaya de se raisonner. Avec ce mal de tête, elle ne pouvait de toute façon pas éprouver le moindre bien-être. Elle savourerait son succès plus tard, en privé.

Quand elle serait seule. Complètement, absolument, irrémédiablement seule.

Elle repoussa cette pensée troublante, indiqua à Tracy par l'Interphone qu'elle ne voulait pas être dérangée, et passa la matinée immergée dans une montagne de paperasses. A un moment donné, elle décida de ne pas aller à la fête pour simplement rentrer chez elle. Elle prendrait un bon livre, un de ceux qu'elle pourrait suggérer pour la sélection du club de lecture du Cabas Rouge.

Tant qu'elle y pensait, elle en profita pour sortir son portable et envoyer un texto à Gabrielle.

Modifications de projet… séduction ANNULEE.

La réponse de Gabrielle lui parvint quelques minutes plus tard :

Abandonne-toi à l'amour, Carol.

Elle lut le message, interloquée. L'amour ? Qui avait parlé d'amour ?

Et *s'abandonner* ? Jamais !

Quelqu'un frappa à la porte et l'ouvrit sans même attendre sa réponse.

— Tracy, je vous ai dit que je ne voulais pas être dérangée, grommela-t-elle sans relever la tête de ses papiers.

— Ne lui en tenez pas rigueur, dit Luke.

Elle releva brusquement les yeux et découvrit le héros du jour debout sur le seuil de son bureau. Il désigna de la main quelque chose derrière lui.

— Tracy m'a bien dit que vous ne vouliez pas être dérangée, mais je lui ai répondu que j'assumais entièrement le fait de défier vos ordres.

Il était superbe dans son pantalon marron glacé et sa chemise bleu pâle… sans cravate. Son pouls s'accéléra et elle s'efforça de se rappeler que Luke n'était pas digne de sa confiance.

Ne. Jamais. Faire. Confiance. Aux. Hommes.

— Que voulez-vous, Chancellor ?

— Je me suis dit que ce serait sympa si nous descendions à la fête ensemble, en signe de solidarité.

Elle se leva et commença à ranger des documents dans son attaché-case.

— Je ne compte pas me rendre à la fête.

Il laissa échapper un petit rire.

— Vous n'y allez pas ? Mais pourquoi ?

— Parce que je préfère rentrer chez moi, voilà pourquoi.

— Rentrer chez vous pour quoi faire ? lui demanda-t-il. Vous plonger dans un livre ?

Ce ton moqueur était insupportable.

— Qu'est-ce que cela peut bien vous faire ? riposta-t-elle en levant les yeux vers lui alors que la colère commençait à bouillonner en elle. Enfin, vraiment, Luke, comme si cela avait de l'importance pour vous.

Il eut l'air surpris et fit visiblement machine arrière.

— C'est ça le truc, justement — ça *a* de l'importance… Même si je commence à me demander pourquoi.

Elle leva les yeux au ciel devant le grotesque de cette déclaration. Quel intérêt prenait-il à mentir ainsi ? Ne venait-il pas de la traiter de glaçon et par l'intermédiaire d'une carte anonyme en plus ?

— Oh ! épargnez-moi, Chancellor. Allez, dit-elle en le congédiant d'un geste de la main. Après tout, vous êtes l'âme de cette petite fête, le héros de l'entreprise, le tombeur de ces dames. Ne les faites pas attendre.

Elle avait insufflé dans ses paroles plus de venin qu'elle n'en avait eu l'intention, mais, une fois énoncées, il n'y avait plus moyen de les reprendre.

Luke la dévisagea un instant, le regard impénétrable, puis il marqua son assentiment d'un signe de tête et se retourna vers la porte. Elle reporta son attention sur son attaché-case et en referma brutalement le couvercle.

— Carol ?

Elle releva les yeux, surprise qu'il soit toujours là.

— Oui ?

— J'espère que vous allez changer d'avis quant à la fête.

Elle alla décrocher son manteau et l'enfila.

— Je n'en ferai rien.

— Alors, il ne me faut plus compter que sur une intervention du destin, lui répondit-il en souriant avant de sortir.

Carol le suivit des yeux, médusée, puis elle secoua la tête. Pourquoi cet homme refusait-il d'admettre le fait que son charme n'opérait pas sur elle ?

Quand elle quitta son bureau, seule Tracy demeurait dans l'open space. Assise à son bureau, l'air discipliné, elle ne cessait pourtant de jeter des coups d'œil impatients à sa montre.

— Je m'en vais, lui annonça Carol.

— Vous ne restez pas pour la fête ?

— Non.

— C'est parce que votre tête vous fait encore mal ?

Carol hésita en percevant une note compatissante dans la voix de son assistante.

— Euh… non. Mais je vous remercie, dit-elle en lui tendant une fois encore le fameux mémo ponctué de cercles rouges. Il y a encore six erreurs dans cette version.

— Vraiment ? répondit Tracy dans une grimace.

— Vraiment. Essayez de faire un effort, je vous prie.

Tracy hocha la tête.

— Faites attention en rentrant chez vous. J'ai entendu dire qu'une tempête hivernale arrive sur nous.

— Tracy, j'ai grandi ici, à Atlanta, et aucune de ces prétendues « tempêtes hivernales » ne s'est jamais matérialisée, répondit Carol en riant. Amusez-vous bien à la fête.

Sur ce, elle se dirigea vers les ascenseurs. Tous les bureaux de tous les départements étaient vides, leurs occupants étant sans aucun doute descendus au sous-sol pour faire la fête. Alors que la cabine atteignait le rez-de-chaussée, les paroles de Luke lui revinrent en tête.

« C'est ça le truc, justement — ça a de l'importance… »

Elle secoua la tête. Décidément, il était habile, elle devait au moins lui reconnaître cela. Et, elle avait beau connaître sa vraie nature de don Juan manipulateur, elle avait failli le croire.

Les portes s'ouvrirent sur le vestibule désert et elle se dirigea vers la sortie lorsqu'un grondement la fit s'arrêter net. Elle se rendit alors compte qu'un vent violent faisait trembler les doubles portes de verre. Le ciel était pratiquement violet… et les nuages rouges et bas annonçaient de violentes précipitations. De la pluie ? De la grêle ?

Ni l'une ni l'autre.

Incrédule, elle vit un gigantesque flocon de neige venir s'écraser sur le sol aussitôt balayé par un vent qui tournait à la tornade. En quelques secondes, le parking disparut derrière un épais brouillard blanc.

Un blizzard à Atlanta… impossible !

Soudain, d'autres paroles de Luke lui revinrent à l'esprit.

« Alors, il ne me faut plus compter que sur une intervention du destin. »

- 8 -

Fascinée, Carol resta un moment à contempler le spectacle irréel d'une neige épaisse tombant sur Atlanta. Puis, peu à peu, la réalité de la situation s'insinua dans son esprit : il allait lui être impossible de rentrer chez elle pour se pelotonner sur son canapé avec un bon livre érotique. Elle était bel et bien coincée dans le bâtiment de Mystic Touch. Elle n'avait donc plus que deux choix : soit retourner à son bureau et se plonger de nouveau dans ses papiers… soit aller assister à la fête donnée pour la Saint-Valentin.

La simple idée de se retrouver face à des colonnes de chiffres lui était insupportable. Un reste de migraine lui martelait encore les tempes.

Des deux maux, la fête paraissait indéniablement le moindre.

Elle retourna donc à l'ascenseur et descendit au sous-sol. Avant même l'arrêt de la cabine, elle entendit les bruits qui provenaient de la réception. Et, quand les portes s'ouvrirent, la musique montée à fond et le tonnerre de rires et de voix lui firent l'effet d'un coup en pleine figure — elle n'avait pas envie d'être là, et elle ne pouvait penser à une seule personne qui serait ravie de la voir arriver.

En sortant de l'ascenseur, elle se sentit empruntée

dans son manteau d'hiver et songea un instant à son bureau pour y déposer ses affaires. Mais elle resta pourtant plantée là, son attaché-case à bout de bras, alors que tous les autres avaient déjà à la main un verre de punch rose.

Quelques têtes se tournèrent dans sa direction, affichèrent une moue peu accueillante et se détournèrent aussitôt. Elle fit mine de ne pas réagir à cet accueil glacial, même si cela la blessait profondément, et continua à scruter l'assemblée à la recherche d'un visage amical.

Elle finit par repérer Luke. Il l'aperçut et son expression passa de la surprise à quelque chose de différent qui s'accompagna d'un sourire. Il dit quelque chose à la personne avec qui il s'entretenait, puis il vint vers elle.

Et elle se sentit bête, à présent, d'avoir tant insisté sur le fait qu'elle ne viendrait pas à la réception. Ses joues s'enflammèrent alors que Luke se plantait devant elle.

— Snow ? dit-il avec un sourire. Qu'est-ce qui vous a fait revenir ?

— La neige.

— Hein ? Je sais bien que Snow veut dire neige en anglais, mais quel rapport ?

— Il neige, dit-elle en pointant le doigt vers le plafond.

Le sous-sol étant par définition dépourvu de fenêtres, personne ici n'était encore au courant des conditions atmosphériques exécrables.

— En fait, c'est même une épouvantable tempête de neige.

— Donc, vous êtes coincée ici. Je suis désolé — vous n'avez probablement aucune envie d'être là. Tracy m'a parlé de la bosse que vous vous êtes faite à la tête. Vous auriez dû me dire que c'était pour cela que vous ne vouliez pas venir à la réception. Je vous aurais fichu la paix.

Sa mine préoccupée la prit de court, et elle fut tout à coup incapable de prononcer le moindre mot.

— Permettez que je vous débarrasse de votre manteau et de votre sac, dit-il en l'aidant à enlever le lourd vêtement. On va les mettre dans la salle aux fournitures.

Elle le suivit lentement et, l'espace d'un court instant, elle se demanda si les gens les regardaient alors qu'ils disparaissaient dans le couloir. Mais, hélas, toutes les personnes présentes semblaient résolues à l'ignorer.

Lorsque la lourde porte se fut refermée sur eux, elle sentit son cœur s'accélérer.

— Luke, mais que faites-vous ?

Il alluma les lumières et lui sourit.

— Désolé. J'en fais trop, je sais, mais je voulais juste vous donner un cadeau de Saint-Valentin, dit-il en suspendant son manteau à une patère.

Il tendit le bras vers un rayonnage élevé et y récupéra une boîte de chocolats en forme de cœur. Puis il se retourna vers elle, l'air presque timide.

— Je sais que ça peut paraître bête, mais, quand je l'ai vue, elle m'a fait penser à vous.

Bien malgré elle, elle rougit de plaisir — jusqu'à ce qu'elle pose les yeux sur la boîte. Un énorme flocon de neige en décorait le couvercle. C'était-elle. Froide… comme un glaçon. La carte qu'il avait glissée dans son cabas rouge lui revint à la mémoire.

— Très drôle, dit-elle en lui rendant la boîte.

— Que voulez-vous dire ? lui demanda-t-il, la mine perplexe.

Une douleur cuisante lui vrillait la poitrine.

— J'ai compris l'allusion, froide comme la glace. Je sais ce que les gens disent de moi, je connais le surnom qu'ils m'ont donné — la Reine de glace, précisa-t-elle en tendant la main vers son manteau. C'était une très mauvaise idée de venir ici… je crois que je vais attendre la fin des intempéries dans mon bureau.

— Eh, dit-il en refermant les doigts sur son poignet.

Elle se retourna et le regarda.

— Ce n'est pas ce que je pense de vous, dit-il, le regard pensif. J'ai acheté ces chocolats à cause du flocon… vous suivez ? Le flocon… de neige, Snow ?

Il paraissait sincère et elle se sentit un peu bête. Après tout, sous ses airs rebelles, Luke était assez formel et c'était tout à fait son genre d'offrir des chocolats à ses collègues pour la Saint-Valentin. Une attention de pure forme, destinée à créer des liens professionnels harmonieux.

— Je suis désolée d'avoir mal réagi, dit-elle. C'est une bonne idée que vous avez eue d'acheter des chocolats pour d'autres collègues.

— Non, dit-il en l'attirant plus près de lui. Juste pour vous, Snow.

Et elle vit sa bouche se pencher dangereusement vers la sienne. Elle s'attendit à ce qu'il se reprenne, mais il n'en fut rien et, soudain, ses lèvres chaudes furent sur les siennes. Et, au contact de la langue de Luke contre la sienne, une onde de choc se propagea dans tout son corps. Cela faisait si longtemps qu'elle n'avait plus éprouvé des sensations pareilles que tout lui sembla nouveau… et frais. Le pouvoir extrême du baiser de Luke la fit tituber.

Il releva la tête, la regarda au fond des yeux avant de dire :

— Cela fait si longtemps que j'avais envie de le faire.

Le souffle court, elle lutta pour essayer de recouvrer une respiration normale. Les mots ne parvenaient pas à se former sur sa langue. Comment pourrait-elle lui dire ce qu'il venait tout juste d'éveiller en elle… qu'il avait déchaîné une réaction cataclysmique au plus profond d'elle-même… qu'il l'avait réveillée tout simplement ? Il ne pouvait savoir à quel point elle avait nié et refoulé toute sa sensualité… et l'émerveillement que c'était pour elle de la voir ressusciter.

— Si vous voulez me donner une gifle, allez-y, dit-il en esquissant un sourire.

Elle leva la main… mais ce fut pour la refermer sur sa nuque et l'attirer résolument à elle.

Le gémissement que poussa Luke se répercuta dans tout son être. Il l'attira violemment à lui et la douceur de leur premier baiser laissa place à une frénésie bien plus brûlante. Les mains de Luke valsaient sur son corps, la caressant, la touchant, l'effleurant comme s'il cherchait à prendre possession d'elle. Elle ne résista pas, au contraire même, elle rendit chacune de ses caresses, savourant la fermeté de ce corps viril et puissant, sa douceur aussi. Soudain, il posa les mains sur ses hanches et la plaqua contre lui, ou plutôt contre son sexe déjà dur et palpitant. La preuve évidente de ce qu'ils étaient sur le point de faire la rendit littéralement folle de désir. Il l'empoigna par la taille, la souleva et la jucha sur une table proche, puis il fit remonter sa jupe pour lui permettre d'écarter les cuisses.

— Arrêtez, dit-elle en désignant la porte du menton. Et si quelqu'un connaissait le code pour entrer ?

Il l'abandonna juste le temps de caler un dossier de

chaise sous la poignée, puis revint se positionner entre ses jambes.

Dans le brouillard de désir qui l'enveloppait, elle entendit le bruit de ses chaussures tomber sur le sol. Elle prit appui sur la table des deux mains plaquées sur sa surface et resserra les genoux autour des hanches de Luke. Ses seins, son sexe, l'intégralité de son corps, vibraient d'impatience et d'anticipation.

— Oh ! non, murmura-t-il soudain avant de porter une main à sa tête. Les préservatifs, je n'en ai pas. Que je suis désolé…

Elle tressaillit, et attira de nouveau sa bouche à la sienne.

— Alors, on va devoir faire preuve de créativité, répondit-elle.

Elle prenait un énorme risque, elle le savait. Elle n'était pas particulièrement expérimentée, et James n'avait jamais été du genre aventureux quand il était question de sexe. Elle ne pourrait compter que sur ce qu'elle avait lu dans les livres. Pourvu que son enthousiasme parvienne à pallier son manque d'expérience.

La réaction de Luke ne se fit pas attendre, il lui prit la bouche en un baiser passionné, puis il fit courir ses lèvres le long de son cou et défit les boutons de son chemisier blanc jusqu'à dévoiler son soutien-gorge de dentelle. Elle sentit son souffle contre sa peau, alors qu'il reprenait sa respiration. Un gémissement lui échappa quand il passa sa langue juste sous la frêle dentelle. Elle ne tint pas longtemps à ce petit jeu cruel et détacha l'agrafe frontale pour offrir sa poitrine à ses caresses.

Luke ne se fit pas prier et s'empara d'un de ses seins dont il cajola le mamelon de la langue avant de l'aspirer entre ses lèvres, la faisant frissonner de plaisir.

Cependant, l'urgence du désir était trop forte et elle en voulait plus, bien plus et elle sentait que Luke non plus n'aurait pas la patience. Il fit remonter sa jupe autour de sa taille et entreprit de faire glisser son collant et sa petite culotte le long de ses jambes. Elle écarta les jambes pour mieux lui abandonner son sexe et, quand il s'agenouilla et y donna un premier coup de langue, elle enfonça les doigts dans ses épaules. Alors, elle ne fut plus capable de penser… plus capable de parler… elle ne fut plus que sensations et gémissements, entièrement à la merci de cette caresse voluptueuse. C'était la première fois qu'un homme lui faisait cela et les sensations qui se bousculaient en elle étaient si étourdissantes qu'elle ne put que s'y laisser aller.

Il se mit à titiller son clitoris, ses caresses se faisant tantôt légères, parfois plus appuyées et lentement, mais avec une force qui la bouleversa, elle sentit l'orgasme monter en elle. Carol l'encouragea au moyen de gémissements tandis que la vague brûlante montait, montait, menaçant de tout submerger. Bientôt, son sexe se contracta et son corps fut traversé par un orgasme comme elle n'en avait jamais connu auparavant.

Elle se mordit la main pour étouffer ses cris, tout en étant consciente que le vacarme de la réception couvrirait à peu près n'importe quel bruit. Luke ne semblait pas pressé de se relever, mais elle l'était de lui donner également du plaisir, aussi l'obligea-t-elle doucement à se remettre debout. Puis elle dégrafa son pantalon et libéra son sexe dur et gonflé.

Quand elle referma les mains sur lui, il gémit, les yeux voilés de désir. Elle se laissa glisser à genoux devant lui. Elle n'avait encore jamais fait une chose pareille mais, d'après ce qu'elle avait lu, on pouvait difficilement se tromper en faisant une fellation à un homme. Elle commença par le caresser, puis le prit maladroitement dans sa bouche, surprise que la peau tendue de son sexe soit si soyeuse. Il lâcha un grognement de plaisir et contracta les cuisses. Elle prit conscience de sa tension alors qu'il la laissait adopter son rythme. Elle le caressa de la langue, guidée par ses soupirs. C'était si agréable de lui donner oralement du plaisir, de lui faire éprouver ce qu'il venait de lui faire éprouver.

Quand dans un souffle il lui murmura qu'il n'allait plus tarder à jouir, elle comprit qu'elle avait dû faire ce qu'il fallait. Il la remit sur ses pieds et la serra contre lui alors qu'il prenait les choses en main. Il lui embrassa le cou, les épaules, puis elle le sentit se tendre et tressaillir contre son ventre. Il la tint serrée contre lui alors que sa respiration s'apaisait, puis il lui soupira à l'oreille :

— Eh bien, murmura-t-il, que vient-il donc de se passer ?

Elle se raidit. Peut-être fut-ce le son de sa voix qui rompit le charme. Peut-être fut-ce la sensation de son sperme qui coulait sur son ventre. Peut-être fut-ce la prise de conscience qu'ils se trouvaient dans une salle des fournitures, tout près de leurs collègues qui devaient d'ailleurs se demander ce qu'ils étaient en train de faire. Mais peu importait les raisons au fond, le poids du remords s'abattit sur ses épaules avec une force qui la déstabilisa. Qu'avait-elle fait ?

Luke s'écarta d'elle, sortit un mouchoir de sa poche arrière et entreprit de lui nettoyer le ventre.

— Viens dîner avec moi demain soir, lui dit-il d'un ton pressant.

L'esprit en pleine confusion, elle rajusta ses vêtements.

— Demain… Vous voulez dire le soir de la Saint-Valentin ?

— Oui.

Elle lui tourna le dos pour enfiler sa petite culotte et son collant aussi rapidement et aussi discrètement que possible dans un espace si confiné. Ainsi, cela ne dérangerait pas Luke de laisser tomber la « dame » avec qui il devait déjà passer la soirée. C'était tellement typique d'un homme, une pareille attitude. Toutefois, elle savait ce que c'était de se trouver de l'autre côté de cette équation… tout comme elle savait qu'elle serait juste une autre conquête, Luke ayant la spécialité de semer les cœurs brisés dans son sillage. Pour autant qu'elle le sache, cette pièce était peut-être l'endroit où il avait l'habitude d'amener ses conquêtes.

La panique s'empara d'elle… mais quelques instants seulement jusqu'à ce qu'elle comprenne que la situation s'insérait parfaitement dans son plan initial, celui dans lequel elle avait prévu de le séduire, puis de le laisser tomber. Elle lui refit face et s'obligea à adopter un ton nonchalant quand elle prit la parole :

— Je ne pense pas. Voyez-vous, c'était l'occasion idéale de satisfaire ma curiosité, mais je ne suis plus curieuse maintenant, dit-elle en arborant une expression blasée.

Le visage de Luke se décomposa.

— Euh… D'accord.

— Pourquoi ne sortiriez-vous pas en premier, au cas où quelqu'un traînerait dans le coin ? ajouta-t-elle en glissant ses pieds dans ses chaussures.

— D'accord.

Il marqua une hésitation, vérifia une dernière fois sa tenue et se dirigea vers la porte.

Lorsqu'il eut tourné les talons, elle poussa un profond soupir et ferma les yeux. Elle l'avait échappé belle. Coucher avec Luke Chancellor n'avait peut-être pas été la chose la plus intelligente qu'elle ait jamais faite, mais penser que cela voulait dire quelque chose serait une épouvantable erreur.

— Carol.

Elle prit soin d'arborer un masque impassible avant de se retourner.

— Oui ?

— Quoi qu'il t'ait fait, j'en suis désolé.

— De qui parlez-vous ?

— Je l'ignore, répondit Luke en éludant d'un mouvement d'épaule. Je ne sais pas qui t'a fait autant de mal.

Trop choquée, elle fut incapable de répliquer, mais de toute façon il n'avait pas attendu sa réponse. La porte se referma sur lui.

Secouée par ses paroles… et furieuse, elle serra les poings. Ainsi donc voilà l'explication qu'il avait trouvée ? Si une femme ne se laissait pas emporter par le beau et magnifique Luke Chancellor, c'était forcément parce qu'elle avait un problème ! Cette réaction ne fit que renforcer sa décision de ne pas dîner avec lui, ni entretenir le faux espoir qu'un épisode sexuel, aussi explosif qu'il ait été, pourrait conduire à quelque chose de plus sérieux.

Elle se passa la main dans les cheveux et se rendit compte avec un certain soulagement que son mal de tête avait disparu. La bosse avait également disparu. Au moins avait-elle de quoi se réjouir dans une journée par ailleurs vraiment désastreuse.

Un scintillement métallique attira son regard — sa boucle d'oreille en argent et émeraudes. Avec tout ce qui s'était passé ce matin, elle avait négligé de la récupérer. Elle s'accroupit pour la reprendre sous l'étagère du bas, mais perdit l'équilibre. Cette fois, elle sut tout de suite ce qui n'allait pas manquer de se produire, mais, pas plus que ce matin, elle ne put s'échapper ni esquiver l'énorme objet qui lui tomba dessus.

- 9 -

— Carol… Carol ?

La voix ne lui était pas inconnue… mais sortie de son contexte. Carol ouvrit les yeux et sursauta en découvrant le visage de Gabrielle Pope penché sur elle. Qu'est-ce qu'elle faisait là ? Puis de nouveau, cette douleur qui lui martelait la tempe.

— Oh ! bien… Tu n'es pas morte, dit Gabrielle.

— Que fiches-tu ici ? voulut savoir Carol.

— Je suis juste passée te donner un coup de main.

— Un coup de main pourquoi faire ?

— Peux-tu t'asseoir ?

— Je pense.

Carol se rassit et porta une main à sa tête. Elle ne fut pas surprise d'y trouver une bosse.

— Ouille.

— Ça a l'air douloureux, dit Gabrielle. Je devrais peut-être appeler une ambulance.

— Non, répondit Carol en se remettant péniblement debout. C'est juste une bosse. Ça va aller. De toute façon, il faut que je retourne à mon bureau.

— Attends, répondit Gabrielle. Il faut d'abord que je te montre quelque chose.

— Quoi donc ?

— Un souvenir d'une Saint-Valentin passée, lui

annonça Gabrielle en désignant du doigt un écran d'ordinateur posé par terre.

Confuse, Carol vit l'écran s'allumer et afficher l'image d'une femme assise seule à une table de restaurant, manifestement en train d'attendre quelqu'un.

— Mais c'est moi ! dit Carol en manquant de s'étrangler.

Gabrielle hocha la tête.

Soudain, Carol comprit ce qu'elle regardait.

— Je ne veux pas voir ça, dit-elle en détournant la tête.

Mais où donc Gabrielle avait-elle pu dénicher ce film ? C'était de la science-fiction, ni plus ni moins.

— Il le faut, répliqua gentiment, mais fermement, Gabrielle.

A contrecœur, Carol retourna le regard vers l'écran. La femme assise à cette table de restaurant avait l'air bien plus jeune… elle avait le visage plein d'espoir… elle semblait amoureuse. Gabrielle se pencha et tourna le bouton de volume sonore.

Un jeune homme blond et très beau s'approcha de la table et se pencha pour poser un baiser sur la tempe de la jeune femme avant de lui dire :

— Bonsoir, chérie.

Carol sentit son cœur se serrer. James… Cela faisait si longtemps qu'elle n'avait pas entendu sa voix qu'elle en avait presque oublié son timbre. Une musique céleste.

— Joyeuse Saint-Valentin, dit-il encore en faisant glisser un petit paquet-cadeau sur la table.

Carol se souvint de l'accélération de son rythme cardiaque à la vue de la taille du paquet et à la pensée que peut-être… non, à l'espoir qu'elle avait eu d'y découvrir une bague. Elle avait ouvert le paquet avec des mains tremblantes et, même si la déception lui avait fait monter les larmes aux yeux en découvrant les boucles d'oreilles en argent et émeraudes, elle avait réussi à afficher un sourire éclatant et à s'émerveiller de ce cadeau.

— Les émeraudes sont les pierres de l'amour heureux, avait-il dit.

Elle les avait mises à ses oreilles et s'était penchée pour le remercier d'un baiser. Ils avaient commandé à boire puis elle avait elle-même sorti un paquet-cadeau de son sac.

— Joyeuse Saint-Valentin, avait-elle dit en le poussant vers lui sur la table.

L'estomac noué, Carol regardait cette version plus jeune d'elle-même.

Sur l'écran, James ouvrait l'écrin et prenait l'air surpris.

— Une bague ? Oh ! je l'adore, chérie.

Nul besoin de suivre l'image, elle se rappelait la scène dans ses moindres détails. Il avait sorti l'anneau massif en forme de fer à cheval serti de petits diamants de sa boîte et se l'était passé au doigt.

— Merci, avait-il dit en se penchant pour un autre baiser.

Elle avait gigoté sur sa chaise avec nervosité et avait précisé :

— En fait, ce n'est pas juste une bague.

— Ah ? avait dit James, perplexe.

— En fait… j'espérais… enfin plutôt, je me demandais…

— Oui ? Qu'y a-t-il, ma chérie ?

— James… veux-tu m'épouser ?

En revoyant tout cela, Carol laissa échapper un

gémissement plaintif. Elle ne savait que trop ce qui allait ensuite se passer.

James avait baissé les yeux, puis pris son temps pour prendre son verre. Finalement, il avait saisi sa serviette pour éponger la sueur sur son front. Elle avait alors remarqué que de pâle, son teint avait viré au gris.

— James ? avait-elle dit. Quelque chose ne va pas ?

Il avait tendu le bras par-dessus la table pour lui prendre la main.

— Non, enfin… si. Je voulais te dire quelque chose, mais le moment ne m'a jamais semblé idéal.

Elle se remémora qu'à cet instant, elle avait eu très peur que James lui annonce qu'il était atteint d'une maladie incurable. Dieu du ciel, elle avait été d'une telle naïveté…

— Quoi que ce soit, dis-le-moi maintenant, avait-elle répondu.

— Ce n'est pas facile à dire, mais… je vois une autre femme et… elle est enceinte de mon enfant.

Elle était incapable de détourner le regard, fascinée par cette version plus jeune d'elle-même et la myriade d'émotions qui jouaient sur son visage — incrédulité, choc, douleur, colère. Elle avait arraché sa main de celle de James comme s'il l'avait brûlée.

— Tu mens !

James avait vidé son verre d'un trait, puis l'avait reposé bruyamment sur la table.

— Je suis désolé, mais je dois faire mon devoir. Elle et moi allons nous marier. Je pense qu'il vaut mieux que j'y aille maintenant. A bientôt.

Sur ce, il s'était levé et avait disparu.

Elle s'était toujours demandé de quoi elle avait eu l'air ce soir-là aux yeux des autres clients… assise là, en tenue de soirée, avec aux lobes les boucles d'oreilles que venait de lui offrir James et sur le visage un masque d'incrédulité. A présent, elle le savait. On aurait dit qu'elle avait reçu un coup de poing dans le ventre, ou alors qu'elle s'attendait à ce que James revienne en lui disant qu'il lui avait fait une bonne blague. En fait, elle était restée, elle avait commandé et mangé son repas toute seule au cas où James reviendrait.

Ce que, bien sûr, il n'avait pas fait.

Ce fut à ce moment-là qu'elle se rendit alors compte qu'elle pleurait.

— A part le jour où j'ai perdu mes parents, ça a été la pire soirée de mon existence.

— Je sais, répondit doucement Gabrielle. Et je suis navrée de t'obliger à la revivre. Mais tu as besoin de savoir et de voir que tu n'es pas responsable de ce que James a fait. Ce comportement irresponsable et inqualifiable était le sien. Tu n'avais rien fait de mal.

— Je lui faisais confiance, dit Carol. Ça, c'était une erreur.

— Lui faire confiance était peu judicieux, certes, mais ce n'était pas mal, la corrigea Gabrielle. Il n'y a jamais rien de mal à aimer. Tant pis pour James s'il a tiré avantage de ton amour au lieu de te le rendre.

Cependant, le cœur de Carol ne s'était pas encore remis de cette injustice. James l'avait menée en bateau pendant des années, il lui avait donné des raisons de croire qu'ils avaient un avenir à deux et, pendant ce temps-là, il avait noué une relation avec une autre femme à qui il avait fait un enfant. Avec le recul, une question lui vint à l'esprit : lui aurait-il jamais parlé de cette autre femme si elle ne l'avait pas demandé en mariage ?

Quand la douleur devint trop intolérable, elle se détourna de l'écran et dit :

— Il faut que j'y aille.

— Très bien, répondit Gabrielle. Mais, n'oublie pas, il n'y a jamais rien de mal à aimer.

Carol s'en fut à la porte de la salle des fournitures et sortit dans le couloir en secouant la tête, encore interloquée par ce qu'elle venait de vivre.

De ce qu'elle venait de… rêver. Oui, rêver serait un terme plus approprié. En repartant vers l'ascenseur, elle leva la main pour toucher son front, assaillie par un horrible soupçon. Elle venait d'avoir une hallucination, c'était la seule explication à la présence de Gabrielle, à ce film surgi du passé.

Elle poussa un soupir de soulagement en découvrant qu'elle avait sur le front une grosse et belle bosse. Elle avait reçu un coup, ça c'était un fait et c'était sans doute aussi ce qui expliquait qu'elle ait rêvé toute cette scène avec Gabrielle.

Mais, en s'approchant de l'ascenseur, sa panique ne fit que croître. Des gens allaient et venaient en transportant des ballons en forme de cœur et collaient des affiches de Cupidon aux murs. Comme s'ils préparaient une fête… La fête !

Tout en se faisant cette réflexion, elle sursauta. La réception avait déjà eu lieu… n'est-ce pas ?

Elle s'immobilisa et reporta les yeux sur les préparatifs, de plus en plus désorientée. Les volontaires qui s'aperçurent de sa présence lui jetèrent un regard dédaigneux avant de retourner à leur tâche. En dépit de sa confusion, elle trouva ce détail plutôt rassurant. Tout se mélangeait dans sa tête, mais une chose demeurait certaine : ses employés lui en voulaient toujours autant.

Dans l'ascenseur, elle procéda à quelques opérations de calcul mental pour essayer de s'éclaircir les idées. Elle compta à rebours de cent à zéro par multiples de neuf… elle se récita la liste des présidents des Etats-Unis.

Visiblement, elle avait encore toute sa tête.

Les portes s'ouvrirent, et elle pénétra dans son département, où Tracy leva les yeux de son bureau et de son nouvel ordinateur. En fait, tout le monde semblait concentré sur les nouveaux équipements que Luke et elle avaient récupérés dans l'entrepôt.

— D'après ce que j'ai entendu, Luke Chancellor a passé la nuit à installer ces machines pour nous, lui dit Tracy, des étoiles dans les yeux. Quand vous le verrez, faites-lui un gros bisou pour moi, voulez-vous ?

— Je vous demande pardon ? fit Carol.

Cette fois, il n'y avait plus de doute possible, elle était bel et bien en train de revivre exactement la même journée que la veille. Comme dans ce film avec Bill Murray.

— Oui, au comité de direction, précisa Tracy en jetant un coup d'œil à la pendule murale. Vous allez être en retard.

— Euh, Tracy… quel jour sommes-nous ? demanda Carol en se massant les tempes.

Tracy la dévisagea attentivement, les yeux plissés.

— Vendredi 13 février. Est-ce que ça va, madame Snow ?

— Oui, mentit Carol.

A la vérité, elle ne se sentait pas bien du tout et un solide mal de tête lui martelait les tempes. Après un bref arrêt aux toilettes pour se recoiffer et dissimuler la bosse sous ses cheveux, elle se dirigea vers la salle de réunion tout en se demandant quand elle allait sortir de cet horrible cauchemar.

Ses collègues relevèrent la tête vers elle, et lui lancèrent des regards qui allaient de l'indifférence la plus totale à une certaine défiance. Bien, comme d'habitude, personne n'était vraiment content de la voir. Elle repéra Luke qui était assis en bout de table. C'était la première fois qu'elle le revoyait depuis qu'elle l'avait vu nu et elle fut presque surprise de le trouver tout habillé. Elle pria pour que la situation ne devienne pas gênante.

Il lui sourit.

— Nous nous apprêtions à envoyer une équipe de recherches, Carol.

Cette remarque la déstabilisa complètement. Il avait dit exactement la même chose lors de la réunion de… Mais quelle réunion d'ailleurs ? Elle ne savait plus où elle en était. Demain ? Aujourd'hui ? Hier ?

— Désolée pour le retard, répondit-elle d'un ton sec et emprunté avant de s'installer sur un siège libre.

— Nous avons entendu dire qu'un mystérieux bienfaiteur a équipé de nouveaux ordinateurs votre département ce matin, dit Janet, directrice du département artistique, en souriant.

Tous les regards se tournèrent vers Luke. Il leva haut les deux mains et protesta :

— C'était l'idée de Carol. Je lui ai juste… facilité les choses.

Elle scruta tout le monde d'un air soupçonneux. C'était exactement les mêmes répliques. Elle se rappelait même que cette dernière remarque de Luke l'avait beaucoup agacée.

Et puis pourquoi se comportait-il comme si de rien était, comme si elle ne venait pas de lui faire une formidable fellation, comme s'ils ne venaient pas de s'offrir mutuellement un orgasme incroyable ?

— Nous étions sur le point de procéder à un nouveau vote quant à la question des primes, dit Luke en bon professionnel. Il est clair, je pense, que quiconque s'y oppose suit votre exemple, Carol. Alors je crois que nous pourrions couper au plus court et vous demander, à vous, si vous avez changé d'avis au sujet des primes.

Tous les regards pesèrent sur elle. Carol tourna la tête à droite, puis à gauche, afin de voir si quelqu'un d'autre se souvenait d'avoir déjà participé à cette même réunion.

— Non, je n'ai pas changé d'avis, répondit-elle prudemment, avec l'impression de nager en plein délire.

Tandis que Luke faisait part de sa déception, employant exactement les mêmes mots qu'elle lui avait déjà entendu dire lors de la première réunion, la vision de son érection, de ces petits gémissements qu'il poussait en atteignant l'orgasme s'imposa dans son esprit.

A moins que… Cet épisode, l'avait-elle rêvé également ?

— Auriez-vous quelque chose d'autre en tête ? lui demanda Luke, la tirant de ces réflexions.

« Ces petites merveilles que vous faites avec votre langue… »

— Euh… Non.

Elle se leva et quitta la salle de réunion. En regagnant son bureau, elle se massa les tempes en espérant remettre un peu d'ordre dans ses idées et comprendre ce qui était en train de se passer.

Tout se mélangeait dans sa tête et la seule explication possible c'était que ce deuxième coup qu'elle avait reçu altérait ses perceptions. La temporalité se mélangeait dans son esprit, mais elle ne rêvait pas. Le souvenir du plaisir qu'il lui avait donné, de sa langue caressant son sexe était trop vivace pour n'être qu'un fantasme.

Elle appuya sur le bouton de l'Interphone et indiqua à Tracy qu'elle ne voulait pas être dérangée, puis se plongea dans ses dossiers.

Tout en réfléchissant à cette incroyable journée, elle en profita pour sortir son portable et envoyer un texto à Gabrielle.

> Séduction réussie. Détails suivront.

La réponse de Gabrielle lui parvint quelques minutes plus tard :

> Abandonne-toi à l'amour, Carol.

C'était le même message que Gabrielle lui avait déjà envoyé… mais quand d'ailleurs, devrait-elle dire la veille ? Un peu plus tôt ? En tout cas, comme la première fois, l'utilisation du mot *amour* la fit tiquer tout aussi violemment. Et *s'abandonner* ? Jamais !

Quelqu'un frappa à la porte et bien qu'elle sache que c'était Luke, elle grommela pour la forme :

— Tracy, je vous ai dit que je ne voulais pas être dérangée.

— Ne lui en tenez pas rigueur, dit Luke. Tracy m'a bien dit que vous ne vouliez pas être dérangée, mais je lui ai répondu que j'assumais entièrement le fait de défier vos ordres.

Les mêmes propos… mot pour mot ! C'était incroyable !

— Que voulez-vous, Chancellor ?

— Je me suis dit que ce serait bien si nous descendions à la réception ensemble, en signe de solidarité.

Elle se leva et commença à ranger des documents dans son attaché-case.

— Je ne compte pas me rendre à la réception.

Il laissa échapper un petit rire.

— Vous n'y allez pas ? Mais pourquoi ?

— Parce que je préfère rentrer chez moi, voilà pourquoi.

— Rentrer chez vous pour quoi faire ? lui demanda-t-il. Vous plonger dans un livre ?

Là encore, elle avait beau l'avoir anticipé, son ton moqueur l'irrita au plus haut point.

— Qu'est-ce que cela peut bien vous faire ? riposta-t-elle en levant les yeux vers lui alors que la colère commençait à monter en elle. Enfin, vraiment, Luke, comme si cela avait de l'importance pour vous.

Il eut mouvement de recul.

— C'est ça le truc, justement — ça *a* de l'importance... Même si je commence à me demander pourquoi.

Il mentait encore et toujours et elle avait une carte de vœux ornée d'un glaçon pour le prouver. Il la trouvait froide, pourquoi ne l'admettait-il pas ouvertement ?

— Vous avez terminé, Chancellor ? Parce que j'ai du travail. Allez, filez à votre petite fête, ces dames vous attendent.

Elle était furieuse, hors d'elle.

— Qu'ai-je fait, exactement, pour que vous soyez si désagréable ? lui demanda Luke.

— Eh bien, pour commencer, vous avez dit à tout le monde que c'était à cause de moi que personne n'aurait de prime.

— Je ne l'ai pas dit à tout le monde ! riposta-t-il. En fait, je ne l'ai dit à *personne*. Huit autres directeurs étaient présents dans cette salle de réunion. Mais, puisque vous abordez le sujet, *n'êtes-vous* pas la raison pour laquelle personne n'aura de prime ?

Elle referma sèchement son attaché-case.

— J'ai voté contre parce que je pense qu'il y a bien mieux à faire avec l'argent de la société.

— Je sais — vous avez dit que votre département avait besoin de nouveaux équipements, et je vous ai aidée à les avoir. Pourquoi avez-vous encore voté non ?

— Voici une deuxième raison : tous mes employés vous considèrent comme une espèce de héros.

— Et ce serait une mauvaise chose ?

— A mes dépens.

Il laissa échapper un petit rire.

— Pourquoi ne leur avez-vous pas dit que vous m'avez aidé ? C'est vous qui avez établi l'inventaire, vous qui saviez quel genre d'équipement avaient vos employés et de quel genre ils avaient besoin.

Elle éluda sa remarque d'un geste.

— Je… Il n'est pas question que j'attire la couverture à moi !

— Je renonce, dit Luke en secouant la tête avant de se diriger vers la porte.

La main sur la poignée, il se retourna vers elle.

— J'espère que vous allez changer d'avis et que vous allez quand même venir à la fête.

Elle enfila son manteau.

— Ne vous bercez pas d'illusions !

— A moins qu'il n'y ait une intervention divine ? lui répondit-il en lui décochant un dernier sourire avant de tourner les talons.

Un souvenir lui revint brusquement à l'esprit — le blizzard ! Elle l'avait complètement oublié. Peut-être pourrait-elle partir avant. Elle rassembla ses affaires et sortit en trombe de son bureau. L'open space était vide à l'exception de Tracy qui, assise sagement à son bureau, n'en jetait pas moins des regards impatients à sa montre.

— Je m'en vais, lui annonça Carol. Et voici le mémo qu'il va vous falloir refaire.

Elle jeta la feuille de papier sur le bureau de son assistante.

— Vous ne restez pas pour la fête ?

— Non !

— Faites attention en rentrant chez vous, lui cria Tracy alors qu'elle partait. J'ai entendu dire qu'une tempête hivernale arrive sur nous.

Une fois dans l'ascenseur, Carol poussa un profond soupir. Quelle journée ! Elle avait hâte de rentrer chez elle. Nul doute qu'une bonne soirée et une bonne nuit de sommeil la remettraient d'aplomb et surtout interrompraient cette étrange malédiction qui la contraignait à revivre encore et encore les mêmes scènes.

Mais ce qui la turlupinait surtout c'était Luke… Elle ne savait plus où elle en était avec cet homme. Sa vengeance était en train de lui échapper… Elle repensa à ce qu'il venait de lui dire… Pour la deuxième fois… Et qui la touchait bien plus que de raison.

« C'est ça le truc, justement — ça a de l'importance… »

Elle secoua la tête. Elle ne voulait pas avoir de l'importance pour lui. Elle n'avait pas besoin de se compliquer la vie avec un homme qui s'intéressait à elle. Parce que même s'il s'intéressait à elle maintenant, en ce moment précis, cela ne durerait pas.

Agacée pas la lenteur de l'ascenseur, elle se précipita vers la sortie dès que les portes s'ouvrirent, dans l'espoir d'arriver avant le début de la tempête. Si tant est qu'il y ait de nouveau une tempête. Après tout c'était déjà assez étonnant une première fois… Une tempête à Atlanta ! Elle aurait vraiment tout vu !

Mais à peine avait-elle fait deux pas qu'elle entendit un grondement caractéristique. Ce son, elle le connaissait, pour l'avoir déjà entendu. Et, bien sûr, elle n'eut pas besoin de lever les yeux pour voir le ciel se parer de violet et d'énormes flocons de neige commencèrent à tomber sur le sol, duquel ils étaient balayés par un vent qui tournait à la tornade. En quelques secondes, le parking disparut derrière un épais brouillard blanc.

Un deuxième blizzard à Atlanta… impossible et pourtant c'était là sous ses yeux.

Le destin frappait une fois encore.

- 10 -

Elle resta un moment figée, à contempler le spectacle irréel de cette neige épaisse tombant sur Atlanta. Spectacle qui ne signifiait qu'une chose : elle allait bel et bien devoir revivre cette journée jusqu'au bout. Une question troublante lui envahit l'esprit : allait-elle revivre aussi ce moment merveilleux entre les bras de Luke ?

Elle se rappela le choix qu'elle avait dû faire la première fois : aller à la fête ou remonter dans son bureau. Elle pouvait en effet tenter le sort et remonter étudier ses colonnes de chiffres. Mais le reste de migraine résultant du coup sur la tête qu'elle avait pris le matin était encore assez fort et l'idée de remonter se plonger dans la paperasse lui fut soudain insupportable.

Des deux maux, la réception lui paraissait encore indéniablement le moindre… Peut-être pourrait-elle résister à Luke ?

Elle retourna donc vers l'ascenseur. Les bruits de la fête lui parvinrent avant même l'arrêt de l'ascenseur. Tout le monde avait l'air de beaucoup s'amuser. Quand les portes s'ouvrirent, elle eut un mouvement de recul. La musique, les rires, tout était aussi fort que la première fois. Et elle se prépara à affronter exactement les mêmes regards malveillants, le même mépris.

Prenant une profonde inspiration, elle sortit de

l'ascenseur, un peu gauche avec son gros manteau sombre et toutes ses affaires alors que partout autour d'elle des gens hilares allaient et venaient avec des verres de punch.

Quelques têtes se tournèrent dans sa direction, firent une moue peu accueillante et se détournèrent aussitôt. Pourquoi n'était-elle pas surprise ? Elle ignora la rebuffade flagrante, ravala la déception et l'amertume que cela réveillait en elle et essaya de se mêler à la foule.

Elle repéra Luke presque tout de suite. Il l'aperçut et son expression passa de la surprise à quelque chose de différent qui accompagna un sourire. Il murmura quelque chose à l'attention de son interlocuteur et se précipita vers elle.

Il semblait sincèrement ravi de la voir. Etait-il possible qu'il se rappelle leur étreinte et qu'il veuille remettre cela ? Mais, à bien y réfléchir, il n'avait pas du tout l'air d'un homme qui connaissait la matière et la forme de ses sous-vêtements.

— Snow ? dit-il avec un sourire. Qu'est-ce qui vous a fait revenir ?

— La neige.

— Hein ? Je sais bien que Snow veut dire neige en anglais, mais quel rapport ?

— Il neige, dit-elle en pointant le doigt vers le plafond.

Il n'y avait pas de fenêtres au sous-sol, elle était donc la seule à être au courant de la tempête. Ou la seule à l'avoir rêver ? Pour sa part, elle n'était plus sûre de rien.

— En fait, c'est même une épouvantable tempête de neige.

— Donc, vous êtes coincée ici. Permettez que je vous débarrasse de votre manteau, dit-il en l'aidant à enlever le lourd vêtement. Venez, on va le mettre dans la salle à fournitures.

Aussitôt, sa gorge se serra. La même proposition que la première fois… Le simple souvenir de ce qui s'était passé dans cette salle la troublait au plus haut point.

— Euh… Non, ça va… Je vais les garder avec moi.

— Vous êtes sûre ? Venez quand même avec moi — j'ai quelque chose à vous donner.

La boîte de chocolats, bien sûr. Peu désireuse d'attirer l'attention, si elle se mettait à discuter, elle le suivit à contrecœur. A son grand désarroi, elle sentit soudain une vague de chaleur l'envahir. Si son esprit lui disait de se méfier et lui faisait redouter ce qui allait suivre, son corps en revanche était déjà prêt. Prêt pour les caresses et les baisers de Luke.

— Vous avez piqué ma curiosité, dit-elle alors que la lourde porte se refermait sur eux.

— Ce n'est pas grand-chose, dit-il.

Il tendit le bras vers un rayonnage élevé et y récupéra une boîte de chocolats en forme de cœur.

Le cœur battant, elle se mit à réfléchir à toute vitesse. Si elle ne s'offusquait pas ouvertement de la connotation que révélait le flocon sur la boîte en forme de cœur, alors il ne se sentirait pas tenu de lui dire que ce n'était pas comme ça qu'il pensait à elle, ce qui la pousserait à dire qu'il avait probablement acheté des chocolats pour d'autres collègues, ce qui le pousserait à répondre que non, il n'en avait pris que pour elle, ce qui les conduirait au baiser qui avait eu raison de toutes ses défenses.

Elle leva les yeux vers lui et fut très surprise d'y lire une certaine timidité.

— Je sais que ça peut paraître bête, mais, quand je l'ai vue, elle m'a fait penser à vous.

Elle ouvrait la bouche pour s'extasier sur le flocon de neige bleuté qui décorait le couvercle, mais elle eut un petit hoquet en découvrant à la place une boîte habillée de satin rose sur laquelle était écrit « Embrasse-moi ».

— Embrasse-moi ? lut-elle d'une petite voix aiguë.

Il se gratta la tête, de plus en plus mal à l'aise.

— Pour être tout à fait franc, je ne sais pas trop pourquoi j'ai acheté celle-ci, dit-il. Elle m'a juste paru être… appropriée.

Puis elle le vit se pencher vers elle. Ça y était, le baiser. Elle devait le repousser, elle le savait, mais c'était comme s'ils étaient reliés l'un à l'autre par un fil, certes ténu, mais indestructible. Alors, sans plus réfléchir, elle se pencha à son tour et vint à la rencontre de ses lèvres brûlantes, ravie de retrouver la sensation familière de son baiser… la connexion… l'onde de choc… Cela faisait si longtemps qu'elle n'avait plus éprouvé de sensations pareilles… une journée entière à l'heure qu'il était précisément. La passion, la force, le pouvoir du baiser de Luke étaient intacts, et elle vacilla.

Il releva la tête, la regarda au fond des yeux et dit :

— Pourquoi ai-je l'impression que nous avons fait cela avant ?

— Le destin, murmura-t-elle avant de refermer la main sur sa nuque et d'attirer résolument ses lèvres sur les siennes.

Cédant à toute résistance, elle s'abandonna à la valse du désir, elle s'abandonna aux caresses de Luke. Plus rien ne comptait que ces mains qui couraient sur son corps et éveillaient en elle des sensations inédites, que ce sexe dur et brûlant qu'elle sentait pulser contre son ventre. Ivre de désir, elle rendit à Luke ses caresses, se délectant de son corps ferme et musclé. Et, soudain, la salle des fournitures ne fut plus que gémissements.

Au bout de quelques instants, il se redressa et parcourut la salle du regard, cherchant manifestement une surface appropriée.

— Prenez-moi là, lui dit Carol en désignant une table non loin d'eux.

Il l'empoigna par la taille, la souleva et la jucha sur une table proche. Avant même qu'il ait esquissé le moindre geste, elle remonta sa jupe, afin de mieux pouvoir écarter les jambes, afin de mieux pouvoir le recevoir…

— Attendez, dit-elle en désignant la porte du menton. Quelqu'un pourrait rentrer. Pourriez-vous caler une chaise ?

Il se précipita et, en une seconde à peine, il était de nouveau près d'elle. Prenant appui sur la table des deux mains plaquées sur sa surface, elle resserra les genoux autour des hanches de Luke. Elle était déjà prête pour lui, déjà humide de désir. Surtout qu'à présent elle savait ce qui allait suivre, le plaisir inouï que Luke allait lui donner.

— Oh ! non, murmura-t-il soudain avant de porter une main à sa tête. Les préservatifs, je n'en ai pas. Que je suis désolé…

Oh non ! Voilà au moins une chose qu'elle aurait pu anticiper, et elle avait tout gâché. Refusant de se laisser aller à la déception, elle attira de nouveau sa bouche à la sienne.

— Alors, on va devoir faire preuve de créativité, répondit-elle.

Tout comme la première fois, cette petite phrase

sembla galvaniser Luke. Il fondit sur elle et s'empara de sa bouche avec passion, puis il traça un chemin de baisers le long de son cou avant de défaire les boutons de son chemisier blanc et de dégrafer son soutien-gorge de dentelle.

Il poussa un soupir de ravissement et prit un de ses seins dans sa bouche. Il le lécha, le titilla pendant ce qui sembla à Carol une délicieuse éternité. Mais ce n'était pas assez, maintenant qu'elle avait goûté à la magie des caresses de Luke, elle ne pouvait se contenter de simples préliminaires. Avec un long gémissement, elle lui fit relever la tête. Luke sembla comprendre le message, car aussitôt il retroussa sa jupe autour de sa taille et entreprit de faire glisser son collant et sa petite culotte le long de ses jambes afin de dévoiler son sexe. Il s'agenouilla devant elle, la contemplant lentement. Le souffle court, elle brûlait d'anticipation, elle pouvait déjà sentir sa langue sur son sexe. Pourtant, rien n'aurait pu la préparer au choc qu'elle éprouva quand enfin il se pencha entre ses jambes. Elle ne fut plus capable de penser… plus capable de parler… elle ne fut plus que perception sous cette merveilleuse caresse. Les sensations qui se bousculèrent en elle étaient époustouflantes et elle ferma les yeux pour mieux s'y abandonner, guidant les caresses de Luke par ses gémissements et ses soupirs.

L'orgasme monta en elle, lentement mais avec une violence dévastatrice qui les prit de court, elle et Luke. Son corps se raidit contre la bouche de Luke en un spasme aussi intense que libérateur.

Cette fois, elle ne chercha pas à étouffer ses cris, elle savait maintenant que personne ne pourrait les entendre. Quand elle ouvrit les yeux, elle vit que Luke la regardait, un sourire aux lèvres. Un sourire à la fois doux et triomphant qui réveilla aussitôt son excitation.

A son tour maintenant de lui donner du plaisir, à son tour de le goûter.

Et, avec une audace toute neuve pour elle, elle le fit se relever et ouvrit la braguette de son pantalon pour s'emparer de son sexe en érection. Il était dur et chaud sous ses doigts et, quand elle referma les mains sur lui, il gémit, les yeux voilés de désir. Elle commença par le caresser, puis le prit dans sa bouche, ravie de retrouver le soyeux de la peau tendue de son sexe. Il lâcha un grognement de plaisir et contracta les cuisses. Cette fois-ci, lui donner du plaisir de cette manière lui sembla plus naturel, et elle n'en éprouva aucune gêne. Elle prit le temps de varier les pressions, de modifier les rythmes afin de mesurer ses réactions.

Et quand il lui murmura qu'il n'allait plus tarder à jouir, au lieu de le laisser se retirer de sa bouche, elle lui empoigna les hanches et le prit plus profondément en elle. Et, quand il comprit ses intentions, elle perçut en lui une excitation d'une intensité nouvelle. Quelques instants plus tard, il se contracta, frémit, et jouit sur sa langue.

Lorsqu'il finit enfin par reprendre lentement son souffle, il la remit sur ses pieds et l'embrassa passionnément.

— Eh bien, murmura-t-il, que vient-il donc de se passer ?

Il avait l'air heureux, comblé et elle l'était aussi, mais sa joie se teintait de remords. Cette fois-ci, elle avait su dès le départ que Luke et elle allaient se livrer à un acte vide de sens, et elle s'y était pourtant laissée aller… encore… comme si quelque chose allait être différent.

Mais, non. Rien n'avait changé.

Luke s'écarta d'elle.

— Viens dîner avec moi demain soir, lui dit-il d'un ton pressant.

Quoi dire ? Quoi faire ? Elle n'en avait aucune idée. Rajustant ses vêtements, elle essaya de trouver quelque chose à répondre.

— Demain... Vous voulez dire le soir de la Saint-Valentin ?

— Oui.

Elle avait beau revivre deux fois la même journée, pour Luke rien n'avait changé. Tout cela n'était qu'un flirt, une amourette entre collègues. Il la trouvait toujours coincée, et il avait toujours le culot d'inviter deux femmes à sortir pour le même soir.

Et, à cette époque l'année prochaine, Luke aurait orienté ses préférences vers encore une autre femme, et ce serait elle qui l'esquiverait dans l'ascenseur, ou peut-être même qui chercherait un nouvel emploi après une vilaine rupture...

Elle lui refit face et s'obligea à adopter un ton nonchalant quand elle prit la parole :

— Je ne pense pas. Voyez-vous, c'était juste une nouvelle occasion de satisfaire... ma curiosité.

— Nouvelle ? fit Luke, perplexe.

— Unique, voulais-je dire, se reprit-elle très vite. Une occasion unique destinée à satisfaire ma curiosité. Je ne suis plus curieuse, conclut-elle en adoptant une expression blasée.

Tout comme la première fois, Luke eut l'air très vexé.

— Euh... D'accord.

— Pourquoi ne sortiriez-vous pas en premier, au cas où quelqu'un traînerait dans le coin ? ajouta-t-elle en glissant ses pieds dans ses chaussures.

— D'accord.

Il marqua une hésitation et, l'espace d'un instant, elle crut que cette fois-ci ce serait différent, que le cours des choses prendrait une autre tournure, mais il se contenta de vérifier une dernière fois sa tenue et se dirigea vers la porte.

Elle poussa un soupir de soulagement. Tout était fini et c'était sans doute mieux ainsi. Elle ne s'était pas vengée de Luke, mais au moins elle n'était pas tombée amoureuse de lui. Et puis, elle pourrait toujours se consoler avec les souvenirs de ces merveilleux moments passés entre ses bras.

— Carol.

Elle se raidit, mais prit bien soin d'arborer un masque impassible avant de se retourner.

— Oui ?

Luke avait la mine pensive.

— J'ai le sentiment qu'il y a vraiment quelque chose entre nous, mais que, pour une raison ou une autre, tu te refuses à le voir. Et j'ai également le sentiment que tout ceci ne dépend pas de moi.

Il n'attendit pas sa réponse, partit vers la porte et elle se referma sur lui.

Elle serra les poings de frustration. Que pouvait-elle lui dire. Comment était-elle censée prendre la moindre décision alors que le présent et le passé se mélangeaient allègrement ?

Bouleversée, elle se recoiffa en passant la main dans ses cheveux et se prépara à quitter la pièce.

Quand soudain… Oh non, pas ça ! Un scintillement métallique là sur le sol… sa boucle d'oreille en argent et émeraudes. Elle hésita. D'un côté, elle voulait la récupérer, mais, de l'autre, il y avait toute cette étrange histoire, ces hallucinations, le retour en arrière. Tout cela était si ridicule au fond. Après tout, peut-être était-elle juste surmenée ? C'est forte de cette conviction, qu'elle se pencha avec fermeté vers la boucle d'oreille. Elle réussit à l'atteindre, mais c'est en se redressant qu'elle dut commettre une erreur.

Elle ne sut ni comment ni pourquoi, mais une douleur violente explosa dans sa tête, puis le noir se fit. *Encore.*

- 11 -

Quelqu'un secouait Carol par l'épaule.

— Carol… réveille-toi. Carol ?

C'était encore Gabrielle Pope. Carol ouvrit les yeux et, même si elle s'y attendait, la douleur lui arracha un gémissement.

— Encore toi ?

— J'en ai bien peur, répondit Gabrielle avec un hochement de tête.

— Mais pourquoi est-ce que tu n'arrêtes pas d'intervenir dans mes rêves et mes hallucinations ?

— Ça, il va falloir que tu te poses la question à toi-même.

Carol eut un petit rire. Ça oui, elle allait devoir sérieusement y réfléchir… quand elle serait enfin consciente.

— Peux-tu t'asseoir ?

— Oui, à moins que ce coup que j'ai pris sur la tête ait été pire que la dernière fois, répondit Carol en se rasseyant et en portant une main à sa tête, où une grosse bosse s'était formée.

Tiens, elle avait changé de côté, cette fois.

— Hum, commenta Gabrielle, le fait qu'elle soit de l'autre côté doit avoir une signification.

— Laquelle ?

— Je n'en ai aucune idée… Mais, toi, tu en as probablement une.

— S'il te plaît, répliqua Carol. Arrête de semer la confusion dans mon esprit, la situation est déjà bien assez bizarre comme cela. Et, d'abord, pourquoi est-ce que cela m'arrive à moi ?

— Bonne question. Après avoir subi un revers émotionnel, certaines personnes le refoulent sans chercher à l'analyser et à le mettre à profit. Mais cette blessure se mettra forcément à affecter leur comportement actuel et leurs relations, elles pourraient dans ce cas décider de voir un thérapeute.

— Ou d'adhérer à un club de lecture, ajouta Carol.

— Oui. Mais l'esprit ne peut gérer qu'une certaine dose de stress, sinon il doit alors trouver une soupape de décompression.

— C'est donc cela, ces petites pertes de conscience ?

— C'est possible, acquiesça Gabrielle. Si quelqu'un refuse de ne jamais repenser à un événement douloureux, il n'est pas rare qu'elle le revisite en rêve ou sous hypnose. C'est bien moins perturbant.

— Ainsi donc l'épisode avec l'ordinateur et la scène avec James, c'était une espèce d'expérience hypnotique ?

— Exactement. De même, si une personne a peur d'essayer quelque chose de nouveau, la visualisation, les rêves et les hallucinations représentent pour elle un moyen sûr et sans risque d'explorer de nouvelles expériences.

— Comme une relation éventuelle avec Luke ?

— Oui.

— Qu'as-tu prévu pour moi aujourd'hui ? demanda Carol en désignant l'écran d'ordinateur couché par terre sur le côté.

— Un aperçu de la Saint-Valentin de cette année — de demain, en fait.

Carol regarda l'écran s'allumer et un homme apparut. De toute évidence, il était chez un fleuriste pour y acheter une douzaine de roses.

— C'est Luke, dit-elle.

Il était incroyablement séduisant dans ce costume sombre et sa chemise claire. Il portait une cravate.

— Tiens, il porte une cravate ! Il a horreur de ça, son rendez-vous doit être important pour lui, lâcha-t-elle.

— Attends, et tu verras, répondit Gabrielle.

Carol sentit son cœur battre un peu plus vite… Serait-ce avec elle que Luke avait rendez-vous ? Sinon, pour quelle autre raison Gabrielle lui montrerait-elle ces images ?

Luke sortit du magasin avec une douzaine de roses blanches dans les bras.

— Elles sont superbes, remarqua Carol.

Des roses blanches, c'est aussi ce qu'elle aurait choisi.

Dans la scène suivante, Luke arrivait en voiture devant un restaurant et confiait ses clés à un voiturier.

— Il est au Richardson's ! s'écria-t-elle avec ravissement. C'est mon restaurant préféré.

Luke descendit de voiture et en fit le tour pour aller ouvrir la portière passager. Des jambes de femme apparurent, puis elle vit une femme sortir de voiture avec l'aide de Luke. Elle levait la tête vers lui et lui souriait. C'était une splendide blonde avec des courbes affolantes. Des courbes que Carol était loin d'avoir.

— Ce n'est pas moi, dit Carol.

— J'avais remarqué, rétorqua Gabrielle, non sans ironie.

— Je ne l'ai jamais vue, ce qui veut dire qu'elle ne travaille pas chez nous.

— Voyons un peu cela, dit Gabrielle en tournant le bouton du volume.

Luke et la blonde entraient dans le restaurant en discutant.

— Ce devait être mon jour de chance, je crois, quand j'ai décidé d'aller à cette course de steeple-chase avec cette amie, minaudait la blonde. Jamais je n'aurais rêvé rencontrer quelqu'un comme vous, Luke.

Elle se tourna vers lui pour recevoir un baiser, et il obtempéra. S'il arborait une mine attentive, Carol remarqua qu'il avait dans les yeux une expression similaire à celle qu'il avait dans les comités de direction, quand il s'ennuyait ferme. De son côté, la blonde avait l'air d'être déterminée à le distraire jusqu'à ce qu'ils aient tous les deux quatre-vingt-dix ans sonnés. Un éclair de jalousie, aussi violent qu'inattendu, traversa Carol… et cela ne lui plut pas du tout. Une des raisons pour lesquelles elle n'avait plus accepté de sortir avec quelqu'un après James était justement qu'elle ne voulait pas se conduire en mégère soupçonneuse et jalouse, ni faire payer à quiconque les péchés d'un autre.

L'image s'effaça peu à peu et, alors qu'elle pensait qu'elles avaient fini, une autre apparut sur l'écran. On était à l'intérieur d'une maison, cette fois. Et la caméra se focalisa sur une femme en pyjama de flanelle pelotonnée au bout d'un canapé.

— C'est moi, dit Carol en faisant une horrible grimace.

Son pyjama, avait-il vraiment l'air aussi vieux et aussi miteux ?

— Oui, répondit inutilement Gabrielle.

Carol se rembrunit et reporta les yeux sur l'écran. Sur ses genoux, elle tenait un grand saladier de pop-corn. Sur la table basse près d'elle, il y avait une bouteille de deux litres de soda light dans laquelle était plantée une paille géante. Près de la bouteille, une édition familiale de *La roue de la fortune*. Quand la caméra recula en un plan large, elle vit que le jeu *La roue de la fortune* passait également à la télévision.

Elle rougit de honte.

— C'est une émission instructive, se défendit-elle à mi-voix avant de relever la tête vers Gabrielle. Mais, c'est bon, j'ai compris où tu voulais en venir.

— Je l'espère, répondit Gabrielle. Parce qu'il est temps pour toi d'y aller.

— Je sais. J'ai une réunion, dit-elle en désignant de la main son tailleur.

Celui-là même qu'elle avait enfilé vendredi matin et qu'elle avait pourtant l'impression de porter depuis une semaine. Elle se leva, rajusta sa tenue, puis elle gagna la porte et quitta la salle plus perturbée que jamais. Gabrielle avait essayé de la convaincre que ses hallucinations avaient, en quelque sorte, un sens… mais si elles n'étaient que le résultat d'un embrouillamini de souvenirs enfouis et de pensées incohérentes ?

En arrivant vers l'ascenseur, elle constata qu'une fois encore, des gens s'affairaient pour préparer la fête.

Oh non, pas encore !

Elle parcourut du regard les Cupidon en carton, les affiches, les ballons rouges en forme de cœur. Elle remarqua également le fameux agrandissement avec le chérubin en treillis… « Cupidon ne fera pas de quartier… » Elle nota aussi les regards noirs que lui lançaient les employés. Encore et toujours la même chose…

Dans l'ascenseur, elle leva une main, la referma en poing, puis fit de même avec l'autre afin de s'assurer qu'elles étaient toujours coordonnées, puis, elle bascula d'un pied sur l'autre, comme pour tester son équilibre.

— Est-ce que ça va, Carol ?

Mortifiée, elle se rendit compte qu'elle avait fait ses petits exercices dans une cabine pleine de ses collègues.

— Oui, très bien, murmura-t-elle.

Tout en détournant les yeux, elle songea qu'elle avait peut-être fait une sorte d'attaque cérébrale — des lésions neurologiques seraient à même d'expliquer les étranges événements dont elle venait de faire l'expérience.

Les portes s'ouvrirent, et elle pénétra dans son département. Tracy leva les yeux de son bureau et de son « nouvel » ordinateur. Dans la grande salle, les gens comparaient leurs nouveaux équipements et périphériques.

— On dit partout que ces machines, c'est Luke Chancellor qui les a payées de sa propre poche, lui annonça Tracy.

— Que vous ai-je dit en ce qui concerne les rumeurs de machine à café ? riposta Carol d'un ton sévère.

Tracy devint livide, puis elle tapota sa montre.

— Le comité de direction, dit-elle. Vous devriez y aller.

Carol massa ses tempes douloureuses.

— Euh, Tracy… — c'est juste une vérification — quel jour sommes-nous ? demanda-t-elle en tentant une nouvelle fois sa chance.

Mais, au lieu de lui donner une réponse rassurante

qui permettrait d'expliquer toute cette folie, Tracy plissa les yeux et la dévisagea d'un air soupçonneux.

— Vendredi 13 février. Vous vous sentez bien, madame Snow ?

— Oui, répliqua Carol.

Et cette fois ce n'était presque pas un mensonge. En fait, elle commençait à s'habituer à ce mal de tête et peut-être même finirait-elle par s'habituer à revivre éternellement la même journée. Après tout, pour quelqu'un d'organisé comme elle, cela avait même quelque chose de rassurant, non ?

Elle fit sa petite halte traditionnelle aux toilettes, vérifia que sa bosse n'était pas visible et se dirigea vers la salle où se tenait la réunion d'un pas étonnamment léger.

Elle était maintenant préparée à l'hostilité de ses collègues et, même si elle était toujours aussi évidente, elle remarqua qu'elle-même y réagissait moins violemment. S'habituerait-elle enfin à être le vilain petit canard ? Elle avisa Luke, à l'autre bout de la table, et au souvenir de l'intimité qu'ils avaient partagée il y avait seulement… un petit moment… elle fut incapable d'effacer de son visage un petit sourire.

Nerveux, Luke se dandina sur sa chaise.

— Nous étions sur le point d'envoyer une équipe vous chercher, Carol.

— Désolée pour le retard, répondit-elle avant de s'installer sur un siège libre.

Puis Janet, la directrice du département artistique, fit sa petite réflexion sur les nouveaux équipements des employés du service de Carol en se tournant vers Luke avec un grand sourire.

Et cette fois, lorsque, après avoir fait son petit

numéro en jouant les faux modestes, Luke se tourna vers elle, Carol lui lança une grimace entendue qui parut le déstabiliser.

— Euh… nous étions sur le point de procéder à un nouveau vote concernant le sujet des primes, dit Luke. Il est clair, je pense, que tous ceux qui s'y opposent suivent votre exemple, Carol. Alors je crois que nous pourrions couper au plus court et vous demander, à vous, si vous avez changé d'avis au sujet des primes ?

Tous les regards se tournèrent vers elle. Elle étudia ses ongles, juste pour se régaler du suspense.

— Non, je n'ai pas changé d'avis, finit-elle par annoncer à la ronde.

Tout en parlant, elle observa attentivement Luke… Etait-ce le fruit de son imagination, ou prenait-il plus mal la nouvelle aujourd'hui que… avant ?

Toujours est-il que son séduisant visage s'assombrit et que sa voix était glaciale lorsqu'il reprit la parole :

— Je crois que tout est dit.

— Je le crois aussi, acquiesça Carol qui commençait presque à s'amuser. Si c'est tout, il faut vraiment que je retourne au travail. Avec cette petite fête, nous allons tous devoir mettre les bouchées doubles, précisa-t-elle avant de jeter un coup d'œil à Luke : Il y a bien une fête aujourd'hui, non ?

— C'est exact, maugréa Luke entre ses dents. Et, oui, c'est tout.

Carol se leva pour partir, mais elle éprouva tout à coup un éclair de compassion, et s'arrêta pour poser une main sur l'épaule de Luke.

— Est-ce que ça va, Chancellor ?

— Oui, bien sûr, répondit-il. C'est juste qu'aujourd'hui je suis épuisé, je ne sais pas trop pourquoi.

Elle dissimula un sourire derrière sa main.

— Peut-être couvez-vous quelque chose.

— Oui… peut-être, dit-il avec un hochement de tête. Je ne me sens pas vraiment moi-même.

— Tiens, c'est drôle — à moi, vous me semblez tout à fait vous-même.

— Mmm ? fit-il en relevant les yeux vers elle, un peu surpris.

Elle lui sourit.

— Laissez tomber. J'espère que cela va aller mieux.

Elle se remit sur pied et quitta la salle.

L'esprit en ébullition, elle repartit vers son bureau. Rien de ce qui s'était passé lors de cette étrange journée — et par trois fois en plus — n'avait de sens.

Ce qui la préoccupait le plus maintenant qu'elle y pensait, c'était d'imaginer que, tandis que son esprit revivait inlassablement la même scène, son corps gisait peut-être quelque part, sur un lit d'hôpital.

Allait-elle rester coincée à jamais dans la même faille temporelle, à revivre indéfiniment le vendredi 13 février ?

De retour à l'étage du service financier, elle traversa la même marée de regards meurtriers et referma la porte de son bureau derrière elle. Après s'être affalée sur son siège, elle repensa à la réunion qui venait de se dérouler et fut de nouveau surprise du peu de satisfaction qu'elle en retirait. N'avait-elle pas rabattu son caquet au légendaire Luke Chancellor ? Et pour la troisième fois consécutive ? Enfin, si on allait par là, elle s'était pliée à ses désirs deux fois de suite elle aussi, et dans un état de soumission totale.

Cependant, est-ce que cette soumission comptait s'il ne parvenait pas à s'en souvenir ?

Quand bien même, sa victoire lui paraissait toujours aussi vaine. On aurait dit que plus elle était capable de faire usage de son pouvoir, moins ça lui apportait de satisfaction.

Décidément rien ne se passait comme elle l'avait prévu.

Elle indiqua à Tracy par l'Interphone qu'elle ne voulait pas être dérangée, et passa la première moitié de la matinée immergée dans la montagne de paperasses qui recouvrait son bureau. Maintenant, elle avait la nette impression d'accomplir une tâche machinale, comme de réciter un poème appris par cœur. Elle avait l'intention de partir de bonne heure — *avant* le déclenchement de la tempête. Peut-être que, si elle parvenait à briser le cycle spatio-temporel, tout pourrait revenir à la normale.

En milieu de matinée, elle commençait à préparer son attaché-case quand un coup timide à sa porte la fit s'interrompre.

— Oui ?

Tracy passa une tête dans le bureau.

— Je suis désolée, madame Snow. Je sais que vous ne voulez pas être dérangée, mais j'espérais que vous voudriez bien m'aider avec ce mémo que, visiblement, je n'arrive pas à rédiger correctement.

Si la frustration s'empara de Carol, elle la refoula aussitôt en voyant l'expression implorante de son assistante.

— Bien sûr, Tracy. Tenez, faites-nous un café et je répondrai à toutes les questions que vous aurez à me poser.

L'intense soulagement qu'elle lut sur le visage de la jolie rousse lui fit chaud au cœur et elle songea alors que, peut-être, c'était une chance au fond que d'avoir la possibilité de revenir en arrière et de refaire les mêmes choses, car on pouvait les corriger, s'améliorer.

Mais hélas, le temps qu'elles aient revu le mémo ligne par ligne et qu'elle ait expliqué à Tracy ce qu'elle voulait, il était déjà tard et la tempête menaçait. Dehors, le ciel était de plus en plus noir et le vent forcissait de façon alarmante.

Dès qu'elle fut enfin seule, Carol sortit son portable et envoya un texto à Gabrielle.

Et c'est reparti.

Quelques instants plus tard arriva la réponse de Gabrielle.

Abandonne-toi à l'amour, Carol.

Toujours la même chose, songea Carol en lisant le message, sourcils froncés.

Un coup résonna contre sa porte.

— Entrez, Chancellor, dit-elle en soupirant.

La porte s'ouvrit et Luke passa la tête à l'intérieur, médusé.

— Comment avez-vous su que c'était moi ?

— Euh… une intuition, répondit-elle. Que puis-je faire pour vous ?

Elle croisa les bras et observa sa tenue — pantalon marron glacé et chemise bleu pâle, sans cravate. Et dire qu'il n'avait aucune idée de toutes les choses qu'ils avaient déjà faites l'un pour l'autre !

— Je me suis dit que ce serait bien si nous descendions à la réception ensemble, en signe de solidarité.

Elle hésita un instant, puis elle céda.

— D'accord.

— D'accord ? répéta Luke, visiblement surpris.

— Ah, parce que, maintenant que je vous ai donné mon accord, vous allez changer d'avis ?

— Non, pas du tout. Je crois que j'ai juste été un peu étonné, c'est tout. Vous n'avez pas franchement dissimulé le mépris que vous avez pour moi et pour mes idées.

Elle poussa un soupir.

— Ecoutez, le vote concernant les primes n'avait rien de personnel.

— Je crois, pour ma part, qu'il l'était. Je crois que, si un des autres directeurs avait proposé de distribuer des primes, vous auriez au moins envisagé la question avec l'esprit ouvert.

— Et si l'un des autres directeurs avait envisagé de voter contre votre idée, vous n'auriez pas essayé de le soudoyer en lui proposant un matériel rénové pour son service.

Luke esquissa une petite grimace.

— Touché. Bon, êtes-vous prête à descendre ?

Elle se tourna vers la fenêtre. Les nuages violets commençaient à s'accumuler — pile dans les délais.

— Bien sûr.

Elle s'empara de son attaché-case et de son manteau.

— Ne préférez-vous pas les laisser ici ? s'étonna Luke.

— Je préfère les avoir avec moi.

Quand ils quittèrent son bureau, il ne restait plus que Tracy dans l'open space mais, cette fois, son impatience n'était pas aussi évidente que les deux autres fois précédentes. Le mémo disséqué et annoté devant elle, la jeune femme s'y référait pour en dactylographier un nouveau sur son ordinateur portable. Tout en passant devant elle, Carol se prit à espérer qu'elle et

Tracy soient sur la bonne voie pour établir une relation professionnelle agréable et fructueuse.

Alors qu'ils partaient vers l'ascenseur, Luke se passa les doigts dans les cheveux.

— Est-ce que c'est juste moi, ou est-ce que cette journée paraît plus longue que jamais ?

— Non, répondit-elle en s'appuyant contre le mur près de la porte d'ascenseur. Ce n'est pas juste vous.

- 12 -

La cabine s'immobilisa au rez-de-chaussée alors que ni Carol ni Luke n'avaient appuyé sur le bouton. Les portes s'ouvrirent sur le vestibule désert, et Luke allait poser le doigt sur le bouton de fermeture des portes quand il s'arrêta net, le regard braqué vers l'extérieur.

— Mon Dieu ! C'est incroyable, mais… il y a une tempête de neige là-dehors.

Elle sourit et hocha la tête sans même prendre la peine de regarder.

Il la fixa, éberlué.

— Mais… il ne neige *jamais* à Atlanta.

— C'est ce qu'on dit, acquiesça-t-elle en appuyant sur le bouton de fermeture des portes.

Avant même l'arrêt de la cabine, les bruits de la réception leur parvinrent. Et, quand les portes s'ouvrirent, la musique montée à fond et le tonnerre de rires et de voix étaient si puissants, qu'elle resta un instant bouche bée. Son estomac se retourna à la pensée de ce qui allait suivre, le connu, comme l'inconnu.

Elle s'efforça de ne pas prêter attention aux moues dédaigneuses et aux regards noirs que lui lancèrent certaines personnes. Elle avait beau y être habituée maintenant, cela n'en faisait pas particulièrement moins mal.

— Ignorez-les, lui conseilla Luke avant de poursuivre : Eh, pourquoi n'irions-nous pas ranger votre manteau et votre attaché-case dans l'entrepôt ?

Les chocolats. Qui menaient tout droit au baiser. Qui, lui-même, menait tout droit à… ah, ah… ! Le cœur battant, elle le suivit lentement dans le couloir en réprimant un grognement qui, Dieu sait comment, se mua en gémissement.

Luke se retourna vers elle.

— Avez-vous dit quelque chose ?

— Non.

Ils pénétrèrent dans la salle et, comme elle l'avait prévu, Luke se dirigea vers une des étagères.

— Ce n'est pas grand-chose, dit-il en levant le bras vers un rayonnage élevé pour y récupérer une boîte de chocolats en forme de cœur.

— N'avez-vous pas dit que vous couviez un rhume ? lui demanda-t-elle en une tentative désespérée pour repousser le baiser imminent et la spirale torride qui en découlerait.

Il secoua la tête.

— Non. C'est juste un peu de fatigue, rien de bien méchant.

Lorsqu'il lui tendit la boîte de chocolats, il avait l'air étrangement intimidé.

— C'est un peu bête, je crois, marmonna-t-il.

Elle allait ouvrir la bouche pour prétexter un léger malaise ou une urgence quelconque, quand elle s'arrêta net à la vue de la boîte. Celle-ci n'était plus rose mais rouge et le couvercle était barré de l'inscription « Soyez mienne ». La surprise la laissa sans voix. Ce cadeau n'avait rien à voir avec les précédents, il était incroyablement romantique, bouleversant même.

Luke se gratta la tête, de plus en plus gêné.

— A vrai dire, je ne suis pas vraiment certain de la raison pour laquelle j'ai acheté celle-ci. Elle m'a juste paru… la bonne.

Alors, il se mit à faire des gestes étranges, se frottant la poitrine comme s'il éprouvait quelques difficultés à respirer. La situation prenait décidément une tournure bien étrange, jamais elle n'avait vu Luke Chancellor perdre son légendaire sang-froid.

— Dernièrement, j'ai eu ces… fantasmes… euh… impressions…

Puis il sembla décider que les actes seraient plus efficaces que les mots car il approcha sa bouche de la sienne. La situation était si émouvante, si romantique que toutes les réserves et tous les doutes de Carol s'envolèrent, et elle se pencha à son tour pour venir à la rencontre de ses lèvres tièdes. Avant même que la bouche de Luke ne se pose sur la sienne, elle en connaissait déjà la saveur mais, à sa grande surprise, une marée de sensations à la fois nouvelles et familières la submergea et lui arracha un soupir. C'était à la fois pareil et différent de leur premier baiser. Le même pouvoir brut qui la faisait tituber, mais autre chose aussi de plus doux et de plus profond qu'elle ne saurait définir.

Il releva la tête, plongea son regard dans le sien et dit :

— Croyez-vous aux impressions de déjà-vu?

— Oui, murmura-t-elle avant de refermer la main sur sa nuque et d'attirer résolument ses lèvres sur les siennes.

Puis ce fut la succession de gémissements et de caresses. Les mains de Luke sur con corps, les siennes à elle qui rendaient coup pour coup. La sensation de son sexe dur lorsqu'il l'attira violemment à lui. Tout cela était à la fois connu et inédit en même temps. Si elle revivait la même scène, elle avait pourtant l'impression de faire une découverte : celle de la puissance du désir que cet homme éveillait en elle.

Il se redressa et parcourut la salle du regard, cherchant manifestement une surface appropriée.

— Prenez-moi là, lui dit-elle dans un souffle en désignant une table non loin d'eux.

Alors il refit les mêmes gestes : il l'empoigna par la taille, la souleva et la jucha sur une table proche, puis il fit remonter sa jupe pour lui permettre d'écarter les genoux.

— Attendez, dit-elle en désignant la porte du menton. Pourriez-vous caler une chaise sous la poignée de cette porte ?

— Bonne idée !

Il s'exécuta et revint se positionner entre ses jambes.

Elle savait ce qui allait se produire, mais elle ne put s'empêcher de sursauter en entendant le bruit de ses chaussures lorsqu'elles tombèrent sur le sol. Incapable d'attendre plus longtemps, elle resserra les jambes autour des hanches de Luke, se pressant contre son érection pour lui faire sentir l'urgence de son désir. Son sexe était humide et ses tétons déjà durcis : elle était prête pour lui, prête pour ce qui allait suivre.

— Oh ! non, murmura-t-il soudain avant de porter une main à sa tête. Les préservatifs, je n'en ai pas. Que je suis désolé…

— Il y en a un dans mon attaché-case, dit-elle en le désignant du doigt. Compartiment du haut.

C'était l'avantage de cette étrange situation : elle apprenait et toutes les rectifications étaient possibles.

Et il y avait beaucoup de choses qu'elle mourait d'envie d'essayer. Toutes ces choses qu'elle avait lues dans les romans du club de lecture et qu'elle voulait expérimenter avec Luke.

Lorsqu'il revint très vite se replacer entre ses jambes, le préservatif à la main, il affichait un sourire éclatant.

— J'avoue que tu m'impressionnes, Snow. Et je t'en remercie.

Il parsema son cou de petits baisers tandis qu'il déboutonnait les boutons de son chemisier et libérait ses seins nus.

Lors de son petit passage aux toilettes, elle avait également songé à retirer son soutien-gorge. Elle s'était rappelé l'impatience qu'elle avait éprouvée la fois précédente et elle ne voulait aucun obstacle entre son corps et les mains de Luke.

Pendant quelques délicieuses secondes, il s'occupa de ses seins, les léchant et les caressant. Mais il était avéré maintenant que la patience n'était pas leur fort et très vite Luke l'aida à se débarrasser de son collant et de sa petite culotte.

Puis, à son tour, elle déboucla sa ceinture, ouvrit son pantalon et libéra son sexe. Elle referma la main sur lui, savourant son hoquet de plaisir et elle y déroula le préservatif.

— Viens, maintenant, lui murmura-t-elle à l'oreille.

Il la pénétra et l'emplit complètement. C'était si bon. Elle resserra les jambes autour de sa taille pour mieux le sentir en elle. Il commença à aller et venir et, alors, elle ne fut plus capable de penser… plus capable de parler… elle ne put que *sentir* l'absolue merveille qu'était la fusion de leurs deux corps. Toutes les sensations qui l'assaillaient en cet instant étaient pour elle une révélation. Jamais elle n'aurait pu imaginer que ce put être aussi intense, aussi parfait.

Tout en continuant ses va-et-vient, il caressa son clitoris avec une adresse qui lui arracha des petits cris de plaisir.

— Tu es si sexy, Snow, chuchota-t-il sans prendre la peine de dissimuler sa surprise. Je crois que je ne vais pas réussir à tenir très longtemps.

Son sexe long et dur qui plongeait en elle toujours plus loin, toujours plus fort, et son pouce qui la caressait encore et encore, tout cela lui fit perdre la tête et son corps se raidit quand l'orgasme explosa enfin. Elle reprenait à peine ses esprits que Luke jouissait à son tour, dans un gémissement rauque. Ils pouvaient bien crier leur plaisir aussi fort qu'ils le voulaient, la fête battait son plein et personne ne pourrait les entendre.

Il finit par reprendre lentement son souffle, et tout en l'aidant à se remettre sur pied, il l'embrassa avec passion.

— Eh bien, murmura-t-il, qu'est-ce qui nous arrive ?

Cette phrase lui fit l'effet d'une douche froide. Le sentiment de n'être qu'une manipulatrice vint gâcher toute la perfection du moment. Elle savait tout ce qui allait se produire, elle avait pu tout anticiper alors que Luke, de son côté, n'avait pas la moindre idée de ce qu'il se passait. Tout juste devait-il se dire qu'il éprouvait des sentiments contradictoires envers elle.

Il fit un pas en arrière, inconscient de l'agitation qui l'habitait.

— Viens dîner avec moi demain soir, lui dit-il d'un ton pressant.

Fébrile, elle ne répondit pas tout de suite et rajusta ses vêtements.

— Demain…, finit-elle par dire. Vous voulez dire le soir de la Saint-Valentin ?

— Oui.

Elle se détourna pour remettre sa culotte et ses collants et aussi pour masquer sa confusion. Devait-elle tenter sa chance, et accepter cette proposition ? Elle n'était plus sûre de rien. Elle ne savait rien des sentiments que Luke éprouvait à son égard et, cerise sur le gâteau, elle n'était même pas sûre que tout cela soit réel. Elle eut recours à sa bonne vieille astuce : l'attaque.

— Je croyais que vous aviez déjà quelque chose de prévu, lui dit-elle sur un ton de reproche. Je vous ai entendu dire à quelqu'un que vous aviez rendez-vous avec une « dame ».

Il lui sourit.

— Ce sera le cas si tu acceptes. Je n'ai rien prévu de spécial, c'est juste une excuse que je sers aux femmes un peu trop entreprenantes.

Elle se passa la langue sur les lèvres, hésitante. Elle avait très envie de dire oui, très envie d'avoir un authentique rendez-vous avec Luke, mais elle était déjà si… *attachée* à lui qu'elle avait très peur que leur relation soit déjà bien trop déséquilibrée… et qu'une fois encore elle finisse par se retrouver sans rien. Et seule.

Lui revint alors à l'esprit la scène de la Saint-Valentin que lui avait présentée Gabrielle, celle où elle avait vu Luke avec la superbe blonde. Autrement dit, si elle refusait, il ferait la connaissance de l'autre femme et la trouverait assez à son goût pour l'inviter à dîner à sa place.

Donc, en dépit de ce qui venait de se passer entre eux, de leur merveilleuse entente sexuelle — et dont il n'avait pas vraiment conscience — et de son invitation sincère, à quel point Luke tenait-il vraiment à elle ? L'humiliation que lui avait fait connaître James était largement suffisante pour une vie entière, elle ne pouvait se risquer une seconde fois.

Le jeu n'en valait pas la chandelle.

Elle lui refit face, s'efforça de le toiser d'un regard indifférent et lui redit peu ou prou ce qu'elle lui avait déjà répondu les autres fois :

— Je ne pense pas. Je voulais juste satisfaire ma… ma curiosité.

Luke rejeta la tête en arrière comme si elle venait de le frapper.

— Euh… D'accord.

— Pourquoi ne sortiriez-vous pas en premier, au cas où quelqu'un traînerait dans le coin ? ajouta-t-elle en glissant ses pieds dans ses chaussures.

Elle n'osait pas affronter son regard de peur de céder. Tout était terminé, elle pourrait bien revivre cette scène un nombre incalculable de fois, elle se finirait toujours de la même manière.

— D'accord.

Il marqua une hésitation, et se dirigea vers la porte.

Elle poussa un soupir de soulagement. Elle l'avait échappé belle. Coucher avec Luke Chancellor… trois fois… n'avait peut-être pas été la chose la plus intelligente qu'elle ait jamais faite, en aucun cas elle ne devait commencer à se figurer que cela pourrait les mener quelque part.

— Luke, dit-elle.

— Oui ? répondit-il en se retournant vers elle.

— Merci, pour les chocolats.

Il parut sur le point de répondre quelque chose mais

se ravisa, et la porte se referma sur lui avec un bruit sinistre.

Sa poitrine se serra douloureusement et elle eut le souffle coupé. Tout cela lui semblait si définitif. Plus jamais elle ne goûterait aux baisers de Luke…

Elle secoua la tête pour refouler toutes ces pensées indésirables et se préparait à retourner dans la salle, quand, soudain, un scintillement familier attira son attention… sa boucle d'oreille en argent et émeraudes. Elle la regarda un instant, hésitante. Cela valait-il la peine que tout recommence une fois de plus ?

En regardant autour d'elle, elle repéra un gros balai-brosse industriel. Elle sourit. N'était-ce pas un bon moyen de ne pas finir avec un écran d'ordinateur sur le coin de la figure ?

Elle s'empara du balai et tira la boucle d'oreille à bonne distance du rayonnage afin de pouvoir la récupérer sans heurter quoi que ce soit.

Elle s'accroupit pour s'emparer de son bijou qu'elle brandit dans les airs d'un geste triomphant.

Lorsqu'elle se rendit compte de ce qu'elle était en train de faire, il était déjà trop tard. Dans son enthousiasme, elle avait heurté l'étagère avec un peu trop de force.

Elle n'eut pas le temps de voir s'il s'agissait d'un écran d'ordinateur, ou d'une unité centrale. La douleur explosa dans sa tête, au moment même où elle songeait : « Encore… »

- 13 -

— Carol… on a encore du travail. Carol ?

Cette fois, Carol résista à l'envie d'ouvrir les yeux, car elle avait comme l'impression que, quelles que soient les « recommandations » que Gabrielle avait pour elle, elles ne seraient ni agréables ni plaisantes.

— Carol !

Elle ouvrit les yeux d'un coup, et une violente douleur lui perça la tempe.

— *Zut !* Quoi, encore ?

Debout au-dessus d'elle, Gabrielle lui décocha un sourire pincé.

— Pas la peine d'être aussi revêche. C'est ton rêve, pas le mien. Et je ne suis même pas rémunérée !

— C'est à cause de ton stupide défi que je me retrouve dans cette situation, je te ferai remarquer ! lâcha Carol.

— C'est pas si terrible, quand même. Allez, hop, debout, répondit Gabrielle en l'aidant à se remettre en position assise.

Carol fit la grimace.

— C'est encore plus douloureux, cette fois-ci.

— Un crâne ne peut endurer qu'un nombre limité de coups, grommela Gabrielle.

— A ton avis, est-ce le signe que les choses vont encore empirer ?

— Ou qu'elles vont s'améliorer.

— Ou pas, insista Carol.

— Ou pas, acquiesça Gabrielle.

— Dis-moi, est-ce que tout cela est déjà arrivé à une autre femme du club de lecture ?

— Pas à ma connaissance.

— Bon, finissons-en avec cela, dit Carol en se tournant vers l'écran posé par terre. Qu'as-tu à me montrer, cette fois-ci ?

— Un aperçu des Saint-Valentin à venir.

La panique s'empara de Carol.

— Dans combien de temps ? voulut-elle savoir.

— Voyons voir.

— Je ne veux pas ! protesta Carol en levant la main.

Gabrielle s'assit par terre à côté d'elle.

— Je sais. Et c'est peut-être la raison de ma présence ici.

— Et si je vois quelque chose d'horrible… Et si je n'étais plus là ? Et si j'étais morte ?

— Est-ce de cela que tu as peur ? lui demanda Gabrielle. As-tu peur de mourir seule ?

Carol s'efforça de réfléchir en dépit de la douleur qui lui martelait le crâne.

— Ou peut-être de mourir *parce que* je suis seule.

— Ce n'est pas vrai, riposta Gabrielle en riant de bon cœur. En fait, quand une femme se marie, son espérance de vie diminue. De plus, tu n'as pas besoin d'un mari ou d'un amant pour avoir une vie remplie. Il y a aussi la famille et les amis.

— Je n'ai pas de famille.

— Je sais. Et j'en suis désolée. Mais tu pourrais créer la tienne, un jour.

— Et…, poursuivit Carol après une hésitation. Je n'ai pas d'amis.

— Bien sûr, que tu en as ! riposta Gabrielle avec une moue incrédule.

— Non, je n'en ai aucun. Je n'ai pas gardé le contact avec mes amis d'enfance et, ici, tous mes collègues et tous les employés me détestent.

— Cela ne peut pas être vrai.

— Mais si. Ils m'affublent de surnoms ridicules derrière mon dos. Princesse de glace, Reine des glaçons, et j'en passe.

— Tu as les filles du club de lecture.

— Elles non plus ne m'aiment pas.

— Mais bien sûr que si.

— C'est pour cela que j'ai accepté de me lancer dans cette épreuve de séduction, dit Carol d'une toute petite voix. Pour que vous m'appréciiez. Pour pouvoir m'intégrer à votre groupe.

— Je vois, dit Gabrielle en joignant ses mains. Pour quelle raison penses-tu avoir du mal à te faire des amis ?

— Pour être tout à fait honnête, je n'en sais rien du tout, répondit Carol en secouant la tête.

— En ce cas, pourquoi ne pas jeter un coup d'œil à ce que j'ai à te montrer ? Cela pourrait peut-être t'aider, non ?

Carol mâchonna nerveusement l'ongle du pouce tandis que l'écran s'allumait. La scène qui apparut montrait un groupe de cinq vieilles femmes, dans les quatre-vingts ans environ, assises autour d'une table. Elles buvaient du café dans des tasses décorées de cœurs. Elle détailla chacun des visages en essayant de se reconnaître.

— Je ne me reconnais pas, dit-elle finalement.

Gabrielle monta le son.

— Je me souviens d'une époque où les livres étaient vraiment faits de papier, disait une des femmes. On pouvait les tenir dans la main et tourner les pages. Vous vous en souvenez ?

Les autres femmes acquiescèrent. Elles avaient vraiment l'air nostalgique.

— Tu t'en sors avec ton e-book, Cassie ?

— C'est Cassie ! s'exclamèrent en chœur Gabrielle et Carol en se regardant.

— Je l'adore, répondit Cassie en souriant.

Carol reconnut très vite l'éclat de ses yeux bleus.

— Ça me permet de transporter des centaines de livres n'importe où sans aucun problème, poursuivait Cassie. Et qu'en est-il de toi, Page ?

Gabrielle et Carol éclatèrent de rire. Ce qu'elles avaient sous les yeux n'était ni plus ni moins qu'une réunion du club de lecture du Cabas Rouge, une cinquantaine d'années plus tard.

— Moi aussi, je l'adore, dit Page. Ce qui est pratique, c'est que je peux lire la sélection du club de lecture du Cabas Rouge sans que personne ne fasse de commentaire au sujet de cette vieille dame qui lit des livres cochons !

Les cheveux auburn de Page Sharpe avaient perdu de leur éclat, mais elle était encore très jolie — en fait, les cinq femmes avaient très bien vieilli.

Alors que la conversation se poursuivait, Gabrielle et Carol furent en mesure d'identifier les autres femmes au son de leurs voix.

— Oh ! Mon Dieu, mais c'est moi ! s'écria Gabrielle en tendant le doigt vers l'écran. J'ai les cheveux tout blancs !

— Mais tu es toujours très belle, lui dit Carol.

Le compliment eut l'air de faire plaisir à Gabrielle.

Au cours des quelques minutes qui suivirent, elles apprirent à leur grande surprise que tous les hommes que les membres du club de lecture avaient eu pour mission de séduire étaient devenus soit des époux, soit des compagnons — et aussi que tous ces couples paraissaient avoir une vie sexuelle très active.

Cependant, il devint vite clair que Carol ne faisait pas partie du groupe, et plus la scène se déroulait, plus cela l'attristait.

— Est-ce que l'une de vous a revu Carol Snow récemment ? demanda l'une des femmes.

Le souffle court, Carol se pencha vers l'écran.

Toutes prirent l'air triste et profitèrent du silence qui s'ensuivait pour boire une gorgée de café.

— Je lui téléphone tous les deux ou trois mois et je lui laisse un message, mais elle ne me rappelle jamais, dit Jacqueline Mays.

— Moi aussi, renchérit Wendy Trainer, qui avait toujours sa coupe de cheveux à la garçonne. Je n'ai jamais de nouvelles non plus.

— Je lui envoie une carte de vœux tous les ans, dit Cassie. Mais je n'en reçois jamais une de sa part.

Carol se mordit la lèvre.

— Un jour, je suis allée la voir, déclara la vieille Gabrielle. J'ai frappé à sa porte, mais elle ne m'a pas répondu. Sa voisine m'a dit qu'elle ne la voit pratiquement jamais. Elle reste enfermée chez elle à regarder la télévision.

— Vous imaginez, dit Cassie. Elle a encore une télévision.

— Est-ce que les télévisions ne sont pas passées

de mode à peu près en même temps que les livres ? demanda Wendy.

— Je crois, oui, répondit Jacqueline. Dieu du ciel, que nous sommes vieilles !

— Oui, mais au moins nous sommes toujours ensemble, fit remarquer Page.

— C'est vrai, dirent-elles en chœur avant d'entre-choquer leurs tasses.

— Si seulement on pouvait renouer le contact avec Carol…, reprit Wendy.

— Souvenez-vous, elle a toujours été distante, commenta Cassie.

— Difficile d'accès, acquiesça Page.

— Et elle ne participait pas vraiment, ajouta Jacqueline.

— Peut-être qu'elle préfère être seule, suggéra Wendy en haussant les épaules.

La conversation se poursuivit quelques instants et toutes les femmes décidèrent que, oui, finalement Carol avait toujours préféré rester seule. Puis l'écran redevint noir.

Carol fit son possible pour refouler des larmes de désespoir qui lui montaient aux yeux.

— Tu vois ? C'est mon destin d'être seule.

— Non, ce n'est pas ton destin d'être seule, riposta Gabrielle en lui prenant la main. C'est *toi* qui as le contrôle de ta vie et des relations que tu entretiens avec les autres. Bon, maintenant qu'on a regardé cette scène, essaie de me dire pourquoi tu penses avoir du mal à te faire des amis.

Carol renifla et tenta de se reprendre.

— Parce que je ne vais pas vers les autres. Parce que je ne tends pas la main aux gens et que je ne leur fais pas comprendre qu'ils ont de l'importance pour moi. Parce que je ne demande pas l'aide ou le soutien des autres quand j'en ai besoin.

— C'est exact, dit Gabrielle. Comprends-tu maintenant que tu vas devoir changer ces comportements afin de te faire des amis et peut-être même d'avoir des amants ?

— Oui, répondit Carol en hochant la tête. Et je vais le faire, si du moins j'arrive à sortir de cette journée sans fin.

Gabrielle se leva.

— Il y a un vieux dicton qui dit : « Si tu continues à faire ce que tu fais, tu continueras à obtenir ce que tu as. » Peut-être que, pour sortir de cette boucle, il te faudrait faire quelque chose d'inattendu.

— Comme quoi ? l'interrogea Carol en se levant aussi.

— Ça, ça dépend de toi, repartit Gabrielle en souriant. Il est temps de se dire adieu.

— Je ne te reverrai plus ?

— Tu me verras toutes les semaines aux réunions du club de lecture du Cabas Rouge, aussi longtemps que tu choisiras d'y assister, répondit Gabrielle en arborant un sourire plus immense encore. Bonne chance dans ton voyage de retour.

Carol acquiesça d'un signe de tête et se frotta les mains sur sa jupe. Puis elle quitta la pièce.

En se dirigeant vers les ascenseurs, elle avait l'impression que ses pieds pesaient une tonne chacun et que ses mains étaient saisies d'un tremblement incontrôlable. Elle ne voulait pas être la femme dont les vieilles dames avaient parlé — la recluse ayant pour seul passe-temps de regarder la télévision. La femme toujours seule.

Complètement, absolument, irrémédiablement seule.

Elle ne prêta pas vraiment attention à ce qui se passait autour d'elle. Elle avait déjà tout vu de toute façon : les décorations, les ballons, les volontaires qui allaient et venaient et le mépris qu'ils ne manquaient pas de lui manifester tandis qu'elle passait parmi eux. Encore et toujours la même histoire.

« Si tu continues à faire ce que tu fais, tu continueras à obtenir ce que tu as. »

Brusquement, elle se retourna et revint sur ses pas.

— Bonjour ! lança-t-elle à la vingtaine de personnes qui s'affairaient aux préparatifs. Je m'appelle Carol, je travaille dans le département financier, et je me demandais… si vous pourriez me dire ce que vous feriez avec mille dollars s'ils vous tombaient du ciel.

Au début, les employés répugnèrent à prendre la parole, mais plus elle leur posait de questions à propos d'eux et de leurs familles, plus ils se détendaient. Elle s'était attendue à ce qu'ils lui répondent qu'ils allaient s'offrir des vacances ou une télévision à écran plasma, mais certainement pas payer des frais médicaux, réparer une voiture ou pouvoir enfin remplacer une chaudière de plus en plus défectueuse.

Cette conversation lui procura une vive satisfaction et elle les remercia pour leur franchise. En repartant vers l'ascenseur, elle songea qu'elle avait à présent une meilleure compréhension du genre d'obligations financières quotidiennes auxquelles devaient faire face les familles ordinaires — depuis les dépenses scolaires aux assurances en passant par les soins pour les parents âgés.

Alors que l'ascenseur la conduisait à son étage, elle s'adressa à chaque personne présente dans la cabine, leur demandant comment ils allaient et comment se passait leur travail. Au début, tous la dévisagèrent avec méfiance. Et ce fut ainsi qu'elle comprit à quel point les gens la voyaient comme quelqu'un de froid et d'insensible.

Et pourquoi en aurait-il été autrement ? Elle n'avait donné à personne de raisons de penser le contraire — ni à des amis potentiels, ni à des amoureux potentiels.

Le visage de Luke se dessina dans son esprit. Tout ceci allait changer, songea-t-elle en priant pour qu'il ne soit pas trop tard.

- 14 -

Les portes de la cabine s'ouvrirent, et Carol pénétra dans son département. Partout dans la grande salle, on entendait des exclamations et des rires, chacun comparant le nouveau matériel avec l'ancien. Tracy leva les yeux de son bureau et de son « nouvel » ordinateur et, à la grande surprise de Carol, elle lui adressa un sourire chaleureux.

— Dites donc, quel butin ! s'exclama son assistante. Je présume que vous n'avez pas été étrangère à tout cela, je sais que ça fait deux ans que vous essayez d'obtenir une augmentation de budget pour le département.

— C'est exact, mais tout le crédit ne m'en revient pas, répondit Carol. C'est Luke Chancellor qui a tiré des ficelles et qui a fait transférer chez nous des machines dont le département des ventes n'avait pas l'usage. On lui doit tous un immense merci.

— Mais… je croyais que vous détestiez Luke Chancellor, lui répondit Tracy, perplexe.

La honte envahit Carol.

Comme elle était devenue amère au fil des ans. Et elle ne pouvait même pas en imputer la responsabilité à James. C'était elle et elle toute seule qui s'était enfermée dans ce personnage de femme d'affaires froide et désagréable. Comment avait-elle pu laisser son caractère se modifier à ce point ? Il était plus que temps d'y remédier.

— Je suis vraiment navrée si je vous ai donné cette impression, à vous et à d'autres. D'après ce que je sais de Luke Chancellor, c'est vraiment quelqu'un de bien, sans compter qu'il a apporté une certaine prospérité à notre entreprise.

— Etes-vous sûre que vous allez bien, madame Snow ? lui demanda Tracy en penchant la tête.

Carol laissa échapper un petit rire.

— Je suis un peu lasse et j'ai un vague mal de tête, mais dans l'ensemble, oui, je vais bien.

— Euh… c'est peut-être bien ma faute, dit Tracy en faisant une grimace.

— Que voulez-vous dire ?

— J'ai acheté par erreur du café décaféiné, lui expliqua son assistante en désignant de la main l'endroit où trônait la cafetière. Moralité, toute la semaine dernière, pas de caféine… et c'est peut-être pour cela que vous êtes fatiguée et que vous avez mal à la tête. En fait, ajouta-t-elle en se tournant vers le reste de l'open space, je pense que c'est la raison pour laquelle tout le monde ici a été un peu à cran ces derniers temps. Je vous prie de m'excuser si quelqu'un a fait preuve de grossièreté à votre égard. Ceci devrait vous donner un coup de fouet et faire passer votre mal de tête, conclut-elle en tendant à Carol une tasse fumante.

Carol porta une main à son front.

— Merci, mais il y a une autre raison…

Elle s'interrompit net. Où était sa bosse ? Elle avait complètement disparu.

— Non, rien, murmura-t-elle, plongée dans la plus grande des confusions.

— Vous êtes en retard pour le comité de direction, l'informa Tracy. Oh ! et j'ai refait le mémo. Vous en trouverez une copie propre sur votre bureau quand vous reviendrez.

— Parfait — et merci pour le café.

Carol partit précipitamment vers la salle où avait lieu la réunion des directeurs mais, contrairement à son habitude, elle prit le temps de saluer quelques collègues. Chaque fois qu'une mine interloquée se muait en sourire, son moral remontait d'un cran.

C'était... drôlement agréable.

Quand elle pénétra dans la salle, ses collègues relevèrent la tête vers elle. Elle affronta leurs regards indifférents avec un sourire d'excuse et s'installa sur son siège.

Elle tourna les yeux vers Luke Chancellor, qui était assis en bout de table, et aussitôt elle sentit son souffle se bloquer dans sa poitrine. Il était si beau, si séduisant ! Oui, elle était amoureuse de lui. Follement même. Toutefois, elle allait devoir se tenir sur ses gardes car, pour autant qu'il soit concerné, le seul contact physique dont Luke semblait garder le souvenir était une esquisse de baiser dans l'entrepôt aux fournitures.

Il lui décocha un sourire amical.

— Nous étions sur le point d'envoyer les secours, Carol.

— Désolée pour le retard. J'espère ne pas vous avoir fait perdre votre temps.

— Il paraît que ton département a reçu de tous nouveaux ordinateurs, dit Janet, directrice du département artistique, en souriant.

Tous les regards se tournèrent vers Luke. Il leva haut les deux mains et protesta :

— C'était l'idée de Carol. Je lui ai juste… facilité les choses.

Il était toujours temps de changer se rappela Carol en adressant un sourire éclatant à Luke.

— Ce n'est pas vrai. C'est Luke qui en a eu l'idée et qui s'est occupé de tout. Mes équipes sont ravies et je profite donc de l'occasion pour le remercier publiquement.

Il parut surpris par ce petit discours, mais il était évident que cela lui faisait plaisir.

— Bien, pour reprendre où nous en étions… nous étions sur le point de procéder à un nouveau vote concernant les primes, dit-il avant de la regarder. Il est clair, je pense, que quiconque s'y oppose suit votre exemple, Carol. Alors je crois que nous pourrions couper au plus court et vous demander, à vous, si vous avez changé d'avis à ce sujet ?

Tous les regards se tournèrent vers elle et tous étaient pleins d'espoir, pas seulement celui de Luke. Ce qui signifiait que tous pensaient qu'elle pourrait encore changer d'avis, et surtout, et c'est ce qui lui fit le plus chaud au cœur, elle se rendit compte que tous accordaient de la valeur à son opinion.

Tant de choses étaient arrivées depuis la veille au soir… Par où commencer ?

Elle prit une profonde inspiration.

— En fait… oui, j'ai révisé ma position. J'ai eu l'occasion de discuter avec quelques-uns de nos employés, et je comprends à présent ce qu'une prime exceptionnelle de mille dollars peut changer pour une famille, et également pour le moral des gens qui travaillent avec nous. Si nous pouvons nous permettre de récompenser tout le monde à la suite d'une excellente année, pourquoi ne pas le faire ? Je recommande donc que nous approuvions sur-le-champ cette distribution de primes.

Tout d'abord stupéfait, Luke ne tarda pas à arborer un immense sourire.

— Tous d'accord ? demanda-t-il à la cantonade.

Le vote fut unanime, et Luke eut un mal fou à contenir son enthousiasme — ce qui ne le rendit que plus sexy et attirant à ses yeux. Le petit signe de tête de remerciement qu'il lui adressa lui fit battre le cœur un peu plus vite… et lui fit un peu peur. Comment, en un laps de temps si bref, pouvait-elle se sentir aussi proche de lui ? Et les sentiments de Luke seraient-ils semblables à ceux qu'elle éprouvait pour lui ?

Quand elle quitta la réunion et qu'elle regagna son département, Carol constata que tout le monde était d'humeur allègre — apparemment, l'approbation des primes avait déjà filtré, et le retour à du vrai café avait peut-être aussi eu son utilité. Son propre mal de tête avait disparu et elle avait recouvré son énergie coutumière. Elle circula parmi ses employés tandis qu'ils se familiarisaient avec leurs nouveaux équipements. Arrivée à son bureau, elle décida de laisser la porte ouverte afin d'y laisser filtrer l'énergie créative et contagieuse qui habitait à présent le vaste open space.

Sans compter qu'elle avait une autre raison de se réjouir — le ciel n'avait plus cette teinte pourpre menaçante. Autrement dit, il n'y aurait pas de tempête… mais, de toute façon, elle s'en fichait car elle avait bien l'intention de descendre à la réception et de s'y amuser.

Et de voir Luke.

Elle eut un mal fou à se concentrer sur la montagne de paperasses qui encombrait son bureau. Fébrile, elle attendait que Luke frappe à sa porte pour lui proposer de descendre avec lui à la réception. S'ils y allaient ensemble, il l'inviterait à dîner demain soir pour la Saint-Valentin — elle connaissait le déroulement des faits par cœur maintenant ! — et n'inviterait donc pas la fameuse blonde. Et, cette fois-ci, elle accepterait. Elle passa son temps à vérifier son rouge à lèvres dans le petit miroir qu'elle avait dans son tiroir et à se remémorer qu'il lui faudrait bien sûr adopter une attitude nonchalante et ne rien laisser voir de sa nervosité.

Elle songea également à envoyer une joyeuse mise à jour à Gabrielle.

> Séduction oubliée — me suis abandonnée à l'amour.

La réponse ne se fit pas attendre.

> Ravie que tu aies trouvé un moyen de briser la spirale infernale.

Message qui laissa Carol perplexe. On aurait dit que la vraie Gabrielle était au courant de…

Non, c'était impossible.

Un coup résonna contre sa porte.

Le cœur battant la chamade, elle découvrit Luke sur le seuil de son bureau. Avec son costume marron et sa chemise bleu pâle, il était à tomber par terre. Elle lui adressa son sourire le plus chaleureux.

— Entrez.

— Eh, votre nouvelle politique de la porte ouverte me plaît beaucoup. Si seulement tous les directeurs pouvaient en faire autant…

Le compliment la toucha et elle se sentit rougir. Puis elle se rappela qu'elle n'était pas censée connaître les raisons de sa visite.

— A quoi dois-je le plaisir de votre visite ?

Luke avança vers son bureau et attrapa une balle d'élastiques qui s'y trouvait.

— Je voulais juste passer vous remercier d'avoir reconsidéré votre position quant aux primes. Aujourd'hui, vous avez fait le bonheur de bien des gens.

— C'est vous qu'il faut remercier, Luke. Non seulement l'idée venait de vous, mais c'est aussi grâce à votre travail que les ventes ont fait un tel bond, rétorqua-t-elle avec un grand sourire. C'est nous qui avons de la chance de vous avoir.

Il la regarda fixement, mais son regard était indéchiffrable.

— Merci.

Soudain, il reposa la balle d'élastiques sur le bureau et recula d'un pas.

— Je ferais mieux d'y aller.

— Attendez, s'écria-t-elle en tendant les mains vers son attaché-case et son manteau. Je vais descendre avec vous pour aller à la fête.

— Euh… en fait, je ne vais pas à la fête.

— Mais… c'était votre idée, de donner une réception, dit-elle, incapable de dissimuler sa déception.

Que se passait-il ? Tout allait de travers maintenant…

— Je sais.

Elle chercha désespérément de nouvelles excuses pour l'obliger à rester.

— Et… les chèques de bonus seront prêts à être distribués. Je croyais que vous voudriez être là à ce moment-là.

— C'est exact, mais… j'ai un empêchement. J'ai été invité à une course de steeple-chase cet après-midi, et comme le temps est magnifique j'ai décidé d'y aller.

— Un steeple-chase ? répéta Carol, la gorge sèche.

Elle avait un souvenir très net d'une blonde tout en jambes en train de lui sourire. « Ce devait être mon jour de chance, je crois, quand j'ai décidé d'aller à une course de steeple-chase avec cette amie… Jamais je n'aurais rêvé rencontrer quelqu'un comme vous, Luke. »

Et, sans crier gare, l'image de la carte avec un glaçon lui revint à l'esprit avec une violence qui la fit presque tituber. C'était comme cela qu'il la voyait vraiment… comme une princesse de glace qui refusait de fondre. Toute cette opération de séduction… toute cette flagornerie n'avait eu pour véritable but que d'obtenir son soutien pour son programme de primes aux employés. Et, à présent qu'il avait obtenu ce qu'il voulait, il faisait machine arrière. Elle pouvait le percevoir… elle pouvait le lire dans ses yeux… et dans la manière qu'il avait de l'éviter.

Comment avait-elle fait pour se tromper aussi bêtement ? Elle avait pensé que tout irait bien, que ce petit incident temporel était une manière de la mettre à l'épreuve, elle avait complètement occulté l'idée que peut-être Luke ne l'appréciait pas.

— Euh, oui, répondit-il avant de hausser une épaule, pas très à l'aise. Vous savez bien… des chevaux, du saut d'obstacles et… le reste. Ça paraît… intéressant.

Il semblait incapable de la regarder dans les yeux.

Elle hocha la tête en souriant, quand bien même elle ne ressentait aucune joie. Quelle ironie ! Elle avait enfin ouvert son cœur à un homme, pour lui elle avait essayé de changer, elle avait fait des efforts pour entrer en contact avec les autres, pour se faire des amis et voilà que cet homme ne voulait pas d'elle.

Et par deux fois, d'ailleurs. D'abord James, et maintenant Luke.

Cependant, sous la douleur et la déception, il y avait de la gratitude. Parce que, sans les taquineries impitoyables et incessantes de Luke, elle n'aurait jamais envisagé de se venger. Car c'était grâce à ce stupide plan qu'elle avait compris à quel point elle avait tenu les autres et le monde extérieur à distance. C'est comme si elle avait l'expression « passez votre chemin » tatouée sur le front. Elle avait compris également qu'en se fermant aux choses douloureuses de la vie telles que la perte d'êtres chers ou le rejet, elle s'était aussi fermée à toutes les bonnes choses, l'amour, la sensualité.

Et même l'amitié.

Ce qui ne signifiait qu'une chose maintenant. Demain, pendant que Luke dînerait avec la blonde, elle téléphonerait à ses anciens amis et essaierait de renouer le contact avec eux.

Toujours mal à l'aise, Luke montra la porte du doigt.

— On peut toujours descendre ensemble, en ascenseur.

— Bonne idée, lui répondit-elle avec son plus joli sourire, si tant est qu'on puisse sourire quand on avait le cœur en lambeaux.

De toute façon, elle allait devoir s'habituer à travailler avec lui et à dissimuler ses sentiments, songea-t-elle en jetant son manteau sur son bras et en empoignant son attaché-case. Alors qu'ils partaient vers l'ascenseur, elle s'efforça désespérément de trouver quelque chose à dire mais n'y parvint pas.

Luke appuya sur le bouton d'appel et se mit à siffloter entre ses dents, rêvant visiblement d'être ailleurs. Elle se sentit stupide. Pourquoi avait-elle accepté de descendre avec lui ? Quand la cabine s'immobilisa enfin à leur étage, ils montèrent en prenant bien soin de se tenir le plus loin possible l'un de l'autre.

Dans un silence de plomb, l'ascenseur entama sa descente.

— Eh bien… je crois qu'il y a du vrai dans la rumeur, dit Luke en regardant alternativement soit le plafond, soit ses pieds.

— Quelle rumeur ? lui demanda-elle, prise au dépourvu.

— Celle qui explique la raison pour laquelle vous êtes soudain de si bonne humeur.

Elle se figea. De quoi pouvait-il bien parler ?

— Et… quelle serait cette raison ?

— Un homme.

Elle eut envie de rentrer sous terre. Car il y a pire qu'avoir un béguin sans espoir pour un homme : c'est qu'il le *sache*. Elle réfléchit à toute vitesse — qu'est-ce que ses amies du club de lecture auraient fait à sa place ?

La réponse fut immédiate : *Mentir.*

— Il y a un homme, en effet, avoua-t-elle sans parvenir toutefois à le regarder dans les yeux.

Elle avait bien trop peur qu'il puisse y lire la confirmation que c'était de lui qu'elle était folle.

— Oh ! dit-il avec un hochement de tête. C'est bien. Quelqu'un que je connais ?

— Non, répondit-elle avec emphase. Vous et lui ne vous croiserez jamais.

En fait, ce n'était même pas vraiment un mensonge. Car il y avait bien deux Luke : l'homme attentionné dont elle était tombée amoureuse, et le don Juan cynique et inconstant qui dînait avec une femme différente tous les soirs.

Lorsqu'ils atteignirent le rez-de-chaussée, Luke jaillit

de la cabine. Il se retourna néanmoins une dernière fois vers elle.

— Je suis content que vous ayez rencontré quelqu'un, Snow. Je vous souhaite une très bonne soirée de la Saint-Valentin à vous et à votre ami.

— Je vous remercie, dit-elle. Amusez-vous bien chez Richardson's.

Alors que les portes se refermaient, elle eut le temps de le voir écarquiller les yeux et sur ses lèvres se forma le mot « Richardson's ? »

- 15 -

Après cet échange humiliant, Carol eut la tentation de laisser tomber la fête et de rentrer chez elle regarder la télévision. Une seule chose l'en empêcha, le souvenir des vieilles dames du club de lecture parlant d'elle comme d'une recluse. A la longue, la rumeur finirait bien par s'éteindre. Pendant ce temps, elle pourrait continuer dans sa nouvelle voie. Elle n'avait pas changé seulement pour les beaux yeux de Luke, elle avait sincèrement envie de se rapprocher de ses collègues.

Tout comme les autres fois, le bruit provenant de la réception lui parvint avant même l'arrêt de la cabine. Et, quand les portes s'ouvrirent, la musique montée à fond et le tonnerre de rires et de voix lui firent toujours le même effet, comme si elle recevait un soufflet en pleine figure. Son estomac se serra, mais à la peur et à la timidité se mêlait maintenant une certaine excitation. Quelques têtes se tournèrent dans sa direction et, avant même de se demander si leur regard était avenant ou désagréable, elle leur sourit. Et voyant qu'on lui souriait en retour, elle avança pour se présenter.

La réception s'avéra très agréable et l'endroit idéal pour mettre en pratique sa nouvelle philosophie. A un moment donné, elle repéra Tracy et alla lui dire bonjour.

— Je n'ai pas eu le temps de vous en parler avant

que vous partiez, mais le mémo est impeccable, lui dit-elle avec un sourire.

— Vraiment ? répondit son assistante, le visage fendu d'un immense sourire.

— Tout à fait. Grammaire et orthographe impeccables, et la documentation est parfaitement rédigée.

— Merci, madame Snow.

— Non, répondit Carol en posant une main sur le bras de Tracy. Merci à vous pour tout ce que vous faites pour moi et pour m'aider à faire que le département soit à son meilleur niveau.

Tracy la fixa un instant, les yeux ronds, puis éclata en larmes.

Décontenancée, Carol lui tapota l'épaule.

— Mais que se passe-t-il ? Qu'est-ce qui ne va pas, Tracy ?

— J'ai fait quelque chose de vraiment méchant.

— Je ne peux pas vous imaginer faire quelque chose de très méchant, répliqua Carol avec un petit rire.

— Si, je l'ai fait, et je suis désolée, répondit son assistante en hochant la tête comme une petite fille.

— Mais qu'avez-vous fait, grand Dieu ?

La jeune femme pinça les lèvres, puis lâcha d'une voix précipitée :

— J'ai glissé dans un de vos sacs une carte vous comparant à un glaçon.

Carol la contempla, médusée.

— C'était vous ?

— Je suis tellement désolée, madame Snow. C'était très immature, et très méchant. Je ne vous en voudrais pas si vous me flanquiez à la porte.

Carol réfléchit un instant à toutes les fois où elle

n'avait rien eu d'autre pour son assistante que critiques et remarques acerbes, et lui serra gentiment l'épaule.

— Cela n'arrivera pas, Tracy. Mais merci de me l'avoir avoué.

Elles bavardèrent encore quelques instants puis Tracy ne tarda pas à prendre congé pour aller réparer les dégâts que les larmes avaient infligés à son maquillage. Lorsque Carol se retrouva seule, elle eut tout le loisir de réfléchir à ce qu'impliquait cette nouvelle révélation.

Ainsi, ce n'était pas Luke Chancellor qui avait glissé la carte peu flatteuse dans son sac. Elle secoua la tête en songeant combien elle avait été bien déterminée à faire souffrir cet homme alors même qu'il n'était même pas responsable de ce dont elle l'accusait.

En même temps, savoir qu'il n'était pas capable d'un tour aussi désagréable la rasséréna.

Elle tourna les yeux en direction de l'entrepôt à fournitures. Elle redoutait d'y aller maintenant, tant le lieu était chargé en souvenirs, mais il fallait tout de même qu'elle récupère cette boucle d'oreille.

Elle se dirigea vers la porte, les oreilles bourdonnantes et le cœur battant. Si jamais elle se confiait à l'une des personnes ici présentes, si elle lui expliquait que la pièce où était entreposé le matériel en surplus était un lieu chargé de mystère et à la limite du paranormal, elle lui rirait sans doute au nez. Mais elle n'avait pourtant pas rêvé, non ? Carol pinça les lèvres.

Une entreprise répondant au nom de Mystic Touch.

Le couloir menant à la salle était sombre et désert. Plus elle en approchait, plus elle se sentait comme attirée — presque obligée d'y pénétrer. Elle entra le code d'accès, attendit le *clic*, poussa la porte, entra et alluma aussitôt les lumières. Toutes les lumières. Nerveuse, elle chercha des yeux le carton ou l'écran d'ordinateur qui n'allait pas manquer de lui tomber dessus. Et une fois encore la même journée recommencerait… Cette nouvelle version était sans conteste la meilleure, et elle n'avait pas très envie d'essayer de faire mieux. Même si Luke avait décidé de ne pas assister à la réception.

Un *clic* se fit entendre, la porte s'ouvrit … et Luke entra.

Bouche bée, elle se demanda d'abord si son esprit ne recommençait pas à lui jouer des tours.

— Je me suis dit que je pourrais vous trouver là, lui dit-il.

— Je suis venue chercher une boucle d'oreille que j'ai perdue hier soir, murmura-t-elle.

— Hier soir… j'ai pourtant l'impression que ça fait une éternité, dit Luke.

Elle hocha la tête.

— Vous avez finalement changé d'avis quant à la réception ?

— Oui, répondit-il en avançant vers elle. Je suis revenu, et pour me couvrir de ridicule en plus.

Elle sentit son pouls s'emballer.

— Que voulez-vous dire ?

— Je sais que vous avez rencontré quelqu'un, mais… pourquoi ne sortiriez-vous pas avec moi ? dit-il en se rapprochant encore.

Une immense émotion la submergea. Avait-elle bien entendu ? Incapable de se maîtriser, elle se couvrit la bouche de la main et des larmes commencèrent à ruisseler sur ses joues.

Debout devant elle, une expression angoissée sur le visage, Luke tira un mouchoir de sa poche arrière.

— Vous allez devoir me dire le sens de ces larmes. Bonheur ? Tristesse ? Rage de dents ?

— Bonheur, répondit-elle en riant et en se tamponnant les yeux. Vous savez, l'homme que j'ai rencontré, celui qui m'a mise de si bonne humeur ?

— Oui ? dit-il avec méfiance.

— C'est vous.

— Moi ?

Il fronça les sourcils et son regard prit une l'expression lointaine, comme s'il essayait de retrouver quelque chose qui lui échappait.

— Moi, répéta-t-il avant de hocher la tête. Ecoutez, si je vous ai paru différent ces derniers temps, plus distant, c'est parce qu'après hier soir ici quand j'ai failli vous embrasser, j'ai commencé à avoir ces… fantasmes *précis* et ces… *impressions.*

Elle se rapprocha de lui et leva les bras pour les lui passer autour du cou.

— Je pense savoir de quoi vous parlez.

Lorsque Luke l'embrassa, elle éprouva une impression de bonheur comme elle n'en avait jamais connu. C'était comme de rentrer à la maison après un long voyage. Avait-elle rêvé toutes ces longues journées ? Elle s'en moquait ! Les mains de Luke sur son corps, ses caresses, ses gémissements contre sa bouche, elle avait l'impression de les avoir attendus toute sa vie. Lorsqu'il la plaqua contre lui, frottant son sexe dur et viril contre ses hanches, un désir d'une violence inouïe fondit sur elle et elle allait le supplier de la prendre là tout de suite, lorsque Luke s'écarta d'elle.

— Retrouvons ta boucle d'oreille, comme ça, on pourra filer d'ici, murmura Luke en se redressant.

— Tant pis, dit-elle en le tirant vers la porte.

— Elle a manifestement de l'importance pour toi. Faisons au moins un petit tour rapide ; si on ne la voit pas, on s'en va.

En constatant sa détermination, elle céda :

— J'ai la deuxième dans mon attaché-case. Je vais te la montrer, comme ça, tu sauras ce qu'il faut chercher.

Quand elle ouvrit son attaché-case pour y prendre la boucle d'oreille orpheline, Luke le regarda avec une drôle d'expression, puis s'empara de la boucle d'oreille. Les nerfs à vif, elle le suivit le long des allées. Elle n'avait qu'une envie, partir. Les choses étaient parfaites comme elles étaient… les choses étaient parfaites, point. Pourquoi tout gâcher ?

— Ce ne serait pas ça ? demanda Luke en désignant la base d'un rayonnage. Si, je crois bien.

Il s'accroupit, mais elle fut incapable de regarder. Morte d'appréhension, elle ferma les yeux et retint son souffle dans l'attente du fracas qui ne manquerait pas de suivre.

— Carol ?

Elle rouvrit les yeux, devant lesquels il agitait la boucle.

— Est-ce que ça va ? lui demanda-t-il.

— Oui, merci.

— Je t'en prie, mais cela me paraît un excellent présage à moi aussi, répondit-il. Les émeraudes sont le symbole d'un amour qui dure.

Elle le dévisagea, incrédule.

— C'est ce qu'on m'a dit, dit-elle simplement en refermant la main sur la boucle. Allons-y. Vite. Avant que quelque chose… arrive.

Une fois à la porte, toutefois, un détail la fit s'arrêter.

— Tu es sûr que tu n'oublies rien ?

— Quoi donc ? voulut savoir Luke, perplexe.

— Les chocolats que tu m'as achetés ?

— Comment le sais-tu ?

— Je le sais, c'est tout, dit-elle en croisant les bras.

— Ce n'est pas grand-chose, dit-il en tendant le bras vers le sommet d'un rayonnage pour attraper une boîte de chocolats en forme de cœur.

Quand il la lui tendit, son cœur manqua un battement. Sur le ruban de soie rouge, on pouvait lire :

« Je t'aime ».

C'était si romantique qu'elle crut étouffer de bonheur. Jamais elle n'aurait pensé vivre un instant pareil, et la veille de la Saint-Valentin en plus.

Luke avait l'air à la fois ravi et un peu penaud.

— Pour être tout à fait franc, je ne suis pas vraiment certain de la raison pour laquelle j'ai acheté celle-ci. Elle m'a juste semblé… être la bonne. J'ai l'impression que… je te connais, Carol… plus que je…

Mais, quand les paroles viennent à manquer, il reste toujours les actes. Luke se pencha vers elle et déposa sur ses lèvres le plus enivrant des baisers. Comme lors de leur premier baiser, de leur deuxième aussi, elle fut transportée par une vague de passion brute qui manqua la faire tituber.

Il releva la tête, la regarda au fond des yeux et dit :

— Crois-tu au déjà-vu?

— Oh ! oui, murmura-t-elle avant de refermer la main sur sa nuque et d'attirer résolument ses lèvres sur les siennes.

Ce mois-ci dans la collection 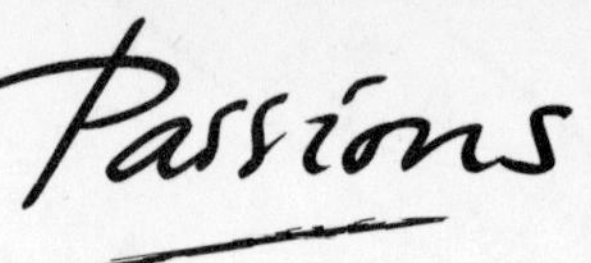

La trilogie de Day Leclaire

La couronne de Verdonia

à découvrir à prix exceptionnel !

Au royaume de Verdonia des alliances se nouent, des passions se créent...

8,64 €
la trilogie complète

www.harlequin.fr

Le 1er mars

Passions n°382

Laurel, princesse du désert - Tessa Radley

Epouser Rakin Whitcomb Abdellah, le sublime cheikh qu'elle vient de rencontrer ? Pour Laurel Kincaid, c'est la plus douce des folies – et elle y succombe avec délice. Après tout, ce mariage sera temporaire, et ne s'est-elle pas juré de pimenter sa vie ? Bientôt, pourtant, alors qu'elle découvre, au côté de son nouvel époux, le royaume de Diyafa et l'immensité du désert, Laurel sent le doute l'envahir. Parviendra-t-elle, quand il le faudra, à renoncer à Rakin, cet homme qui a bouleversé son existence et embrasé tous ses sens ?

La vengeance de Jack - Day Leclaire

« Je ne suis pas un Kincaid ». Toute sa vie, Jack s'est répété cette sentence. Enfant illégitime de la famille, il a vécu comme un paria, dans l'ombre de ces frères et sœurs auxquels il n'est lié que par un sordide héritage. Il a grandi seul. Et s'il s'est autorisé à aimer – une seule fois –, il le regrette amèrement. Car Nikki l'a piégé. Durant tout ce temps qu'elle a passé dans ses bras, dans son lit, elle travaillait pour les légitimes. Et cette odieuse et sulfureuse trahison n'a fait qu'attiser la soif de vengeance de Jack. Car hier comme aujourd'hui, il n'a qu'un désir : détruire les Kincaid.

Passions n°383

La rose de New Chance - Nora Roberts

Une petite ville poussiéreuse, désespérante, perdue sous le soleil implacable du Nouveau-Mexique. Enfin, Phil a trouvé le décor de son nouveau film. Mais il ne tarde pas à déchanter, lorsque la belle Tory, shérif de Friendly, le jette sans ménagement en prison, pour un délit ridicule. Pis, loin d'être impressionnée par sa célébrité, la jeune femme semble beaucoup s'amuser de la colère qui s'est emparé de lui. Aussi, dans sa cellule suffocante, Phil prend-t-il une décision : quoi qu'il lui en coûte, il fera payer à cette beauté sauvage son audace – en la faisant sienne...

Un homme à aimer - Nora Roberts

En louant une partie de sa maison à Cooper McKinnon, Zoe a fait une terrible erreur. Une erreur ô combien délicieuse... Depuis qu'elle vit sous le même toit que Coop, l'homme le plus séduisant qu'elle ait jamais rencontré, elle n'a plus un moment de répit. Jour et nuit, elle pense à lui, à son corps musclé, à son regard envoûtant. Pourtant, elle ne doit surtout pas céder au désir qu'il lui inspire. Car même si elle brûle de l'embrasser, Coop est un célibataire endurci, bien loin du père qu'elle recherche pour son petit Keenan...

Passions n°384

La tentation de ses bras - Fiona Brand

Dangereux, sexy, troublant – pour Lilah, Zane Atraeus est la tentation incarnée. Jamais elle n'oubliera l'instant où il l'a enlacée, l'odeur de sa peau, le goût de ses baisers. Pourtant, elle ne peut se permettre une telle faiblesse, car Zane, s'il a le pouvoir de lui faire perdre tout contrôle, n'est absolument pas un candidat crédible pour le mariage. Et si Lilah veut trouver l'homme idéal, elle doit à tout prix ignorer l'instinct destructeur qui la pousse dans les bras de Zane...

Un ténébreux voisin - Helen R. Myers

Retrouver Derek Roland au Colorado est un choc pour Eve. A travers lui, c'est le passé qu'elle a tant cherché à oublier qui resurgit. Fuir ? Impossible, elle vient de s'installer à Denver pour démarrer une nouvelle vie. Ignorer Derek ? Comment le pourrait-elle, alors qu'ils sont désormais voisins ? Alors, surtout, que cet homme charismatique lui porte un intérêt aussi inédit qu'envoûtant ? Oui, à la façon dont il fixe ses lèvres avec avidité, il est clair qu'il fera tout pour prolonger leur troublante proximité – ce qui, hélas, n'est pas pour lui déplaire...

Passions n°385

Sous un ciel d'orage - Karen Templeton

Une tornade s'est abattue sur Red Rock, Texas. Et Scott Fortune s'est retrouvé prisonnier des décombres, au côté de la douce Christina... Tandis que l'aube les délivre enfin de leur cachot de poussière, Scott comprend qu'il ne sera jamais plus le même. En l'espace de quelques heures cauchemardesques, alors qu'il tentait d'offrir chaleur et réconfort à la jeune femme, il s'est passé quelque chose en lui. Tandis qu'il l'embrassait passionnément, il a, pour la première fois de sa vie, tout oublié – son empire, ses responsabilités qui l'attendent à Atlanta. Et la conclusion qu'il doit en tirer est aussi limpide que troublante : lui, l'homme d'affaires impitoyable, est tombé amoureux d'une inconnue...

Une découverte inattendue - Robyn Grady

Jamais Trinity n'aurait imaginé partager un taxi avec Zack Harrison, cet homme d'affaires connu pour son opportunisme et ses frasques amoureuses. Et encore moins, découvrir avec lui... un bébé abandonné sur la banquette arrière. Désemparée, elle finit par accepter la proposition de Zack : passer la nuit chez lui, afin de veiller sur l'enfant. Même si les battements effrénés de son cœur résonnent en elle comme une mise en garde contre la tentation que représente ce dangereux séducteur...

Passions n°386

Le rêve d'une mariée - Stella Bagwell

« Tu seras ma femme ». En se rendant au grand prix d'Hollywood Park, Kitty ne s'attendait pas à recevoir une demande en mariage de Liam Donovan, l'homme qu'elle aime en secret depuis toujours. En effet, s'ils ont en commun leur passion des chevaux, Liam ne partage pas ses sentiments, elle ne le sait que trop bien. Et la nuit passionnée qu'ils ont vécue sept mois plus tôt n'était qu'une parenthèse aussi troublante qu'éphémère. Pour Kitty, le doute n'est pas permis : si Liam veut l'épouser aujourd'hui, ce n'est pas par amour, mais parce qu'elle porte son enfant...

Séduction secrète - Heather MacAllister

Collaborer avec Mark Banning, le sublime reporter au regard azur ? Pour Piper, cela ressemble à un cauchemar. En effet, si Mark est très talentueux, il est aussi incroyablement arrogant. Leur patron a beau exiger qu'ils travaillent ensemble, Mark refuse son aide avec acharnement. Seulement, Piper n'a pas le choix. Pour conserver son emploi, elle va devoir amadouer cet homme farouchement solitaire - et faire taire le trouble qu'il éveille en elle...

Passions n°387

Inavouables désirs - Cathy Yardley

« J'aimerais intégrer le Club des Joueurs ». En prononçant cette phrase sous l'œil inquisiteur de Lincoln Stone, Juliana sait qu'elle joue le tout pour le tout. Soit il accepte de lui faire passer les tests qui lui ouvriront les portes de cette mythique société secrète, et elle pourra monnayer l'expérience auprès d'une chaîne de télé, soit il demeure inflexible, et elle peut dire adieu à son seul moyen d'éviter la faillite personnelle. Alors elle doit trouver une solution pour le convaincre, coûte que coûte. Certes, elle sait qu'il la tient pour une jeune femme immature et capricieuse, et qu'il ne l'a reçue qu'à contrecœur, à la demande expresse d'un de leurs amis communs. Mais, à la manière dont il la déshabille du regard, elle sait aussi qu'elle le trouble. Infiniment. Aussi décide-t-elle d'en tirer parti...

Un piège exquis - Kira Sinclair

Si Simon veut pouvoir mettre un point final à son roman, il faut absolument que la belle Marcy, son bras droit sur l'île paradisiaque où il a fondé un hôtel de luxe, accepte de rester sur l'île le temps de la fermeture annuelle. Sauf qu'elle ignore qu'il est l'auteur de best-sellers, est persuadée qu'il passe ses journées à ne rien faire, et ne cesse de lui reprocher vertement de ne pas tenir son rôle de directeur. Aussi n'est-il pas surpris lorsqu'elle refuse tout net, en lui rappelant qu'elle a prévu depuis longtemps de partir à New York à cette période. Qu'à cela ne tienne : il va trouver un moyen de la retenir sur l'île, et lorsqu'ils ne seront plus que tous les deux, elle sera bien obligée de l'aider. Et, qui sait, cette proximité forcée lui permettra peut-être de la connaître de plus près. De bien plus près...

A paraître le 1er janvier

Best-Sellers n°543 • suspense

Le manoir du mystère - Heather Graham

Quand l'agent Angela Hawkins accepte de devenir la coéquipière du brillant et séduisant enquêteur Jackson Crow, elle est loin d'imaginer ce qui l'attend. Tout ce qu'elle sait, c'est que la femme d'un sénateur est morte en tombant du balcon de l'une des plus belles demeures historiques du quartier français de La Nouvelle-Orléans. Et que, pour presque tout le monde, elle s'est jetée dans le vide, désespérée par la mort récente de son fils. Mais à peine Angela commence-t-elle son enquête avec Jackson dans l'étrange demeure du sénateur que l'hypothèse du suicide lui semble exclue. Guidée par son intuition et par des visions inquiétantes où elle voit la jeune femme en danger, Angela est en effet rapidement persuadée que dans l'entourage du sénateur, chacun est moins innocent qu'il n'y paraît. Mais de là à tuer ? Et pour quel motif ? Décidés à dévoiler la sombre vérité, Angela et Jackson vont non seulement risquer leur vie… mais, aussi, leur âme.

Best-Sellers n°544 • suspense

Meurtre à Heron's Cove - Carla Neggers

Lorsqu' Emma Sharpe est appelée d'urgence au couvent de Heron's Cove, sur la côte du Maine, c'est en partie en qualité de détective spécialisée dans le trafic d'œuvres d'art au sein du FBI, et aussi en raison des années qu'elle a elle-même vécues ici. Mais elle n'a pas le temps d'en savoir plus, car quelques minutes à peine après son arrivée, la religieuse qui l'a contactée est retrouvée morte. Pour unique piste, Emma doit se contenter de la disparition mystérieuse d'un tableau représentant d'anciennes légendes. C'est alors qu'elle découvre, stupéfaite, que sa famille n'est pas étrangère à l'histoire de cette toile. Se pourrait-il qu'il y ait un lien entre ce vol, le meurtre et son propre passé ? Emma ne sait où donner de la tête. Heureusement, elle peut compter sur la précieuse collaboration de Colin Donovan, un agent secret du FBI solitaire et mystérieux. Même si elle conserve une certaine méfiance vis-à-vis de cet homme qui se moque des règles et semble n'en faire qu'à sa tête. Lancée dans une folle course contre la montre, elle s'immerge avec Colin dans un héritage fait de mensonges et de tromperies. Sans savoir qu'un tueur impitoyable les a déjà dans sa ligne de mire.